D1241784

# QUOI QU'IL ARRIVE

## ŒUVRES DE DANIELLE STEEL
## AUX PRESSES DE LA CITE

*(Suite en fin d'ouvrage)*

# Danielle Steel

# QUOI QU'IL ARRIVE

## Roman

*Traduit de l'anglais (États-Unis)*
*par Nelly Ganancia*

PRESSES
DE LA CITÉ

Titre original : AGAINST ALL ODDS
L'édition originale de cet ouvrage a paru en 2017 chez Delacorte Press, Random
House, Penguin Random House LLC, New York.

Ce livre est une œuvre de fiction. Les noms, les personnages, les lieux et les événements
sont le fruit de l'imagination de l'auteur ou sont utilisés fictivement. Toute ressemblance
avec des personnes réelles, vivantes ou mortes, serait pure coïncidence.

Le Code de la propriété intellectuelle n'autorisant, aux termes de l'article L. 122-5, 2$^e$ et 3$^e$ a), d'une
part, que les « copies ou reproductions strictement réservées à l'usage privé du copiste et non
destinées à une utilisation collective » et, d'autre part, que les analyses et les courtes citations dans
un but d'exemple et d'illustration, « toute représentation ou reproduction intégrale ou partielle faite
sans le consentement de l'auteur ou de ses ayants droit ou ayants cause est illicite » (art. L. 122-4).
Cette représentation ou reproduction, par quelque procédé que ce soit, constituerait donc une
contrefaçon, sanctionnée par les articles L. 335-2 et suivants du Code de la propriété intellectuelle.

© Danielle Steel, 2017, tous droits réservés.
© Presses de la Cité, 2020, pour la traduction française.
ISBN : 978-2-258-19170-9
Dépôt légal : mai 2020

Presses
de       un département **place des éditeurs**
la Cité

place
des
éditeurs

*À mes enfants adorés,*
*Beatie, Trevor, Todd, Nick, Sam,*
*Victoria, Vanessa, Maxx et Zara.*

*Puissiez-vous toujours être*
*touchés par la grâce, guidés par la sagesse*
*et baignés d'un amour*
*aussi vaste que le mien !*

*Avec toute mon affection,*
*Maman/DS*

*Si jamais demain...*

*Si jamais demain nous n'étions pas ensemble*
*Souviens-toi bien :*
*Tu es plus courageux que tu ne le crois,*
*Plus fort que tu en as l'air,*
*Et plus intelligent que tu ne le penses.*
*Mais le plus important : même si nous sommes séparés,*
*Je serai toujours avec toi.*

D'après *Winnie l'Ourson 2 :*
*Le Grand Voyage*, Walt Disney Pictures

# 1

Par une journée étouffante du mois de juin, Kate Madison traversait Greenwich, dans le Connecticut, au volant de sa vieille Mercedes. Arrivée dans Mead Point Drive, elle suivit les indications données par ses clients et se retrouva devant un haut portail en fer forgé. Elle pressa le bouton de l'interphone, et une voix masculine lui répondit. Un instant plus tard, les grilles s'ouvrirent ; Kate engagea lentement sa berline dans la superbe propriété, le long d'une allée bordée d'arbres majestueux. Le parc était vraiment spectaculaire. Bien qu'elle ait souvent été amenée à travailler dans les environs, Kate ne connaissait pas cette belle demeure. L'ancienne propriétaire était une grande dame qui avait fréquenté les soirées mondaines de la région pratiquement jusqu'à sa mort, à l'âge de quatre-vingt-douze ans. Plus jeune, elle avait été une figure éminente de la haute société new-yorkaise, une femme au grand cœur, aussi connue pour sa philanthropie que pour son élégance : elle avait figuré pendant des années au palmarès des femmes les mieux habillées de différents magazines. Et même devenue âgée, elle portait avec beaucoup d'allure son extraordinaire collection de haute couture française.

Comme elle n'avait pas eu d'enfants, ses deux nièces se chargeaient de vendre sa garde-robe. Organiser la succession de leur tante s'était révélé pour elles plus délicat qu'elles ne s'y attendaient, d'autant que les deux femmes avaient maintenant dépassé la soixantaine et vivaient dans des villes différentes. Leurs époux respectifs s'occupaient de la liquidation de la propriété.

La vente aux enchères de la plupart des objets précieux était déjà réglée : les bijoux chez Sotheby's, les meubles chez Christie's. Le reste avait été légué à des musées ou vendu à des particuliers par l'intermédiaire d'un marchand d'art. À présent, il ne leur restait plus qu'à s'atteler aux vêtements, lesquels occupaient trois immenses chambres à coucher. De faible stature, la défunte était toujours restée très mince, fine et élégante, de sorte que ses nièces se demandaient bien qui pourrait entrer dans ses habits. On aurait dit des vêtements de poupée. Les manteaux se vendraient, à la rigueur, mais que feraient-elles des robes ajustées ?

C'est sur la recommandation d'une amie que les deux sœurs avaient consulté le site Internet de Still Fabulous, la boutique de Kate. Située dans le quartier de Soho à New York, cette véritable caverne d'Ali Baba avait gagné la réputation de plus beau et plus élégant magasin de vêtements de seconde main de toute la ville. Les articles étaient tous dans un état irréprochable, parfois jamais portés. Et si Kate proposait de façon anecdotique quelques pièces anciennes, l'essentiel de sa collection se composait d'articles récents, encore parfaitement au goût du jour. Rien de ridicule, de daté ou de défraîchi n'avait sa place dans sa boutique. Les clientes, fidèles depuis de longues années, savaient qu'elles trouveraient là des pièces iconiques qu'elles pourraient porter indéfiniment.

Kate affectionnait Chanel et Yves Saint Laurent, les créations de Gianfranco Ferré à l'époque où il dessinait pour Dior, dans les années 80 et 90, et celles d'Oscar de la Renta pour Balmain. Sans oublier Christian Lacroix, aussi bien en prêt-à-porter qu'en haute couture – Kate regrettait encore la fermeture de cette belle maison. Givenchy figurait également en bonne place, avec des créations du grand couturier lui-même, mais aussi des modèles plus récents, dessinés par Alexander McQueen et Riccardo Tisci. Elle aimait proposer les œuvres de créateurs oubliés du grand public, morts pour certains dans les années 70 et 80, et d'autres plus récemment, alors qu'ils étaient au sommet de leur art, comme Patrick Kelly et Stephen Sprouse. Naturellement, cela ne l'empêchait pas de vendre les valeurs sûres du prêt-à-porter américain : Donna Karan, Calvin Klein, Michael Kors, Oscar de la Renta ou encore Carolina Herrera. À l'occasion, il lui arrivait aussi d'avoir un coup de cœur pour des vêtements de marque méconnue, qu'elle n'acquérait pas pour leur étiquette mais tout simplement parce qu'ils avaient du *chien* ! Kate adorait cette expression française un peu désuète, décrivant ce je-ne-sais-quoi qui donne immédiatement de l'allure à la femme qui porte le vêtement en question, pour peu qu'elle en ait l'audace. Kate s'approvisionnait enfin en basiques irréprochables, tels que petits manteaux noirs tout simples, blazers, jupes droites, cardigans et pantalons Prada au tombé impeccable. Un seul mot suffisait à résumer sa collection : intemporelle.

Bien qu'elle se souvienne de presque toutes les pièces exceptionnelles qui transitaient par Still Fabulous, Kate tenait un inventaire méticuleux de ce qu'elle avait acheté ou vendu, à qui, et à quel prix. Certes, ses pièces de grands créateurs n'étaient pas données, mais c'était le juste prix.

Arrivée devant la superbe demeure, Kate descendit de voiture et frappa deux coups vifs contre la porte à l'aide d'un lourd heurtoir en cuivre. Un instant plus tard, un majordome en veste blanche amidonnée apparut sur le seuil. Kate sentit une vague de fraîcheur l'envelopper. Ouf, la maison était climatisée ! Elle ne se voyait pas trier les placards, en particulier les fourrures et les épais vêtements d'hiver, par une telle canicule.

De toute évidence, elle était attendue : le domestique la conduisit avec déférence jusqu'à une bibliothèque lambrissée. Les murs étaient tapissés de livres rares, à reliure de cuir, dont beaucoup devaient être des premières éditions et coûter une fortune. L'ensemble du fonds allait être vendu chez Christie's : les deux héritières ne souhaitaient presque rien garder des biens de leur tante.

Kate, qui avait déjà eu l'occasion de pénétrer dans de semblables demeures dans le cadre de son travail, n'était pas intimidée le moins du monde : elle profitait du décor et de la superbe vue qui s'offrait à elle depuis les portes-fenêtres, sur les jardins impeccablement tenus. Quelques minutes plus tard, une discrète secrétaire fit son entrée en s'excusant de l'avoir fait patienter, puis la mena jusqu'aux trois pièces fermées à clé qui servaient de dressing. L'employée fut impressionnée, mais guère surprise, en découvrant le style à la fois sobre et affûté de la visiteuse, que sa réputation précédait. Kate Madison portait un tailleur Chanel en lin noir avec un col et des manches en piqué blanc, et un camélia assorti au revers de sa veste. Elle était grande, mince, avec de longs cheveux blonds et lisses, qu'elle relevait toujours en queue-de-cheval ou, comme ce jour-là, en un chignon parfait. On lui aurait sans problème donné dix ans de moins que ses cinquante-trois ans, notamment en raison de sa silhouette longiligne, qu'elle entretenait par la fréquentation régulière d'une salle de sport.

Kate ouvrit de grands yeux quand la secrétaire alluma la lumière dans la première pièce : c'était encore plus extraordinaire qu'elle ne s'y attendait ! Impeccablement suspendus à leurs cintres, certains dans des housses individuelles, les vêtements emplissaient tout l'espace. À elles seules, les somptueuses fourrures occupaient plusieurs portants. Les murs s'ornaient de placards ouverts avec des étagères spéciales pour les chapeaux, les sacs à main et les chaussures, tandis que la lingerie sur mesure, les déshabillés en satin, les foulards et les gants étaient soigneusement rangés dans des tiroirs à compartiments.

Une penderie était consacrée aux robes de soirée... dont la plupart ne seraient malheureusement d'aucune utilité à Kate. La majorité de ses clientes, même les plus mondaines, vivaient en effet de façon bien moins formelle que par le passé : plus personne ne s'habillait ainsi pour un simple dîner entre amis. Kate choisirait peut-être une douzaine de ces robes, or il y en avait sans doute près de deux cents, dans toutes les teintes : noires, blanches, couleurs vives ou pastel, chacune avec sa pochette de soirée et ses escarpins assortis.

L'un des placards contenait presque exclusivement des pièces des plus grands noms de la mode française, dont plusieurs issues de prestigieuses maisons de couture qui avaient depuis fermé leurs portes. Cet aspect historique ajoutait au caractère inestimable de la collection. Il y en avait pour une véritable fortune !

Kate demanda à la secrétaire la permission de prendre des photos, ce qui lui fut accordé de bonne grâce. La jeune femme déclara en outre qu'elle pouvait rester aussi longtemps qu'elle le souhaitait. Kate sourit. Si cela ne tenait qu'à elle, elle aurait volontiers passé une semaine entière à tout examiner ! Mais elle ne pouvait s'accorder que quelques heures pour faire sa sélection, entre les articles destinés à ses clientes privées et ceux qu'elle exposerait dans sa boutique.

La collection de Still Fabulous avait acquis le statut de fonds d'archives pour plusieurs couturiers célèbres, qui venaient parfois y jeter un coup d'œil quand ils cherchaient l'inspiration pour leur prochaine collection. Une autre branche de l'activité de la boutique consistait à louer des vêtements à l'industrie cinématographique, que ce soit pour des tournages ou, dans le cas des robes de soirée, pour des avant-premières et remises de prix. Certaines robes de Still Fabulous avaient même été portées à la cérémonie des Oscars ! Au quotidien, Kate conseillait ses clientes, dont quelques-unes rencontrées il y a fort longtemps, à l'époque où elle était employée chez Bergdorf-Goodman, le célèbre grand magasin de la Cinquième Avenue.

Lorsque la secrétaire revint pour s'assurer que tout se passait bien, Kate finissait de prendre des photos dans la première salle. À quinze heures, son inventaire était terminé. Après avoir remercié l'employée, Kate lui promit de lui soumettre une liste de prix d'ici quelques jours. La prochaine étape de son travail consistait à estimer la valeur originelle des pièces, ce qui lui posait rarement de problème, au vu de sa parfaite connaissance du marché. Chez Still Fabulous, la règle de base du dépôt-vente était simple : le prix affiché équivalait généralement à la moitié de la valeur de l'article neuf, une somme que Kate partageait ensuite à parts égales avec la personne qui lui cédait l'article. Bien sûr, elle appliquait parfois des tarifs un peu plus élevés pour les vêtements vraiment exceptionnels. Mais dans ce secteur très souple de la vente d'occasion, le tarif en boutique était toujours négociable. De toute façon, Kate ne recherchait pas le profit à tout prix : pour les pièces les plus rares, il lui arrivait même de recommander au vendeur d'en faire don à un musée, ce qui permettait à la personne de bénéficier d'une réduction d'impôt.

Afin de constituer son stock, Kate recourait à des moyens aussi divers qu'inattendus. Toutefois, une visite comme celle qu'elle venait d'effectuer dans la propriété de Greenwich restait exceptionnelle. Les pièces qu'elle avait choisies dans cette extraordinaire collection se vendraient comme des petits pains. Ainsi, elle savait déjà que l'une de ses clientes, journaliste à *Harper's Bazaar* et amatrice de belles fourrures, ne manquerait pas d'en acheter une ou deux. Quant à la douzaine de sacs en croco qu'elle venait de sélectionner, ils ne resteraient pas longtemps en boutique. Les trésors de l'élégante douairière du Connecticut allaient faire des heureuses !

Alors qu'elle remontait dans sa voiture, un sourire aux lèvres, Kate se remémora le chemin parcouru : à vrai dire, rien ne la prédestinait au commerce de luxe. Elle avait abandonné ses études au milieu de la troisième année pour épouser Tom Madison, un étudiant en droit de vingt-six ans. Ses parents désapprouvaient ce choix, mais Kate était têtue, et follement amoureuse de Tom. Ils n'avaient pas un sou en poche, aussi Kate avait-elle pris à cette époque son premier poste de vendeuse chez Bergdorf-Goodman. La législation américaine étant particulièrement peu clémente avec les futures mamans, Kate y avait travaillé jusqu'au jour même de la naissance d'Isabelle, leur fille aînée, un an plus tard. Et le bébé était à peine âgé de quatre semaines quand elle avait repris son poste dans les rayons du grand magasin. Son salaire subvenait tout juste aux besoins élémentaires de la petite famille : alimentation, loyer, frais de crèche. Et c'est pour se procurer à petits prix les tailleurs noirs qu'elle devait porter au travail qu'elle s'était immergée pour la première fois avec émerveillement dans l'univers des vêtements d'occasion.

Deux ans après la naissance d'Izzie, Kate avait mis au monde des jumeaux, Justin et Julie. Tom venait de décrocher son diplôme et il avait obtenu une bonne place dans un grand cabinet d'avocats, prenant ainsi le relais de sa jeune épouse dans le soutien de la famille. Kate, en effet, avait démissionné pour devenir consultante indépendante auprès des clientes rencontrées chez Bergdorf. Cette activité plus précaire, mais aux horaires plus souples, lui permit de se consacrer à l'éducation des enfants, tout en leur apportant un revenu complémentaire appréciable. Ils n'étaient pas riches, mais Kate était une ménagère économe et inventive, et ils parvenaient à joindre les deux bouts. Dans leur minuscule appartement de Greenwich Village, où les trois enfants se partageaient la seconde chambre à coucher, ils étaient heureux, tout simplement.

Les jumeaux avaient cinq ans quand Kate tomba à nouveau enceinte, une nouvelle que son mari et elle accueillirent avec d'autant plus de joie que leurs conditions de vie commençaient à s'améliorer. Hélas, vers le milieu de la grossesse, Tom développa des symptômes mystérieux et des douleurs inexpliquées. Une semaine avant la naissance du bébé, on diagnostiqua chez le jeune père une forme rare de cancer du pancréas. Après avoir traversé un véritable calvaire, Tom mourut alors que le petit William n'avait que trois mois, les jumeaux six ans, et Izzie huit.

Kate fut dévastée : elle avait gardé espoir jusqu'au bout... L'assurance qu'ils avaient contractée leur permit de survivre pendant un an après le drame, après quoi Kate dut reprendre un emploi à plein temps chez Bergdorf. À force d'heures supplémentaires – et grâce à l'aide de sa mère, qui gardait les enfants le soir –, elle ne tarda pas à être promue acheteuse et entreprit de mettre quelques sous de côté.

En effet, son travail de conseil personnalisé auprès des clientes lui manquait ; c'était devenu une véritable passion. Ainsi germa l'idée d'un dépôt-vente. Cinq ans plus tard, elle ouvrait Still Fabulous. Liam, son meilleur ami et conseiller financier de son état, l'avait aidée à décrocher les prêts bancaires. Elle avait trente-cinq ans et du courage à revendre.

Alors qu'elle était engluée dans les embouteillages de l'agglomération new-yorkaise au volant de sa vieille voiture, Kate se demanda comment elle avait trouvé la force, au vu des circonstances de l'époque, de se lancer dans une aventure aussi audacieuse. Par chance, elle s'en était sortie, et ses enfants n'avaient manqué de rien. Elle avait bénéficié du soutien de sa mère, Louise : en tant que professeur d'anglais et de littérature, mamie Lou, comme ils l'appelaient, avait toujours surveillé leurs devoirs de près. À présent, tous les quatre étaient adultes, menaient de brillantes carrières et étaient encore très proches les uns des autres. Ils faisaient la plus grande fierté de Kate.

En suivant un cursus de droit, Izzie avait marché dans les traces de son père : premier cycle à New York University, puis spécialisation à la Columbia Law School. Sa bourse couvrait tous ses frais de scolarité et, faute de pouvoir se payer une chambre en cité universitaire, elle avait dû continuer à vivre à la maison. Mais elle avait brillamment réussi et officiait désormais dans un grand cabinet d'avocats de Wall Street.

Justin avait lui aussi fréquenté un établissement prestigieux : l'université Brown, dans l'État de Rhode Island, à quatre heures de route de Soho. Il y avait étudié la littérature. À l'instar de sa sœur aînée, il avait fait toutes sortes de petits boulots au cours de ses études. Pigiste pour différents magazines, il vivait maintenant dans le Vermont et travaillait à l'écriture de son premier roman ! Julie, sa jumelle, affectée par une dyslexie persistante, avait eu plus de difficulté à l'école que les trois autres, et sa grand-mère l'avait soutenue et suivie tout au long de sa scolarité. La jeune femme, douée d'un extraordinaire sens artistique et baignée dès son plus jeune âge dans le monde de la mode, avait intégré à New York la Parsons School of Design. Elle avait ensuite été embauchée comme styliste par un jeune couturier émergent. Certes, elle ne tirait pour le moment aucune gloire de ses créations, mais elle gagnait très correctement sa vie. À trente ans, après avoir longtemps partagé un appartement avec quatre colocataires, elle possédait son propre loft et s'y sentait merveilleusement bien.

Willie, le petit dernier, était le scientifique de la famille. Tout le monde le traitait de geek pour le taquiner. Après des études à l'université de Californie à Los Angeles, il ne s'était pas laissé happer par les sirènes de la Silicon Valley et était revenu travailler dans sa ville natale, pour une start-up des plus prometteuses.

Si, sur le plan professionnel, Kate ne se faisait aucun souci pour ses enfants, elle n'était pas tout à fait aussi sereine en ce qui concernait leur vie personnelle. Aucun d'entre eux n'était encore marié, et elle se demandait bien ce que leur réservait l'avenir. Deux ans plus tôt, Izzie avait essuyé une terrible déception : son fiancé l'avait quittée pour une autre, une jeune fille de la haute société new-yorkaise, qu'il venait d'épouser. Depuis, Izzie n'était plus vraiment la même, toujours un peu à cran, et Kate espérait que cela s'estomperait avec le temps. En attendant, la jeune femme se réfugiait dans son travail ; elle souhaitait devenir partenaire à part entière de son cabinet d'avocats.

Justin était gay et vivait en couple avec son compagnon, professeur d'histoire et de latin dans un lycée de la petite ville où ils habitaient. Richard avait trente-six ans ; ils s'étaient rencontrés lors d'un atelier d'écriture quatre ans plus tôt. Kate avait soupçonné l'homosexualité de son fils assez tôt, alors qu'il n'avait que onze ans. Et tandis qu'elle lui avait témoigné tout son soutien au moment de son coming-out, à l'âge de seize ans, les parents de Richard – une famille conservatrice du vieux Sud – étaient encore dans le déni le plus complet.

Julie avait déjà eu plusieurs relations, quoique rien de vraiment sérieux. À l'en croire, il n'était pas facile de trouver l'âme sœur dans le milieu de la mode, car la plupart des hommes qu'elle rencontrait étaient gay – et, de toute façon, elle travaillait trop pour avoir le temps de sortir. Julie était une personne réservée, que la solitude n'effrayait pas, et qui ne se mettait jamais en avant en dépit de son immense talent. À trente ans, elle n'était pas pressée de se marier.

Quant à Willie, le « bébé », il était souvent chahuté par ses sœurs au sujet de sa frivolité : il sortait avec une fille après l'autre – voire plusieurs en même temps si possible. À vingt-quatre ans, il ne songeait qu'à s'amuser et ne le cachait pas à ses partenaires.

En dépit des efforts de Kate pour jouer le rôle des deux parents à la fois, grandir sans papa avait semblé plus difficile pour Justin et Willie. Quand ses fils étaient plus jeunes, leurs professeurs lui rapportaient parfois qu'ils racontaient des histoires inventées de toutes pièces à leurs camarades : à les en croire, Tom travaillait dans une autre ville ou était parti pour un long voyage... Justin, en particulier, avait souffert de ne pas être comme les autres ; chaque année, il insistait pour que Kate l'accompagne au dîner pères-fils du lycée catholique où il était boursier. Contrairement à Willie, il se souvenait encore de Tom, même si ce souvenir s'estompait avec le temps. Les quatre enfants avaient des portraits de leur père dans leur chambre et Kate entretenait sa mémoire en leur parlant de lui aussi souvent que possible.

Au fil des ans, Kate avait fini par faire son deuil. Elle avait même eu quelques relations amoureuses, mais l'éducation de ses enfants l'avait trop accaparée pour qu'elle puisse construire quelque chose sur le long terme. D'ailleurs, la plupart des hommes qu'elle rencontrait ne souhaitaient pas s'encombrer de quatre enfants qui n'étaient pas les leurs, et les rares qui ne semblaient pas rebutés par cette idée ne plaisaient jamais à Kate. Aussi avait-elle toujours affirmé à qui voulait l'entendre qu'ils étaient parfaitement heureux tous les cinq – et la plupart du temps, c'était vrai.

À présent, ses quatre poussins avaient quitté le nid et il arrivait que le célibat lui pèse. Les relations occasionnelles ne suffisaient pas à combler sa solitude. Souvent, elle se disait que la vie s'amusait à lui jouer des tours : maintenant qu'elle était disponible et que ses enfants volaient de leurs propres ailes, elle ne rencontrait plus personne... Ou alors c'étaient des hommes soit mariés, soit allergiques à toute forme d'engagement ! Une chance qu'elle se sente toujours aussi comblée par son travail.

Une journée comme celle-ci, passée à découvrir des trésors dans une belle demeure, avait le don de la mettre en joie. Elle avait hâte de rentrer au magasin pour dresser la liste des articles qu'elle accepterait de vendre pour le compte des deux dames, et de ceux qu'elle achèterait immédiatement pour les réserver à certaines clientes.

Isabelle Madison quitta son bureau en toute hâte. Il lui fallait réorganiser ses rendez-vous de l'après-midi pour caler l'entretien *pro bono* qui lui avait été assigné. C'était la loi : tous les avocats du cabinet étaient ponctuellement commis d'office à titre gratuit. Or, au début de sa carrière, lors d'un stage au bureau du procureur de district, Izzie avait eu l'occasion de découvrir à quel point elle détestait le droit pénal... Après tout, elle était avocate d'affaires, spécialisée dans les fusions et les acquisitions ! Néanmoins, elle était consciencieuse et ferait de son mieux pour défendre son client. Pour le moment, elle ne connaissait que les grandes lignes du dossier. Le prévenu, un dénommé Zach Holbrook, était accusé d'avoir détenu d'importantes quantités de cannabis et de cocaïne, dans l'intention de les vendre. Son casier judiciaire était vierge et son nom était celui d'une grande famille new-yorkaise, mais Izzie ignorait encore s'il en était réellement issu. Ce qui était sûr, c'est que sa conduite laissait à désirer : alors qu'il perturbait l'ordre public, en état d'ivresse, il s'était débattu lors de son interpellation. Par conséquent, il était hors de question qu'elle le voie au cabinet, où ils recevaient la clientèle d'affaires !

Tout en descendant de taxi devant la porte du bar miteux où elle avait accepté de le rencontrer, elle s'exhorta à garder l'esprit ouvert. Avant qu'elle ne soit assignée, c'est un de ses confrères qui avait assisté à l'énoncé de l'acte d'accusation. Elle avait donc prévu de demander un report du jugement afin de faire des recherches plus approfondies. Cependant, dans la mesure où le rapport de police stipulait que l'homme avait été pris en flagrant délit, mettre sur pied une ligne de défense crédible ne serait pas chose facile.

Izzie avait cinq minutes d'avance... et son client, une demi-heure de retard. Qui plus est, il ne correspondait pas du tout à l'image qu'elle s'était faite de lui ! En dépit de son nom prestigieux, elle s'était attendue à voir un toxicomane dépenaillé. Or Zach était vêtu d'un tee-shirt blanc immaculé, d'un jean noir, d'un superbe perfecto et de bottes motardes. Il était sexy et stylé, âgé de trente-cinq ans environ, et d'une beauté renversante. Des tatouages couraient jusque dans son cou et sur le dos de ses mains. Ses cheveux, mi-longs mais parfaitement propres, lui descendaient aux épaules, et il arborait une barbe de quelques jours.

Dès son entrée, il identifia Izzie comme son avocate parmi les clients du bar et se dirigea vers elle pour lui serrer la main. Au grand soulagement de la jeune femme, il ne se montra pas agressif, mais plutôt aimable – et même tout à fait charmant –, tandis qu'il s'asseyait face à elle et s'excusait pour son retard : il rentrait tout juste de Miami, où il avait passé le week-end.

Voilà qui ne sembla guère raisonnable à Izzie. Avait-il seulement le droit de quitter l'État de New York ? Que se serait-il passé si son vol avait été retardé ou annulé ? L'avocate en vint aux faits : alors que la détention de cannabis ne devrait pas poser trop de problèmes, la grande quantité de cocaïne que l'on avait trouvée sur lui risquait fort de lui coûter un séjour en prison. Très détendu, Zach commanda une bière – Izzie se contentant pour sa part d'eau minérale – et déclara en s'affaissant contre le dossier de sa chaise qu'il n'était pas inquiet dans la mesure où son casier judiciaire était vierge et où son nom jouerait à son avantage.

Izzie le détrompa sans ménagement : le juge ne lui accorderait aucun traitement de faveur... La jeune femme, insensible aux blagues que Zach ne cessa de lancer tout au long de l'entretien, le regardait d'un air sévère. Elle se demandait si elle parviendrait à lui faire porter un costume le jour de l'audience, ou au moins une veste, plutôt que cet accoutrement de Hells Angel de cinéma, de fils à papa qui joue les mauvais garçons.

Dans le cadre du secret professionnel, Zach lui avoua qu'il vendait effectivement du cannabis et de la cocaïne, que ce n'était pas la première fois, mais qu'il n'avait encore jamais été pris sur le fait. Izzie était de plus en plus contrariée de devoir le représenter. Quelle perte de temps ! Elle avait mieux à faire que de défendre l'enfant terrible d'une famille riche.

— Pourquoi avez-vous demandé un avocat *pro bono*, plutôt que de payer vous-même ? voulut-elle savoir, surprise qu'il remplisse les critères sociaux nécessaires à l'attribution d'un avocat commis d'office.

— Je suis fauché comme les blés, déclara-t-il tranquillement. Ma famille m'a coupé les vivres le jour de mes trente ans. Ils désapprouvent mon style de vie.

Il expliqua qu'il n'avait jamais travaillé et n'en avait pas l'intention. Pourquoi se fatiguerait-il, puisque toute sa famille vivait de ses rentes ? Ayant été exclu successivement de tous les meilleurs pensionnats de la côte Est, il avait quitté le lycée sans diplôme.

— Alors, quand je suis à sec, il m'arrive de dealer de la coke, conclut-il comme s'il s'agissait d'un job à temps partiel tout ce qu'il y a de plus acceptable.

Visiblement, il se moquait bien que l'affaire risque d'entacher le prestige de sa famille : ils n'avaient qu'à continuer à le soutenir ! Isabelle se demanda de quoi il vivait, si son trafic de drogue n'était qu'occasionnel. Il précisa alors que les amis qui l'hébergeaient d'habitude à New York l'avaient jeté dehors. Lui restait certes l'option d'aller dans la maison de plage de sa grand-mère, dans les Hamptons, mais il préférait repartir en Floride. Izzie le mit en garde : il n'avait certainement pas le droit de quitter l'État. Et comment faisait-il donc pour payer tous ces billets d'avion ? Elle n'osa pas lui poser la question. De toute évidence, ce garçon vivait d'expédients, mais il avait de la ressource...

Holbrook raconta aussi que ses parents avaient divorcé alors qu'il n'était âgé que de cinq ans. Depuis, son père en était à sa cinquième épouse, âgée de vingt-deux ans, et gérait les investissements de la famille depuis ses différentes résidences à Aspen, Los Angeles et Palm Beach. Il y a plusieurs années de cela, il avait durci les clauses du fonds fiduciaire, de manière à ce que Zach n'ait plus accès à son argent. Et le jeune homme n'avait presque plus aucun contact avec sa mère, laquelle vivait à Monte-Carlo avec son quatrième mari.

— Je suis une vraie brebis galeuse ! annonça-t-il non sans une certaine fierté.

Il avait une sœur qui vivait au Mexique et séjournait régulièrement en cure de désintoxication, ainsi que toute une ribambelle de demi-frères et demi-sœurs qu'il ne fréquentait pas, et dont Izzie ne jugea pas utile de prendre les noms. Zach était l'archétype du gosse de riches élevé par les domestiques, livré à lui-même dans une famille qui jouissait de beaucoup d'argent, mais n'offrait aucune stabilité. Toutefois, ce qui ennuyait son avocate, bien plus que sa totale irresponsabilité, c'était son charme et son humour... À un moment, elle dut réprimer un sourire furtif : pas question qu'elle lui laisse entrevoir l'attirance qu'il exerçait sur elle !

Elle se concentra donc sur la ligne de défense qu'elle adopterait devant le juge : leur seul espoir, c'était de demander un aménagement de peine, ou bien de réussir à prouver que l'arrestation ou la mise en examen comportait des irrégularités invalidant l'accusation.

— Pour mettre toutes les chances de votre côté, monsieur Holbrook, je vous déconseille de porter ce blouson en cuir au tribunal, le sermonna-t-elle. Vous feriez mieux de mettre une chemise blanche, de vous couper les cheveux et de vous raser de près.

Alors qu'il éclatait de rire, elle s'efforça de ne pas laisser son regard s'attarder sur ses larges épaules et les muscles affûtés de son torse, qu'elle apercevait sous son tee-shirt par l'encolure du blouson...

— Vous voulez me civiliser ? ironisa-t-il, amusé par le ton autoritaire et le regard noir de son avocate.

— J'essaie. Car votre look actuel ne plaira pas du tout au juge. Je vois que l'audience a déjà été reportée de trois mois, le temps que l'on vous affecte à mes bons soins, puisque tous mes confrères sont débordés. Je vais tenter de prolonger encore ce délai pour approfondir mes recherches. Pour aujourd'hui, j'ai tout ce qu'il me faut, conclut Izzie en rassemblant ses notes.

Ils prirent congé. Le sourire de Zach l'énerva plus

que jamais alors qu'il la saluait à la sortie du bar. D'un autre côté, elle avait un peu pitié de lui. Il y avait des gens, comme ça, dont la vie partait de travers dès le début... Ce garçon était certes inconséquent et immature, mais il ne semblait pas méchant.

Il dut sentir qu'elle s'attendrissait.

— Pourrais-je vous inviter à dîner un soir ?

— Certainement pas ! répliqua-t-elle. Vous encourez une très lourde peine, monsieur Holbrook, et je vous conseille de ne pas faire de faux pas.

— Je suis sûr que vous trouverez quelque chose pour me sortir de là, affirma-t-il. Je vous appellerai dès mon retour à New York.

— Non, c'est moi qui vous contacterai pour vous tenir au courant de l'avancée de mes recherches, répliqua-t-elle. Et cette fois, nous nous verrons à mon cabinet.

Elle n'était pas enchantée à l'idée de faire venir un criminel à son bureau, mais au moins était-il propre sur lui.

— Je vous emmènerai déjeuner ! lança-t-il en hélant un taxi.

Ça alors ! Ce type voulait vraiment avoir le dernier mot ! Izzie n'avait jamais rencontré quelqu'un d'aussi désinvolte. Mais le parcours chaotique d'enfant à la fois gâté et négligé qu'il venait de lui dépeindre expliquait bien des choses. Zach ne survivrait pas longtemps en prison... De toute évidence, il avait l'habitude de s'en remettre à son joli minois pour obtenir ce qu'il voulait, mais serait-ce suffisant cette fois ? Pendant tout l'entretien, il l'avait déshabillée du regard... et en même temps, il y avait en lui quelque chose de tellement ingénu ! En tout cas, il n'était pas question qu'elle déjeune avec lui, ni qu'elle succombe à son charme, songea-t-elle dans le taxi qui la ramenait à son bureau. Elle était heureuse de retourner à son travail, au monde réel. Le monde de Zach Holbrook, tout en vains artifices, la dégoûtait. Un monde de vies gâchées.

Deux heures plus tard, Izzie était assise à sa table de travail quand son assistante juridique entra, les bras chargés d'un énorme vase de trois douzaines de roses roses.

Elle lut la carte : *Merci pour tout. À bientôt. Je vous embrasse, Zach.*

— Un nouvel admirateur ? demanda l'assistante, un grand sourire aux lèvres.

— Non, un nouveau client, grommela Izzie sans autre explication.

Respectant sa volonté de discrétion, la jeune femme se contenta de poser le vase sur le bureau, et Izzie se remit au travail sans un regard pour les fleurs. Elle voulait se débarrasser de cette affaire au plus vite. Avec un peu de chance, elle parviendrait à obtenir un aménagement de peine ou un non-lieu, de sorte qu'elle ne serait pas obligée de revoir Zach Holbrook dans les prochains mois. Dans sa vie bien réglée, il n'y avait pas de place pour un tel trublion... aussi charmant fût-il.

# 2

Les deux nièces de la douairière du Connecticut furent ravies des prix que leur proposa Kate pour les articles qu'elle avait sélectionnés. Elles firent livrer les vêtements à Still Fabulous dès la semaine suivante, dans un van conduit par l'un de leurs chauffeurs. Aidée de Jessica, son assistante, Kate vérifia toutes les pièces, les enregistra dans son inventaire et les stocka soigneusement dans son entrepôt du premier étage, à l'intention de ses clientes privilégiées. Elle avait déjà contacté plusieurs d'entre elles. Comme prévu, la chroniqueuse de *Harper's Bazaar* lui confirma son intérêt pour les deux manteaux de fourrure que Kate avait mis de côté pour elle, tous deux en provenance de la maison Revillon et en parfait état. Le premier, en sconse du Canada, était à tomber, avec ses rayures noires et blanches caractéristiques, tandis que le second, en vison bleu foncé, n'avait presque jamais été porté. La journaliste viendrait les chercher dans quelques jours.

Mais c'est une autre visite qui illumina la semaine de Kate, en la personne de Julie, venue l'embrasser un soir après sa journée de travail. Quoique ce fût en observant la collection de Still Fabulous qu'elle s'était mise à dessiner ses propres modèles à l'âge de douze ans, Julie s'habillait pour sa part dans un style résolument moderne. Elle se montra néanmoins enchantée par les dernières trouvailles de sa mère. Après avoir passé une bonne heure à tout lui montrer, Kate l'invita à dîner dans le quartier. Soho s'était beaucoup développé au cours des dernières années : boutiques et restaurants étaient maintenant plus chic, plus branchés.

Elles se décidèrent pour un petit établissement tout proche, réputé pour sa nourriture saine, à base de légumes frais et de pâtes faites sur place. Julie évoqua avec sa mère la collection qu'elle était en train de mettre au point. Elle aurait bien aimé apporter un peu de nouveauté à la marque, mais le designer pour lequel elle travaillait exigeait qu'elle se cantonne strictement à la ligne et à l'image de la maison, ce qui était parfois frustrant pour elle. Heureusement, elle s'entendait bien avec ses collègues et, dans l'ensemble, elle s'épanouissait dans son métier. Les difficultés d'apprentissage qu'elle avait connues à l'école dans les matières conventionnelles étaient maintenant loin derrière elle. Aujourd'hui, son talent artistique lui permettait de gagner sa vie plus que convenablement.

— Toi aussi, maman, tu aurais dû être dessinatrice de mode ! déclara-t-elle tout en dégustant une salade aux saveurs méditerranéennes.

Physiquement, les deux femmes n'auraient pu être plus dissemblables. Julie avait hérité des cheveux et des yeux sombres de son père, et elle était beaucoup plus petite en taille que sa mère ou Izzie – toutes deux grandes et blondes, et que l'on prenait souvent pour des sœurs.

— Oh non, je suis plus douée pour apprécier les modèles des autres. Faire du shopping son métier, quel rêve ! répondit Kate en riant.

Elle adorait passer du temps avec sa fille cadette, toujours douce et aimable. Izzie était quant à elle dotée d'une plus forte personnalité ; il lui arrivait de se montrer critique et acerbe, en particulier depuis la rupture de ses fiançailles, qui l'avait laissée amère et pleine de ressentiment envers les hommes. Kate espérait que le temps ferait son œuvre et qu'elle redeviendrait elle-même quand elle rencontrerait un partenaire digne de confiance.

— Au fait, comment va mamie ? demanda Julie. Je ne lui ai pas parlé depuis des semaines. J'imagine qu'elle est encore partie en vadrouille ?

Les quatre enfants de Kate adoraient leur grand-mère. Louise était une femme à l'indépendance chevillée au corps. De son vivant, son mari l'avait toujours encouragée en tout, mais depuis son décès, et encore plus depuis qu'elle était à la retraite, elle réalisait littéralement tous ses rêves. Elle était passionnée de voyages, le plus souvent en compagnie de Frances, une ancienne collègue, veuve comme elle depuis plusieurs années. Toutes deux s'envolaient pour l'autre bout du monde dès que l'occasion se présentait. Mamie Lou avait emmené chacun de ses petits-enfants dans un pays lointain à l'occasion de leur vingt et unième anniversaire. Pour Julie, cela avait été l'Inde, neuf ans plus tôt, un séjour que la jeune femme n'oublierait jamais, et qui avait fortement influencé son goût pour les cotonnades imprimées. Il y avait seulement trois ans que Lou avait accompagné le « petit » Willie à Dubaï. Pour sa part, Izzie avait tenu à visiter l'Écosse et l'Irlande, et mamie Lou avait complété ce voyage – pas assez exotique à son goût – par un tour à Venise et à Paris, pour la plus grande joie de sa petite-fille. Avec Justin, Louise avait fait un fabuleux trek au Népal...

Depuis qu'ils étaient petits, elle occupait une place

importante dans la vie des quatre enfants, et compensait dans une certaine mesure l'absence de leur père. Elle ajoutait à leurs vies du piment et de l'aventure, que ce soit pour un week-end au Québec, une excursion historique sur les champs de bataille de la guerre de Sécession, ou de grandes vacances à la découverte du parc national de Yellowstone et du Grand Canyon. Toujours soucieuse de les ouvrir sur le monde, elle leur offrait des livres passionnants et ne se lassait pas de leur raconter, photos à l'appui, ses expéditions en Asie ou en Afrique, où elle avait fêté son soixante-quinzième anniversaire. Elle avait aujourd'hui soixante-dix-huit ans, et elle était encore parfaitement saine de corps et d'esprit, notamment grâce à ses séances quotidiennes de yoga. C'est en vain qu'elle avait tenté de convertir Kate à cette pratique : sa fille préférait s'en tenir à ses cours de fitness et de spinning. Quoi qu'il en soit, rien ne semblait pouvoir arrêter mamie Lou !

— Je crois qu'elle a prévu de partir en Argentine pour passer l'hiver au chaud après Noël, expliqua Kate. Tu sais qu'elle s'est mise au mandarin pour son voyage à Pékin l'année prochaine ? Et comme elle avait peur que le temps lui paraisse long d'ici là, elle a décidé d'aller faire un tour des musées en Australie cet été.

— Incroyable ! Sacrée mamie...

Après leur délicieux dîner, Julie rentra chez elle. Kate s'était bien gardée de la questionner sur sa vie sentimentale, essentiellement parce qu'elle connaissait déjà la réponse : voilà plusieurs mois que Julie ne fréquentait personne. Moins extravertie que ses frères et sœur, elle ne sortait presque jamais après le travail, et dès qu'elle avait du temps libre entre deux collections, elle allait passer quelques jours chez Justin dans le Vermont. Il faut dire qu'elle s'entendait à merveille avec Richard, le compagnon de son frère jumeau. Le trio avait toujours plaisir à se retrouver.

À part Richard, la seule autre personne qui jouait à l'occasion le rôle de pièce rapportée dans la famille était Liam, le meilleur ami de Kate depuis l'université, à tel point qu'elle le considérait plutôt comme son frère, et les enfants comme leur oncle. C'était un homme qui menait une vie calme et sérieuse, réglée par son travail à la banque. Il avait beaucoup soutenu Kate au moment du décès de Tom. En trente ans, ils avaient appris à se connaître sur le bout des doigts. Kate avait souvent recours à ses conseils avisés, aussi bien sur sa vie de famille que sur ses affaires. C'est lui qui l'avait aidée à monter le financement de son entreprise : elle aimait à répéter qu'elle n'aurait jamais réussi sans lui.

En dépit de la tendresse toute fraternelle qu'elle éprouvait pour Liam, Kate n'avait jamais vraiment sympathisé avec son épouse, une femme originaire du Maine, discrète et taciturne. Liam affirmait pourtant filer le parfait amour : Maureen le soutenait en tout et avait merveilleusement bien élevé leurs deux filles. Bien sûr, Kate les invitait toujours ensemble pour les dîners ou les fêtes de famille, mais Maureen ne venait que très rarement. Ce n'était pas qu'elle fût jalouse, simplement elle ne trouvait rien à dire quand ils se retrouvaient tous les trois. L'amitié de Kate et Liam s'était donc épanouie en marge des autres aspects de la vie de ce dernier. Et comme ses deux filles étaient parties étudier en Europe, il appréciait d'autant plus de se joindre à la tribu Madison, dont mamie Lou était l'exubérante matriarche.

Kate se sentait parfois complexée par le fait que sa mère soit largement plus aventureuse qu'elle-même.

Son travail et la proximité de ses enfants, même maintenant qu'ils avaient grandi, suffisaient à son bonheur. Louise ne se serait pas permis de critiquer la façon d'être de sa fille ou l'éducation qu'elle avait prodiguée à ses enfants. Au contraire, elle affirmait régulièrement qu'elle était une mère fabuleuse et très présente.

Mais Lou avait aussi son franc-parler : par le passé, elle n'avait pas caché à Kate qu'elle lui trouvait les défauts de ses qualités. Selon elle, par peur de les voir souffrir, sa fille protégeait trop ses enfants. Kate avait elle-même bénéficié d'une enfance choyée. Le métier de son père, rapporteur d'affaires à son propre compte, leur avait assuré un certain confort matériel, et ses parents avaient formé un couple uni, dans une totale acceptation mutuelle de leurs différences. Aussi Kate avait-elle voulu éviter à tout prix d'exposer ses enfants à une réalité trop dure malgré l'absence de Tom. Mamie Lou, en revanche, pensait que ses petits-enfants avaient besoin de faire leurs propres expériences afin d'en tirer les leçons que la vie avait à leur apprendre. Où placer le curseur ? Il n'y avait pas de réponse univoque à cette question vieille comme le monde, et les deux femmes en avaient souvent discuté.

Quand Kate abordait ce sujet avec Liam, son ami lui avouait avoir la même tendance qu'elle à surprotéger ses deux filles. Il lui avait fallu une bonne dose d'abnégation pour accepter de les envoyer étudier en Europe. Mais après avoir grandi à l'abri du giron familial, et malgré l'amour qu'elles portaient à leurs parents, les deux jeunes filles, avides de découvrir le monde, ne regrettaient pas leur choix. Liam n'avait pas manqué de leur rendre visite (sans Maureen, laquelle redoutait de prendre l'avion). À Édimbourg pour Penny, et à Madrid pour Elizabeth.

Le lendemain de son dîner avec Julie, Kate reçut la visite de Louise, qui passait par là après sa séance de yoga.

— Bonjour, maman ! dit-elle en l'embrassant. Figure-toi que je viens de mettre quelque chose de côté pour toi. Tu vas voir, je crois que ça t'ira comme un gant.

Il arrivait en effet que Kate trouve un article à offrir à sa mère, comme cette veste en peau lainée qui avait tenu Louise à l'abri du froid lors de son voyage au Tibet, ou ces drôles de pyjamas chinois qu'elle portait à la maison. Ce jour-là, Kate ouvrit un placard et en sortit fièrement un ravissant petit tailleur Chanel bleu marine, jamais porté par la dame du Connecticut, comme en attestaient les étiquettes qui y étaient encore attachées.

Pendant un instant, Louise resta coite : la circonspection se lisait dans ses yeux d'un bleu vif, sous son sempiternel carré court et maintenant grisonnant. Elle portait un legging, un polo Lacoste rose et la paire de baskets qui l'accompagnait fidèlement dans tous ses treks urbains. Avec sa silhouette menue et son visage étonnamment lisse, elle ne paraissait pas son âge, en particulier quand elle fendait la foule de son pas énergique. Détestant s'encombrer d'accessoires, elle ne portait pas de sac à main, se contentant de glisser ses clés et son porte-monnaie dans sa poche. Pour elle, le confort primait toujours sur l'élégance... Sur ce point, elle se distinguait radicalement de sa fille, laquelle ne sortait pas sans un sac Chanel ou Hermès, et adorait les talons hauts ! Même en jean, Kate avait beaucoup de classe.

— Tu crois vraiment que c'est mon style ? demanda Louise, perplexe. Ce tailleur me paraît terriblement sérieux...

— Tu pourrais le porter pour aller au théâtre.

— Je ne sais pas...

— Tu n'as qu'à l'essayer. Allez, fais-moi plaisir !

Sa mère finit par disparaître dans la cabine d'essayage. Elle en ressortit quelques minutes plus tard, avec son polo Lacoste sous la veste à épaulettes, et son legging qui dépassait de la jupe. Mais le comble, c'était la vieille paire de baskets...

Kate éclata de rire en voyant sa mère écarter les bras et baisser la tête avec l'air dépité d'un enfant que l'on a endimanché contre son gré.

— Quel look, maman !

— Non, vraiment, chérie, où veux-tu que je porte ça ?

— Au restaurant, quand tu dînes avec moi !

— Je suis obligée ? Je sais bien que tu as toujours rêvé d'une mère élégante...

— Mais non, maman, je m'en fiche... Je me suis juste dit que c'était une bonne occasion, puisqu'il est à ta taille... Mais ne te force pas si ça ne te plaît pas. Il vaut mieux le laisser à quelqu'un qui sera ravi de faire une si belle trouvaille.

— Je suis navrée, ma belle, répondit Louise avec un petit rire de soulagement, mais tu n'arriveras pas à me transformer en mère respectable, portant un tailleur Chanel. Ce dont j'ai besoin, par contre, c'est d'une nouvelle paire de chaussures de randonnée pour mon voyage cet été : après notre tournée des musées, Frances et moi irons marcher un peu. Tu n'en aurais pas en réserve, par hasard ?

— Désolée, non, je viens tout juste de vendre la dernière, déclara Kate en prenant sa mère dans ses bras.

Un jour du mois d'août, tandis que mamie Lou visitait l'Australie en compagnie de Frances, Isabelle reçut à son cabinet un coup de fil de Zach Holbrook. Comme il n'avait jusque-là répondu à aucun de ses nombreux mails, elle était sur le point d'en faire état au juge pour demander à être dessaisie du dossier. Si cet enfant gâté ne se préoccupait même pas des graves accusations portées contre lui, elle n'allait pas le faire à sa place ! Levant les yeux au ciel, elle accepta l'appel lorsque son assistante le lui annonça.

— Bonjour, Isabelle, lança-t-il. Où en est notre projet de déjeuner ?

— Vous voulez dire : « Où en est le procès qui risque de m'envoyer en prison ? »

— Bon, bon, excusez-moi si ce n'est pas votre jour…, répondit-il, contrit.

— C'est surtout que vous n'avez répondu à aucun de mes mails ! répliqua Izzie. Comment suis-je censée traiter votre cas si vous faites le mort ? Pour tout vous dire, je m'apprêtais à me désengager du dossier.

Le ton cassant de son avocate le prit de court.

— J'avais à faire, se justifia-t-il enfin. Ma grand-mère a été victime d'un AVC. J'ai dû rester à son chevet à Palm Beach.

Disait-il vrai ? Toujours est-il qu'Izzie fut déstabilisée. Après tout, la vie n'avait peut-être pas été tendre avec lui… Et puis, elle pensa à sa propre grand-mère et remercia le ciel qu'elle soit en si bonne santé. Elle lui avait parlé sur Skype quelques jours plus tôt : Louise était une vraie cyber-mamie. Elle avait pris plusieurs cours d'informatique et demandait sans cesse à Willie de lui en apprendre davantage. Elle possédait un superbe ordinateur, et son IPad l'accompagnait aux quatre coins du monde.

— Je suis navrée de l'apprendre, répondit Isabelle, radoucie. Comment va votre grand-mère ?

— Mieux, merci. Elle est solide comme un roc et je l'aime beaucoup. Dans la famille, c'est la seule à s'être jamais intéressée à moi. Elle m'a hébergé au cours des dernières semaines… Maintenant, je vous écoute : où en sommes-nous de mon dossier ?

— J'ai revérifié tous les détails du compte rendu de l'arrestation sans y trouver la moindre irrégularité. La seule alternative à la prison serait de plaider coupable et de demander une mise en liberté surveillée.

— Et dans ce cas, ça n'apparaîtrait pas dans mon casier ?

— Si. Malheureusement, je ne suis qu'avocate, pas magicienne. Mais dans le cas où vous ne plaidez pas coupable et où vous êtes inculpé pour les faits qui vous sont reprochés, vous aurez à coup sûr droit à quelques années de prison. J'aimerais autant vous éviter ça. Alors, qu'en pensez-vous ?

— Tel que vous me présentez les choses, je n'ai pas vraiment le choix. Je ne tiens pas à moisir en prison…

L'anxiété commençait à poindre dans sa voix.

— Très bien, mais je vous préviens : en liberté surveillée, vous devrez vous tenir à carreau. Si on vous arrête en possession de drogue, c'est directement la case prison.

— D'accord, j'ai compris.

— Alors je vais en parler au substitut du procureur et voir ce que je peux faire.

Elle ne disposait que de peu d'arguments, dans la mesure où Zach n'avait rien du citoyen modèle et ne pouvait attester d'aucun moyen de subsistance honnête. Et il ne devait pas s'attendre à ce que son nom lui serve de passe-droit.

— Et sinon, pour notre déjeuner ? glissa le jeune homme.

— Je ne vous ai rien promis de tel.

— Peut-être, mais vous auriez dû. Allez, je vous en prie. Nous parlerons de mon dossier, si cela peut vous rassurer.

— Je vous rappellerai après mon entretien avec le substitut du procureur, trancha-t-elle avant de raccrocher.

Il lui fallut deux jours pour joindre le magistrat chargé du dossier de Zach. Et, malheureusement, il ne voulut pas entendre parler d'un aménagement de peine.

— Pourquoi ferais-je un effort ? argua-t-il. Il a été pris en flagrant délit. C'est un voyou, un enfant gâté qui a oublié de grandir. Tout porte à croire qu'il recélait de la drogue depuis plusieurs années, mais qu'il avait eu de la chance jusqu'à maintenant.

— Alors vous prononcerez l'incarcération la prochaine fois ? Mais les prisons sont pleines de criminels bien pires que lui ! Vous le dites vous-même : ce n'est qu'une petite frappe, la prison ne changera rien. Je pense qu'il a compris la leçon, monsieur le substitut. Je doute qu'il récidive.

— Maître, je n'y crois pas une seule seconde, et vous non plus, avouez-le ! Je suis prêt à parier qu'il a recommencé à dealer dès qu'il est sorti de garde à vue.

— Peut-être, mais vous et moi n'avons pas de temps à perdre sur ce type de cas. Vous avez de véritables criminels à condamner, et quant à moi j'aimerais me consacrer à mes clients respectables. Pourquoi engager un procès de plusieurs mois alors qu'il accepte la liberté surveillée ?

Un silence se fit à l'autre bout du fil. Le substitut avait en effet d'autres chats à fouetter ! Son bureau était encombré de dossiers bien plus graves. Et Zach Holbrook représentait davantage un danger pour lui-même que pour la société...

— Bon. Je vous tiens au courant, conclut le magistrat.

Le week-end suivant était celui de Labor Day. L'homme rappela Izzie juste après.

— C'est d'accord pour une mise à l'épreuve de deux ans. Et trois ans de prison avec sursis : au prochain faux pas, je le mets sous les verrous.

— À la bonne heure !

— Je le convoquerai dès que j'aurai fait établir les actes.

— Pas de problème, donnez-moi une date et je le ferai venir.

Izzie espérait ne pas trop s'engager... mais tant pis pour ce Holbrook s'il ne comparaissait pas ! Il pourrait alors dire adieu à son sursis.

— Ce sera sans doute dans le courant de la semaine prochaine.

— Merci, monsieur le substitut !

Izzie raccrocha en poussant un soupir de soulagement. Elle avait fait de son mieux, et si Zach ne respectait pas l'accord, il n'aurait plus qu'à se trouver un autre avocat. Elle l'appela aussitôt sur son portable : apparemment, il était dans les Hamptons. Elle lui rappela de ne quitter l'État sous aucun prétexte. Il promit et ne lui parla plus de déjeuner. Le jour de l'audience, il se présenta à l'heure, portant un costume, une chemise blanche et une cravate. Il s'était rasé la barbe et coupé les cheveux. À le voir ainsi vêtu dans le tribunal, on aurait pu le prendre pour un avocat plutôt que pour un accusé ! L'audience fut rondement menée. À la suite de la plaidoirie d'Isabelle, l'aménagement de peine avec mise à l'épreuve fut entériné par le juge, qui n'exigea pas de cure de désintoxication dans la mesure où les résultats des deux contrôles inopinés auxquels Holbrook avait été soumis ne révélaient pas de traces de stupéfiants. On lui assigna un officier de probation, qu'il devrait rencontrer tous les mois.

En l'occurrence, l'officier était une femme, et elle ne pouvait pas totalement cacher son trouble chaque fois qu'il usait de son charme. Les ficelles étaient grossières, mais comment ne pas se sentir flattée quand un aussi bel homme vous décochait son sourire ravageur ? À vrai dire, ce n'était sans doute même pas conscient de la part de Zach. C'était juste sa façon à lui d'entrer en contact avec les femmes. Cette fois, au moins, il ne fit aucune remarque déplacée. À la sortie du tribunal, Izzie lui serra la main, pressée de retourner au cabinet pour un entretien avec son patron.

— Vous avez fait un travail formidable, déclara Zach.

— Je n'avais pas beaucoup de marge de manœuvre. Maintenant, tâchez de vous racheter une conduite !

— Oui, j'ai compris, je ne suis pas complètement maso. Et sinon... je vous emmène déjeuner ? demanda-t-il, beaucoup plus prudent que les fois précédentes.

— Merci, mais je suis déjà en retard pour mon prochain rendez-vous.

— Alors que puis-je faire pour vous témoigner ma gratitude ?

À la façon dont il le dit, Isabelle sentit soudain une

profonde vulnérabilité en lui. Ce garçon-là avait vraiment été blessé.

— Vous ne me devez rien, Zach. Je n'ai fait que mon travail et je suis contente que tout ait fonctionné aussi bien que possible.

— Un dîner, alors ? reprit-il sans y croire. Vous êtes quelqu'un de bien, je voudrais juste vous remercier...

— Vous ne pourrez pas me faire plus plaisir qu'en évitant les embrouilles.

Mais il lui adressait un tel regard de chien battu...

— Bon, d'accord, finit-elle par lâcher.

Izzie regretta sa réponse au moment même où elle la prononçait.

— Ce soir ?

— Ce soir, très bien. Mais pas trop tard. J'ai un rapport à rédiger, précisa-t-elle pour lui rappeler le contexte professionnel.

Après avoir accepté de le retrouver à dix-neuf heures trente dans un restaurant qu'elle connaissait, proche de son cabinet, elle sauta dans un taxi. Quelle idiote ! se sermonna-t-elle mentalement. D'un autre côté, cette entrevue ne lui volerait que deux heures de sa vie ; il n'y avait pas de quoi en faire tout un plat. Arrivée au cabinet, elle oublia Zach Holbrook jusqu'au moment où elle s'aperçut qu'il était déjà dix-neuf heures. Après s'être recoiffée et avoir retouché son rouge à lèvres, elle empoigna sa serviette chargée des documents dont elle aurait besoin pour travailler chez elle, et sortit en se demandant dans quelle galère elle s'était embarquée.

Zach portait toujours son costume, mais avait ôté sa cravate. Izzie ne put s'empêcher de remarquer comme il était bronzé. Probablement son long séjour en Floride...

43

Elle commanda un verre de vin, et lui, un whisky allongé. Comme on pouvait s'y attendre, c'est avec une facilité déconcertante qu'il engagea la conversation.

— Mariée ? demanda-t-il.

Elle secoua la tête.

— Moi, j'ai vécu avec une femme pendant deux ans. Elle a un petit garçon que je considérais comme mon fils, mais nous avons rompu et elle vit maintenant à Los Angeles. Elle est avec un autre type. Je n'ai pas revu le gosse depuis. Enfin, c'était bien le temps que ça a duré !

Tout dans sa vie semblait transitoire, et Izzie soupçonnait fortement qu'il ne voulait endosser aucune des responsabilités engendrées par une vie stable.

— Pourquoi une belle femme comme vous n'a-t-elle pas la bague au doigt ? reprit-il en faisant tourner les glaçons dans son verre.

— Oh, ce n'est pas pour moi, lâcha-t-elle du tac au tac.

Depuis deux ans, c'était sa réponse standard, et cela lui permettait d'éviter de raconter qu'elle s'était fait jeter comme une vieille chaussette.

— C'est juste que vous n'avez pas rencontré l'homme qu'il vous faut, répliqua-t-il avec un regard suggestif.

Elle éclata de rire : au vu des circonstances dans lesquelles ils s'étaient rencontrés, il ne doutait vraiment de rien !

— Ne riez pas, je pense aussi que vous travaillez trop.

— Peut-être. Il est vrai que j'adore mon métier… Du moins, quand je ne suis pas assignée d'office, ce qui par chance ne se produit pas trop souvent. Mon truc, c'est plutôt le droit des affaires.

En effet, elle semblait parfaitement à l'aise dans son

strict tailleur gris, qui lui tenait lieu d'uniforme au cabinet comme au tribunal.

— Vous devriez prendre du temps pour vous, insista-t-il. J'adorerais vous emmener à East Hampton, dans la maison de ma grand-mère. Détente et dépaysement garantis.

— Comment va-t-elle, à propos ?

— Mieux. Elle va passer l'hiver à Palm Beach et me laisse la maison de East Hampton cette année. Même hors saison, c'est un lieu magnifique. Marcher au bord de l'océan, aller à la pêche, ça vous remet les idées en place. Et puis j'adore la voile.

Isabelle songea que ces loisirs étaient bien innocents. Son écart de conduite n'était peut-être qu'un dérapage dans son parcours ? Dans tous les cas, sa personnalité semblait comporter plus d'une facette...

À sa propre surprise, l'avocate passa une excellente soirée. En plus d'être drôle, Zach se révélait plutôt intelligent. Quel dommage qu'il n'ait pas fait d'études... Si ses parents s'étaient un peu plus occupés de lui dans sa jeunesse, s'il avait eu une enfance aussi protégée que la sienne, il n'en serait sans doute pas réduit à dealer de la drogue ni à squatter la maison de plage de sa grand-mère. Il insista pour payer le repas, et c'est de façon fort respectueuse qu'il l'aida à monter dans le taxi.

Elle se remémora leur conversation pendant tout le trajet. Zach s'était montré bien plus raisonnable et sensé qu'elle ne l'aurait imaginé. Elle ne regrettait pas de lui avoir évité la prison, bien au contraire : il n'y avait pas sa place et méritait une seconde chance. De retour chez elle, elle pensait encore à lui tandis qu'elle s'installait à son bureau. Elle avait plusieurs heures de travail devant elle, et ce dîner en milieu de semaine ne l'aiderait pas à récupérer son retard de sommeil. Mais c'était aussi la meilleure soirée qu'elle avait passée depuis deux ans, comme une bouffée d'air frais au milieu de son quotidien trop bien réglé. Vraiment, songea-t-elle, la vie vous réserve parfois de drôles de surprises...

# 3

Quand Zach rappela Izzie une semaine plus tard, elle s'aperçut qu'elle avait pensé à lui bien plus qu'elle n'aurait dû. Cette soirée passée ensemble avait rendu une part d'humanité... voire de féminité, à sa vie dédiée au travail. Bien sûr, le charme de Zach avait fait son œuvre, mais c'est sa douceur et sa franchise qui l'avaient touchée. En outre, il n'y avait avec lui aucun enjeu de pouvoir ; tout était bien plus simple qu'avec la plupart des hommes qu'elle connaissait, qui se sentaient généralement menacés par son fort caractère de femme de tête. Zach, en revanche, était si candide, ouvert et transparent qu'il ne devait pas être du genre à laisser tomber sa fiancée pour épouser la première fille à papa venue utilisée comme marche-pied dans son ascension... Étant donné son milieu d'origine et son histoire, les symboles de la réussite sociale que recherchaient tant les autres ne l'intéressaient pas pour deux sous. Ce qu'il voulait, lui, c'était une femme sincère, sans masque. Il en avait assez des mensonges et de l'hypocrisie. Et elle aussi, d'ailleurs, qui avait souffert de ces travers incarnés par son ex...

Ainsi, quand Zach Holbrook l'invita à venir passer une journée à East Hampton, Izzie accepta. Dès lors, il l'appela ou lui envoya régulièrement des messages qui la faisaient sourire. Sa mise en examen cadrait si peu avec sa personnalité qu'elle ne s'en préoccupait plus. Le jour dit, il vint la chercher à la gare de East Hampton au volant de la superbe Buick qui avait appartenu à son grand-père. Et tandis qu'il lui ouvrait la portière, un immense sourire éclairait le visage de la jeune femme.

L'été jouant les prolongations, ils ne se privèrent pas de se baigner dans l'océan. Zach aurait aimé l'emmener à bord de son petit voilier, mais la mer était houleuse, aussi allèrent-ils pêcher près de la maison de sa grand-mère, une vieille et élégante villa, dont le gardien et la gouvernante étaient absents en ce dimanche. Ils marchèrent sur le sable au soleil couchant, puis Zach conduisit Isabelle jusqu'à Montauk, à l'extrême pointe de Long Island, où ils explorèrent le phare avant de se régaler de fruits de mer dans un petit restaurant animé.

Izzie ne s'était jamais sentie aussi bien en compagnie d'un homme. Elle qui tendait à garder ses distances lors d'un premier rendez-vous, elle ne le repoussa pas quand il s'approcha pour l'embrasser au moment du départ… À cet instant, elle se sentit submergée par une vague de désir irrésistible. C'était totalement nouveau pour elle, et d'autant plus surprenant qu'aucun homme n'était parvenu à l'émouvoir depuis plus de deux ans. Par la puissance brûlante de son baiser, Zach fit fondre la barrière glacée qu'Izzie avait dressée autour d'elle. Et c'est au prix d'un effort infini qu'elle s'arracha à ses bras. Sur le quai, Zach lui fit signe longtemps après que le train eut démarré.

Alors qu'elle franchissait le seuil de son appartement, son portable sonna : c'était lui. Il semblait aussi bouleversé qu'elle.

— Waouh, que s'est-il passé sur ce quai de gare ? Je crois bien que j'ai été pris dans une avalanche...

Ils se donnèrent rendez-vous à New York le lendemain. Ils étaient convenus d'aller au restaurant et au cinéma, mais la passion les entraîna directement dans la chambre à coucher d'Isabelle... Il ne devait plus la quitter. Le lendemain, au moment de partir au travail, elle éprouvait une incroyable sensation de renaissance. Et le soir venu, Zach l'accueillit avec un dîner romantique concocté par ses soins... même s'ils ne mangèrent qu'après avoir une nouvelle fois succombé à leur désir. Izzie n'avait jamais connu d'homme au sex-appeal si puissant. Il passa la semaine chez elle, puis ils retournèrent à East Hampton pour le week-end.

Le dimanche matin, alors qu'ils s'apprêtaient à embarquer sur le petit bateau de Zach, Izzie reçut un appel de Justin : son petit frère savait qu'elle se sentait souvent seule le week-end. Il fut surpris d'apprendre qu'elle se trouvait dans les Hamptons.

— Mais c'est une excellente nouvelle ! À quelle occasion ?

— Je suis invitée chez des amis.

Elle promit de le rappeler le soir, une fois rentrée chez elle. Après avoir raccroché, Justin déclara à Richard qu'il n'avait pas entendu sa sœur parler d'une voix aussi détendue et enjouée depuis longtemps.

— J'ai l'impression qu'elle est en train de redevenir elle-même, après cette longue période de frustration et de ressentiment.

— Tu crois qu'elle est amoureuse ? suggéra son compagnon.

— Possible. Dans ce cas, il faut vraiment que ce soit un type bien, pour qu'elle ait osé lui accorder sa

49

confiance après ce qu'elle a vécu... En tout cas, je suis content de retrouver ma bonne vieille Izzie.

Plusieurs week-ends de suite, Izzie accompagna Zach à East Hampton selon le même rituel. Ils cuisinaient ensemble, marchaient sur la plage, se promenaient en bateau et passaient des soirées paisibles au coin du feu dans la luxueuse villa de la grand-mère. Pour Isabelle, c'était un rêve ; elle n'aurait jamais imaginé s'abandonner à un homme avec autant de lâcher-prise. Leur passion réciproque semblait ne jamais vouloir s'éteindre. Le dimanche soir, ils rentraient ensemble et il passait la semaine à New York. Pendant qu'elle travaillait, il restait à la maison ou retrouvait des amis en ville. Au téléphone, sa mère elle aussi remarqua qu'il y avait quelque chose de nouveau et de pétillant dans la voix d'Isabelle. Ne voulant pas être indiscrète – après tout, ses enfants étaient adultes et menaient leur propre vie –, elle se contenta d'en parler à Julie quand celle-ci passa la voir à la boutique.

— Il y a un truc avec Izzie, non ?

— Pas que je sache... Pourquoi ?

— Je ne l'ai pas vue depuis un bon moment, mais la dernière fois que je l'ai appelée, elle m'a eu l'air particulièrement en forme.

Kate poursuivit son enquête auprès de sa propre mère, un jour où elles déjeunaient ensemble.

— J'espère qu'elle ne s'est pas jetée dans les bras d'un imbécile par dépit, remarqua Louise avec sa sagacité coutumière. Elle s'est fermée pendant si longtemps au reste du monde...

Sa fille secoua la tête.

— Non, ce n'est pas son style. Mon Isabelle est bien trop raisonnable.

— Justement, les plus raisonnables sont aussi les

plus vulnérables quand elles sont blessées. Il lui a fallu du temps pour sortir de son état de choc. Maintenant, si elle a commencé à rouvrir son cœur, j'espère que ce n'est pas pour le premier chien coiffé.

— Tu sais, je ne suis même pas sûre qu'il y ait un homme là-dessous. Si ça se trouve, elle est juste particulièrement contente de son boulot. Elle m'a dit qu'elle était chez des amis à East Hampton pour le week-end.

— Ce qui est certain, c'est qu'elle travaille trop : le grand air ne peut pas lui faire de mal ! conclut Louise pour se rassurer elle-même.

La vieille dame s'inquiétait parfois autant que Kate pour la vie sentimentale de ses petits-enfants. À l'exception bien sûr de Justin, qui avait clairement trouvé chaussure à son pied. Quant à Willie, il était jeune, il avait encore le temps de se caser. Mais que se passerait-il si l'une de ses nombreuses conquêtes tombait enceinte ? Et Izzie ? Se remettrait-elle un jour de sa terrible déception ?

Louise tut ses inquiétudes à sa fille et la regarda d'un air sérieux.

— Et si pour une fois tu pensais un peu à toi-même plutôt qu'à tes enfants ? À ce qu'il me semble, tu ne te donnes pas plus de mal que tes filles pour trouver un compagnon... Tu es trop jeune pour passer le reste de ta vie toute seule.

Piquée, Kate ne se priva pas de lui renvoyer la balle.

— Maman, je te signale que des tas de gens se marient à ton âge, voire bien après...

— Ma chérie, j'ai été heureuse en ménage pendant de longues années, c'est assez pour moi. Et puis, je ne pourrais pas voyager autant si je devais m'occuper de quelqu'un, ou si j'avais seulement des scrupules à le laisser seul. Je ne veux pas plus être infirmière que dame de compagnie ! Naturellement, je me suis occupée de ton père avec amour, et je sais qu'il en aurait fait autant si les rôles avaient été inversés. En outre, nous nous sommes beaucoup amusés ensemble, dans notre jeunesse. Aujourd'hui, si je rencontrais quelqu'un, ce ne serait pas la même chose ; je n'ai pas envie de commencer une histoire à ce stade de ma vie.

Kate savait que sa mère disait vrai : il était clair que Louise ne souffrait pas de sa solitude, bien au contraire. Elle-même, en revanche, ne pouvait pas en dire autant… Pourquoi, alors, ne faisait-elle pas plus d'efforts pour rencontrer quelqu'un ? Force lui était de reconnaître qu'elle s'était un peu trop installée dans ses petites habitudes.

Le lendemain midi, alors qu'ils buvaient un verre de vin dans un de leurs restaurants préférés, Da Silvano, Kate rapporta la remarque de sa mère à son ami Liam. À son grand dam, celui-ci en rajouta une couche.

— Ta mère a raison… Tu es trop jeune pour rester seule, Kate. Moi aussi, je m'inquiète pour toi.

— Et que veux-tu que je fasse ? Que je me mette au coin de la rue et que je siffle le premier type qui passe comme on hèle un taxi ? La gent masculine ne tombe pas des arbres, figure-toi.

Liam éclata de rire. C'était un bel homme, à qui la maturité allait bien : à part ses tempes grisonnantes – qui lui donnaient une certaine distinction –, il avait toujours la même mine avenante. Mais c'est pour sa douceur et son intelligence que Kate lui était tant attachée.

— Avoue que tu pourrais sortir un peu plus, la sermonna-t-il. Tes enfants sont grands, maintenant.

— Et moi, je suis vieille…

— N'importe quoi ! Tu t'es regardée ? Tu es belle, svelte, fraîche comme une rose ! Les hommes se retournent sur ton passage, c'est juste que tu ne t'en aperçois pas.

— Tu ne me conseilles tout de même pas d'aller draguer dans les bars ? s'indigna-t-elle.

— Tu sais très bien ce que je veux dire : tu n'essaies même pas.

— C'est que je suis très bien toute seule. Et puis, les célibataires de mon âge sont tous plus ou moins bizarres. J'ai assez des miennes pour avoir envie de supporter les excentricités d'autrui !

— Pff... Tous les célibataires ne sont pas bizarres...

— Ah non ? Pourquoi sont-ils célibataires, à ton avis ? Il n'y a pas de fumée sans feu !

— Et pourquoi pas un veuf ?

— Liam ! Tu voudrais peut-être que j'épluche les rubriques nécrologiques pour harceler les types à la sortie du cimetière ? Non merci ! Blague à part, quand j'ai lancé la boutique, je lisais les avis de décès pour récupérer le dressing des vieilles douairières. Eh bien, je te prie de croire que je n'étais pas franchement à l'aise au moment de contacter la famille.

— Ne change pas de sujet ! La situation ne peut pas être aussi désespérée que tu le dis, trancha Liam.

— Je ne sais pas. Je me dis plutôt que, si c'est ce qui doit arriver, la bonne personne pointera le bout de son nez sans que je demande rien. Dans le cas contraire, je vis très bien comme ça.

Fidèles à leur habitude, les deux amis faisaient durer leur déjeuner. Et comme on était déjà en octobre, Kate demanda à Liam ce qu'il avait prévu pour Thanksgiving.

— Ce n'est pas un jour férié en Europe, donc les

filles ne pourront pas rentrer. Maureen et moi irons chez mon beau-père, même si ça ne m'enchante pas. Et toi ?

— On fête ça chez moi, comme tous les ans. Tu sais que j'adore les fêtes de fin d'année : les avoir tous autour de ma table, il n'y a rien qui puisse me rendre plus heureuse !

— Justin va rester quelques jours ?

— Il vient pour le dîner, mais Richard et lui dormiront chez des amis. Ma mère sera là aussi : elle ne repart pas en voyage avant janvier ! En Argentine, si j'ai bien suivi.

— Elle est vraiment extraordinaire, déclara Liam, admiratif. J'aimerais avoir la moitié de son énergie au même âge.

— Je pense qu'il ne faut jamais cesser de bouger, d'être actif, d'apprendre... Elle a constamment envie de faire des nouvelles expériences. C'est une vraie source d'inspiration, tu as raison !

Au bout de deux heures de délicieuse conversation, Liam regagna son bureau et Kate, sa boutique. L'automne était une saison chargée, car les élégantes commençaient de bonne heure à chercher des tenues pour les fêtes. En outre, Still Fabulous avait eu les honneurs d'un récent article dans la presse, ce qui attirait de nouvelles clientes. Comme chaque année, Kate prolongerait l'ouverture de sa boutique de deux heures chaque soir entre Thanksgiving et le nouvel an.

Novembre arriva ; Izzie et Zach étaient toujours inséparables. Le froid ne les empêchait pas d'apprécier les Hamptons. Bien au contraire, la maison de la grand-mère leur paraissait d'autant plus douillette le soir après une journée au grand air. Le gardien et la gouvernante s'étaient habitués à la présence d'Isabelle, qui avait pour sa part confié un double de ses clés à Zach. Cependant, la jeune femme s'inquiétait du fait qu'il ne travaille pas et n'ait ni occupation ni emploi du temps fixe. Sa grand-mère lui envoyait un peu d'argent de poche. Pas suffisamment pour vivre, mais du fait qu'il n'avait pas de loyer à payer et que la vieille dame allouait une certaine somme aux domestiques pour les courses, Zach n'avait besoin que de quelques dollars pour inviter Izzie au restaurant de temps à autre, payer le cinéma ou le taxi. Isabelle n'attendait pas de lui qu'il participe aux frais quand ils étaient chez elle. Cependant, elle aurait préféré qu'il ne passe pas sa journée à l'attendre sans rien faire…

Zach, pour sa part, ne semblait pas inquiet d'être au chômage ; il ne songeait ni à chercher un travail ni à s'occuper de façon constructive. Il se contentait de lire, se promener, rencontrer des amis. Izzie l'avait inscrit à une salle de sport, mais après tout, il était adulte et vacciné, il faudrait bien qu'il se trouve une activité quelconque et donne un objectif à sa vie ! Or, quand ils voyaient des amis à elle, ou dînaient avec ses collègues avocats, Zach n'avait pas le moindre complexe à annoncer qu'il ne travaillait pas, se faisant ainsi passer pour un fils de rentier. Dans une certaine mesure, c'était vrai… à cela près qu'il ne roulait pas sur l'or. Chaque fois qu'elle tentait d'aborder le sujet, il se mettait à rire.

— Tu n'as pas à être gênée, disait-il. Après tout, mon père ne travaille pas non plus.

Ce qu'il oubliait de préciser, c'est que son père, lui, maîtrisait ses finances. Zach avait bien tenté de négocier avec les administrateurs de biens de la famille, dans l'espoir de toucher chaque mois une petite partie de son fonds propre. Mais, en conformité avec les clauses établies par son père, cet argent restait bloqué tant que le jeune homme n'apportait pas la preuve d'une certaine stabilité. Or le manque d'argent n'était clairement pas une motivation suffisante pour Zach.

— Il doit bien y avoir quelque chose que tu aimes faire ? suggérait Izzie.

— L'amour avec toi ! répondait-il.

Et la conversation tournait court sur l'oreiller. Avec Zach, le sexe avait pris le dessus sur tout le reste dans la vie d'Izzie, à l'exception de son travail.

Elle n'avait pas encore parlé de lui à sa famille : leur idylle était bien trop jeune, et elle savourait son secret. Lui aussi savait se faire discret, ne répondant jamais au téléphone quand il était chez elle. Pendant un moment, elle avait envisagé de l'inviter chez sa mère pour Thanksgiving, mais il avait prévu d'aller tenir compagnie à sa grand-mère à Palm Beach, de sorte qu'Izzie ne fut pas obligée de prendre de décision. Il l'appelait souvent dans la journée, la traitait toujours avec bienveillance et respect. En fait, il lui semblait étonnamment sage... pour quelqu'un qui s'autoproclamait la « brebis galeuse » de son clan.

— Qu'est-ce que ta famille va penser quand tu leur parleras de nous ? lui demanda Zach, un soir entre les draps.

— Je crois qu'ils seront tous très curieux, qu'ils auront envie de te rencontrer, qu'ils seront heureux pour moi...

*Et ils me demanderont ce que tu fais dans la vie*, songea-t-elle sans le dire. Dans sa famille, l'oisiveté n'était pas une option. Tout le monde travaillait, par passion autant que par nécessité. Vivre comme Zach, en mendiant auprès de sa grand-mère ou de ses administrateurs de biens, était simplement inconcevable. En tant qu'aînée, Izzie se souvenait mieux que ses frères et sœur des difficultés que sa mère avait eues à joindre les deux bouts quand ils étaient petits. Le manque d'argent n'était pas une partie de plaisir !

Au fil des semaines, Izzie prit l'habitude de laisser des espèces dans un tiroir de la cuisine, sans aucun commentaire. Par pudeur, elle ne lui donnait pas d'argent en main propre, mais Zach savait où le trouver et elle approvisionnait le tiroir tous les deux ou trois jours. Au total, il dépensait trois à quatre cents dollars chaque semaine. Elle se disait souvent que tout serait plus léger entre eux s'il avait ne serait-ce qu'un petit boulot. Mais bien qu'il n'eût ni diplôme ni qualification, il trouvait cela indigne de lui. Même un job de vendeur lui semblait méprisable, alors qu'il possédait clairement les qualités requises. Pourtant, quels que fussent son intelligence, son charme et son charisme, ils ne pouvaient à eux seuls lui assurer un poste à responsabilités.

Aussitôt après l'audience au tribunal, Zach avait repris son look de mauvais garçon, qu'elle trouvait d'ailleurs terriblement sexy, même si elle n'imaginait pas ses frères vêtus de la sorte... Elle lui avait même parlé de passer des castings comme mannequin ou acteur, mais il lui avait ri au nez, une fois de plus.

Le temps passant, elle s'aperçut qu'elle n'avait tout simplement pas envie de l'entretenir et qu'elle craignait que ce schéma ne s'installe entre eux. À une ou deux reprises, Zach lui avait dit en passant que ses administrateurs de biens le laisseraient accéder à son argent s'il se mariait avec une personne stable, mais il n'était pas question pour Izzie de conclure un mariage dans de telles conditions. Et, de toute façon, ils ne se connaissaient pas depuis assez longtemps.

La veille de Thanksgiving, avant de s'envoler pour Palm Beach, Zach lui « emprunta » poliment trois cents dollars. Les administrateurs lui payaient le billet d'avion dans la mesure où c'était pour rendre visite à sa grand-mère.

Izzie était en train de réfléchir à tout ça lorsqu'il l'appela depuis l'avion, sur le point de décoller. Comment résister à quelqu'un d'aussi tendre et attentionné ? Il lui avait redonné goût à la vie et foi en l'espèce humaine. Mais dès qu'ils eurent raccroché, elle se demanda si c'était suffisant. Peut-être que oui. Peut-être que les mauvais garçons ne travaillaient jamais et qu'il fallait l'accepter. Dans ce cas, avait-elle le cœur à supporter ce poids ? Alors qu'elle se préparait une tasse de thé, elle s'aperçut que le tiroir à billets était vide. Zach en avait empoché tout le contenu, en plus de ce qu'il lui avait demandé de vive voix. Aimer un rebelle coûtait cher...

# 4

Les enfants de Kate arrivèrent peu après quinze heures le jour de Thanksgiving. Pendant que mamie Lou et Richard (qui était un vrai cordon-bleu) aidaient Kate en cuisine, les autres bavardèrent gaiement autour d'une tasse de thé, avant de se mettre à table à dix-huit heures tapantes pour le dîner de fête.

Comme quand ils étaient petits, tous parlaient en même temps et se taquinaient à qui mieux mieux. Puis Kate dit une prière en ce jour d'action de grâce. Après quoi, aidée de ses commis, elle apporta la dinde farcie et tous les accompagnements de rigueur : patates douces, épis de maïs, jus de viande, sauce aux canneberges...

Selon la tradition, chacun revint sur l'année écoulée et exprima sa gratitude pour les événements heureux qui lui avaient été donnés par la vie. Ils en étaient à la moitié du repas lorsque Justin dit tout haut ce que les autres pensaient tout bas, en pressant Izzie d'expliquer pourquoi elle était si rayonnante. Elle finit par avouer laconiquement qu'elle voyait quelqu'un et que cela se passait bien.

— Super ! Tu nous en dis plus ? Qui est-ce ? Que fait-il dans la vie ? Comment tu l'as rencontré ? On veut tout savoir !

— Oh, arrête, pas tout à la fois, grogna Izzie en

rougissant. Il s'appelle Zach Holbrook, il est très gentil et nous sortons ensemble depuis trois mois.

« Sortir ensemble » n'était sans doute pas l'expression exacte, mais pour le moment ils n'avaient pas besoin de savoir que Zach vivait sous son toit.

— Où est-ce que tu l'as rencontré ? insista Justin.

— Je l'ai eu comme client, déclara-t-elle, évasive.

Mais son frère n'avait pas l'intention de la lâcher si vite :

— Et qu'est-ce qu'il fait ?

Elle hésita un instant.

— Il a... un fonds fiduciaire.

Après tout, c'était la stricte vérité, même si dans les faits il n'avait que très peu accès à cet argent.

— Et sinon, il travaille ?

Cette fois, la question venait de Willie, et elle était parfaitement légitime.

— Pas pour le moment.

— C'est merveilleux, ma chérie ! Pourquoi ne nous l'as-tu pas amené ? demanda mamie Lou, sentant que sa petite-fille cachait quelque chose.

— Il passe Thanksgiving à Palm Beach avec sa grand-mère.

— Waouh, ça ne te fait pas bizarre, de sortir avec quelqu'un de si riche qu'il n'a pas besoin de travailler ? s'étonna Julie.

— Si, parfois, répondit sa sœur en hochant la tête.

Supposant qu'il fallait tout de même avoir travaillé un peu pour amasser un fonds fiduciaire, Justin revint à la charge :

— Et avant, il était dans quelle branche ?

— En fait, c'est son père qui gère les investissements de sa famille. Maman, ta sauce est meilleure chaque année ! déclara Isabelle, désireuse de changer de sujet au plus vite.

Sa mère ne se laissa pas distraire :

— Quand vas-tu nous le présenter, chérie ? Tu veux l'inviter pour Noël ?

— Je ne sais pas encore. C'est encore tout frais entre nous...

— En tout cas, il sera le bienvenu dès que tu te sentiras prête, lui assura Kate, enchantée de voir sa fille aînée aussi épanouie.

Elle était toute à sa joie quand Justin toussota pour attirer l'attention de la tablée.

— Richard et moi avons aussi quelque chose à vous annoncer. Voilà : depuis le mois d'août, nous faisons passer des entretiens à des mères porteuses et nous pensons avoir trouvé la personne idéale. Nous l'avons rencontrée par l'intermédiaire d'amis à nous, dans le New Hampshire. Elle a vingt-neuf ans, elle est mariée, a deux enfants. Et elle a déjà porté un bébé pour une autre famille. Alors c'est décidé, nous faisons le grand saut ! Une amie d'enfance de Richard est prête à nous faire un don d'ovocytes. Elle sera ponctionnée la semaine prochaine. Avec un peu de chance, si tout fonctionne, la mère porteuse tombera enceinte et nous serons officiellement futurs parents avant Noël !

Les deux hommes se souriaient et se regardaient tendrement, à croire que le reste du monde autour d'eux n'existait pas. Un ange passa.

— Un bébé ? Pourquoi voudriez-vous un bébé ? demanda Kate, contrariée. Je sais bien que la gestation pour autrui est parfaitement légale dans ce pays, mais... vous ne préféreriez pas vous marier ? Un enfant, c'est un engagement considérable ! Et que ferez-vous si la mère porteuse refuse de laisser l'enfant après la naissance ?

— Elle en a déjà confié un sans le moindre problème, expliqua calmement Richard. Nous la croyons honnête et fiable. Et puis ces choses-là sont prévues par contrat : elle ne recevra le dernier versement que quand elle sera allée au bout du processus. Nous en parlions ensemble depuis longtemps, Justin et moi, et nous ne voulons pas adopter : nous préférons avoir un enfant à nous. Et pour répondre à ta question, Kate, nous avons aussi discuté de mariage, et nous en avons conclu que ce n'était qu'un détail pour nous. Avoir un bébé est autrement plus important ! Nous avons bien conscience de l'engagement que cela représente, et nous nous sentons tous les deux capables de l'assumer. Cela fait des mois que nous sommes en contact avec des médecins et des juristes.

Alors que Justin acquiesçait pour soutenir son partenaire, Kate retenait ses larmes à grand-peine. Les revenus de Justin, quoique très corrects, restaient irréguliers. Et le salaire d'enseignant de Richard était plutôt modeste. Et que se passerait-il s'ils en venaient à se séparer ? Au lieu de se réjouir pour son fils, Kate voyait tout en noir.

— Mais... vous êtes si jeunes ! avança-t-elle.

— Maman, j'ai neuf ans de plus que toi quand tu as eu Izzie. Et Richard a trente-six ans.

Justin avait bien du mérite à rester calme ; le moins que l'on puisse dire, c'est que sa famille accueillait fraîchement la nouvelle.

— D'un point de vue légal, la GPA est un vrai guêpier, commenta justement Izzie. On a vu plus d'un cas où la mère porteuse ne voulait pas abandonner le bébé. Pourquoi voulez-vous vous embringuer dans une situation émotionnelle aussi délicate ? Pourquoi ne pas adopter ?

— Ce n'est pas non plus dénué de risques, lui opposa Justin. En fait, nous avons bien réfléchi, Richard et moi avons fait le choix qui nous correspond le mieux. Nous avons pris toutes les dispositions nécessaires...

Cela ne suffit pas à rassurer Kate.

— Comment pouvez-vous être sûrs que cette femme est en bonne santé, qu'elle ne se drogue pas, et qu'elle ne boira pas d'alcool pendant la grossesse ? Vous ne la connaissez pas !

— Nous en savons assez sur elle pour nous sentir en confiance. Grâce à elle, nos amis ont eu un merveilleux bébé, en parfaite santé, argua Justin.

Le jeune homme avait de plus en plus de mal à cacher son dépit face aux réactions de sa famille. Richard et lui avaient mis beaucoup de temps et d'énergie dans cette démarche et ne souhaitaient rien plus ardemment qu'avoir un bébé à eux.

— À mon avis, vous feriez mieux d'y réfléchir à deux fois, conclut Isabelle.

— Izzie a raison, renchérit Kate.

— Moi, je trouve que c'est génial, au contraire, déclara Julie en adressant un large sourire aux principaux intéressés. Avec un peu de chance, vous aurez des jumeaux !

Les deux hommes éclatèrent de rire.

— Nous serions très contents d'avoir des jumeaux, mais un seul bébé serait déjà un beau cadeau, affirma Richard.

— Franchement, vous êtes dingues de vouloir des gosses, déclara Willie. C'est que des emmerdements... C'est crado, ça t'empêche de dormir... Pourquoi vous faites un truc pareil ?

Et Justin et Richard de rire de plus belle : au moins, la réaction de Willie était plutôt conforme à ses vingt-quatre ans et à son style de vie.

— Oui, d'ailleurs n'oublie pas de faire gaffe, frérot. Ça pourrait t'arriver plus tôt que tu ne le voudrais.

— Pour ma part, lança enfin mamie Lou d'une voix forte et avec un grand sourire, je pense que c'est une excellente idée.

Kate se tourna vers elle, horrifiée.

— Comment peux-tu dire une chose pareille, maman ? Ils n'ont aucune idée de l'engagement que cela implique. Que se passera-t-il s'il arrive quelque chose à l'un de vous deux ? Ou si vous vous séparez ?

— Les couples hétéros se séparent aussi, lui rappela mamie Lou en toute logique. Et les malheurs, ça arrive à tout le monde. Tom est mort, mais toi, tu es restée debout et tu as été une maman épatante ! Les enfants survivent aux divorces comme aux drames de la vie. Et personne, à mon avis, n'est en mesure de comprendre ce que c'est que d'avoir un enfant avant d'en avoir un pour de vrai. Enfin, il me semble que Justin et Richard sont adultes, responsables et libres de leurs choix. Et que celui-là est mûrement réfléchi.

— Vous savez, vous ne pourrez pas le renvoyer si vous craquez, lâcha encore Kate.

— Aucun risque, maman. Nous voulons cet enfant. Nous avons donné beaucoup de temps et d'argent pour en arriver là. Nous avons rencontré sept mères porteuses éventuelles avant celle-ci. Et pour votre information, on parle de mère gestationnelle, puisqu'il s'agit d'une fécondation in vitro avec don d'ovocytes.

— Avez-vous les moyens de l'élever correctement ? insista Kate.

Elle-même était bien placée pour savoir combien il

était difficile d'entretenir une famille avec des moyens limités.

— Tom et toi n'aviez pas un sou vaillant quand vous avez eu Izzie, lui rappela Louise. C'est comme ça, quand on débute dans la vie. Idem pour ton père et moi quand tu es arrivée. S'ils attendaient de rouler sur l'or, la plupart des gens n'auraient pas d'enfants ! On se débrouille, voilà tout, et je sais qu'ils vont s'en sortir comme des chefs. Félicitations, mon grand, et toi aussi, cher Richard ! Eh bien quoi, c'est la fête, oui ou non ? Et dire que quand nous fêterons Thanksgiving l'année prochaine, je serai arrière-grand-mère ! Vous n'auriez pas pu me faire plus plaisir !

Après ce toast vibrant d'émotion, la tablée éclata en une discussion à bâtons rompus. Mille questions se bousculèrent sur la donneuse d'ovocytes, la mère gestationnelle et l'ensemble du processus. Au milieu du brouhaha, Kate garda le silence jusqu'à la fin du repas. Justin la prit à part avant de partir :

— Je suis navré que ça te contrarie, maman...

— Mon chéri, je ne suis pas contrariée, ni hostile. C'est juste que je m'inquiète pour vous. Avoir un enfant, ce n'est pas du gâteau. Je voudrais être sûre que vous savez dans quoi vous vous embarquez. C'est une immense responsabilité pour vous, financièrement, émotionnellement, et par un tas d'autres aspects.

— Maman, c'est mûrement réfléchi. Fais-moi confiance. J'aimerais tellement que tu sois heureuse pour nous, que tu te réjouisses de devenir grand-mère... Nous ne sommes plus des gamins, nous savons où nous mettons les pieds.

— Personne ne sait où il met les pieds avant d'avoir un enfant.

— Est-ce que tu regrettes de nous avoir eus ?

— Bien sûr que non ! répondit-elle, choquée par la question. Vous êtes la plus belle chose qui soit arrivée à votre père et moi.

— Et après sa mort... est-ce que tu as eu des regrets ?

— Non, au contraire, j'étais contente que vous soyez là, et avec vous une grande part de lui !

— Alors pourquoi les choses seraient-elles différentes pour Richard et moi ?

— Tu ne peux pas savoir comment l'enfant réagira au fait d'avoir deux papas, et zéro maman. Les gosses à l'école risquent de lui en faire voir de toutes les couleurs.

— Les enfants de parents hétéros se font aussi harceler... Mais nous serons là pour le ou la soutenir. Nous lui expliquerons tout dès qu'il ou elle aura l'âge de comprendre.

Kate sourit tristement.

— Je crois que tout cela est un peu trop moderne pour moi, admit-elle.

Néanmoins, au moment de leur dire au revoir, elle prit Justin et Richard dans ses bras et leur murmura qu'elle tenait à eux. Après le départ des jeunes, Louise resta discuter un moment avec sa fille.

— Cette fois, il faut que tu lâches prise, chérie. Tu ne peux pas contrôler tout ce qu'ils font. C'est important pour eux, et ils essaient de faire avancer leur projet du mieux qu'ils peuvent, avec leurs moyens à eux. Ton rôle est de les soutenir. Je comprends ton inquiétude ; moi non plus, je ne suis pas tranquille. Mais pour préserver ta relation avec Justin, tu devrais au moins faire semblant de te réjouir. Dans le cas contraire, il ne te pardonnera jamais. Nous devons lui montrer que nous sommes dans son camp, sans quoi il prendra ses distances, peut-être définitivement. Alors fais-toi une raison, Kate. Ne prends pas le risque de perdre ton fils parce que cette histoire te chiffonne. Ça n'en vaut pas la peine. Ce bébé arrivera, que tu le veuilles ou non.

Kate savait que sa mère était la voix de la sagesse. Elle ne se souvenait que trop bien de l'inquiétude de ses parents quand elle avait interrompu ses études pour se marier et qu'elle était tombée enceinte tout de suite après. Tom était encore à la fac et ils dépendaient tous les deux de son maigre salaire de vendeuse, ce qui représentait bien moins que les revenus cumulés de Justin et Richard. Mais elle n'aimait pas du tout cette idée de gestation pour autrui. C'était une entreprise hasardeuse et semée d'embûches...

D'un autre côté, elle se doutait bien que Justin et Richard n'allaient pas tout à coup changer d'avis. Louise avait raison, la seule option était d'embarquer avec eux. Elle avait demandé à Justin si les parents de Richard étaient au courant. Mais dans la mesure où ceux-ci refusaient même d'admettre l'homosexualité de leur fils, ils n'avaient pas l'intention de leur parler du bébé.

— En fait de grands-parents, cet enfant n'aura que toi, remarqua Louise, qui avait suivi le cours de sa pensée. Et franchement, je pense qu'ils s'en sortiront très bien. Quelle belle aventure, c'est très courageux de leur part ! Personne ne peut dire comment ça va se passer. Mais toi, tu as bien réussi à en élever quatre toute seule. Alors à deux pour un seul enfant, ils devraient y arriver, tu ne crois pas ? Fais confiance à Justin, Kate : il est intelligent et responsable. Ce sera un très bon père.

Kate acquiesça, les larmes aux yeux. Après le départ

de sa mère, elle se retrouva seule avec ses pensées. Quelle soirée… Izzie était amoureuse et Justin allait avoir un bébé.

Dans le taxi qui la ramenait chez elle, Isabelle était justement en train de se dire que l'annonce de son frère était tombée à point nommé pour détourner l'attention de sa famille. Ils n'avaient pas eu le temps de s'appesantir sur le fait que Zach ne travaillait pas. Pourvu qu'ils n'apprennent jamais les circonstances de leur rencontre ! Un frisson la parcourut à cette idée.

Quant à Justin, il laissa éclater son amertume dès qu'il se retrouva en tête à tête avec Richard.

— Pour qui est-ce qu'elle nous prend ? Des gamins, des idiots ? Elle réagit comme si nous étions le premier couple gay à en passer par là. Moi qui l'ai toujours considérée comme la mère la plus cool du monde, j'ai du mal à encaisser le coup.

Richard, lui, était plus prompt à absoudre Kate.

— Elle s'inquiète, c'est tout. Pour nos parents, nous serons toujours des bébés. Et quand ton enfant a lui-même un enfant, ça revient à te décaler d'une génération, ce qui n'est pas toujours facile à vivre. Et puis… elle n'est pas la seule à être choquée par la GPA. Dans un sens, ça n'a rien de « normal ». Comme l'a dit Izzie, il y a eu des situations conflictuelles dans certains États, surtout dans les premières années de la légalisation. Laisse-lui le temps, à ta mère. Elle s'adaptera.

— Elle stresse trop pour nous, maugréa Justin.

— C'est son job de mère…

— Alors promettons-nous de ne jamais devenir comme ça avec nos enfants. Surtout qu'à la place de maman j'aurais d'autres raisons de m'inquiéter… Que penses-tu du copain rentier d'Izzie ?

— J'espère que son fonds fiduciaire est important, sans quoi la charge risque de peser lourd sur les épaules de ta sœur. Avec son ambition et son éthique du travail, je m'étonne qu'elle se soit choisi un homme qui ne fait rien de ses journées.

— Il doit être fabuleux au lit, conclut Justin en riant.

Les deux hommes échangèrent un regard complice. Ils avaient été particulièrement touchés par la réaction de mamie Lou. Une si grande aventure les attendait ! Tous deux avaient donné leurs gamètes : la FIV aurait lieu très bientôt, à partir de leurs prélèvements. Ensuite, les deux embryons les plus viables seraient implantés chez la mère porteuse. Avec un peu de chance, au moins l'un tiendrait. Leur rêve allait enfin se réaliser !

# 5

Le dimanche, avant de repartir dans le Vermont, Justin et Richard passèrent prendre le petit déjeuner chez Kate. Celle-ci ne mentionna pas une seule fois leur projet de parentalité, et les deux amoureux ne revinrent pas non plus sur le sujet. La tension était retombée. Bien sûr, cela avait été un choc pour Kate, qui ne s'attendait pas à ce rebondissement. Elle avait bien pensé que Justin et Richard se passeraient la bague au doigt – le mariage homosexuel était désormais légal dans l'ensemble des États fédéraux –, mais elle n'avait jamais imaginé qu'ils s'embarqueraient dans la parentalité ! Dans son esprit, en effet, il n'était pas question de mettre la charrue avant les bœufs : d'abord la sécurité et le mariage, ensuite les enfants. Avoir un bébé ne pouvait pas tenir lieu d'engagement ! Pour le moment, leur relation avait l'air solide, mais comment savoir ce que leur réservait l'avenir ?

Tout au long du petit déjeuner, Kate s'efforça de garder un ton léger. Justin et Richard lui racontèrent qu'ils avaient passé un agréable week-end chez leurs amis, avec un grand dîner la veille. Ils avaient toujours été très entourés, et c'était un couple bien établi. La plupart de leurs amis gays étaient comme eux des gens sérieux, engagés dans des relations durables et des vies stables. Justin n'avait jamais aimé le côté tapageur du milieu queer new-yorkais. Il tenait à sa vie domestique calme et rangée, semblable à celle dont il avait bénéficié enfant. Pour Richard aussi, la famille était une valeur fondamentale, de sorte qu'il souffrait terriblement de l'ostracisme imposé par les siens. Il avait trouvé en Kate une nouvelle mère.

Après l'avoir embrassée et remerciée pour le brunch, les deux compagnons mirent le cap sur le Vermont – un voyage de six heures.

— C'était chouette, commenta Richard tandis qu'ils montaient à bord de leur vieille Volvo. Ta mère semble s'être calmée.

— Ne crois pas tout ce que tu vois, répliqua Justin en mettant le contact. Ma mère ne veut pas se fâcher avec nous, et je parie que c'est mamie Lou qui lui a fait promettre de rester zen. Tu as bien vu comme elle était peinée le jour de Thanksgiving. Je doute qu'elle ait changé d'état d'esprit comme par enchantement en se réveillant le lendemain matin. À mon avis, nous n'avons pas fini de l'entendre. Izzie va sûrement lui monter le bourrichon sur les pièges juridiques. Comme si nous ne les avions pas déjà passés en revue ! Je suis persuadé que nous avons bien fait de choisir Shirley, mais je doute que nous arrivions à en convaincre ma mère. Elle envisage toujours le pire... Après la mort de mon père, elle a dû nous élever avec très peu d'argent, et depuis, j'imagine qu'elle a constamment peur que tout s'effondre d'un instant à l'autre. Elle déteste qu'on prenne le moindre risque. Alors c'est sûr : Shirley peut très bien griller un fusible et essayer de garder le bébé pour elle. Pour autant, on ne va pas passer notre temps terrés dans une cave avec un oreiller sur la tête de peur que le toit s'écroule. On a une vie à vivre ! Bref, je suis un peu dégoûté qu'elle ne soit pas heureuse pour nous. Je l'avais espéré, mais je me suis trompé.

— Ne sois pas si dur avec elle, répondit Richard. Jusqu'à maintenant, elle a toujours été géniale avec nous. Pense à mes parents ! Ils vont devenir dingues quand ils apprendront que nous avons un enfant, surtout conçu par mère porteuse. Ce n'est pas facile à digérer.

Justin évita de justesse une voiture qui déboîtait sans crier gare. Traverser Manhattan n'était pas une partie de plaisir.

— Non, c'est vrai, ce n'est pas facile. D'ailleurs, je ne pense pas que ma mère approuverait davantage la GPA si nous étions hétéros.

— Mais elle, au moins, elle nous accepte comme nous sommes.

— À propos, quand comptes-tu le dire à tes parents ? demanda Justin en jetant un coup d'œil en direction de son compagnon.

— Que dirais-tu de « jamais » ? Ou à la rigueur quand le gosse entrera à la fac… Encore mieux : on n'a qu'à les inviter au mariage ! Celui de notre fils ou notre fille, bien sûr… pas le nôtre.

Justin pouffa. Le rire restait leur meilleur exutoire contre la folie puritaine des parents de Richard. Au début, ils lui avaient envoyé le pasteur pour essayer de le convaincre de revenir sur le droit chemin. Après l'échec de cette première tentative, ils l'avaient supplié de voir un psychiatre pour « soigner » un prétendu comportement « déviant ». Son frère et sa sœur ne valaient pas mieux : chacun était marié et avait des enfants, mais lui avait bien fait comprendre qu'il n'était pas le bienvenu pour les fêtes tant qu'il n'aurait pas

« mis de l'ordre » dans sa vie... autrement dit, tant qu'il était gay.

Ils arrivèrent à leur petite maison du Vermont vers dix-huit heures, après s'être accordé une pause pour faire le plein et manger un sandwich. Ils avaient rendez-vous le soir même avec Shirley, la mère porteuse. Le lendemain était un grand jour : l'amie de Richard, Alana, allait être ponctionnée dans la matinée, puis Justin et Richard iraient avec Shirley chez le notaire pour la signature du contrat.

Ils étaient en train de remplir le lave-vaisselle après un léger dîner, quand Shirley et son mari Jack son-nèrent à la porte. Leurs deux enfants étaient sous la bonne garde de la mère de la jeune femme. Ses parents comprenaient son choix, qui permettait de faire le bon-heur d'un autre couple tout en leur assurant un filet de sécurité financier pour l'éducation de leurs propres enfants. Son mari était charpentier, et elle, caissière dans un supermarché. À moins qu'elle ne rencontre un problème au cours de sa grossesse, elle n'aurait pas droit à un congé de maternité avant la naissance. Ses trois grossesses précédentes s'étaient déroulées à merveille, avec des accouchements naturels et rapides.

Comme à chacune de leurs rencontres, Jack resta en retrait. Clairement, c'était avant tout la décision de son épouse, même si lui-même n'y voyait pas d'objection et qu'il éprouvait de la sympathie pour Justin et Richard.

Selon les termes de leur accord, Shirley ne contri-buerait en rien au patrimoine génétique du bébé. C'est pourquoi elle devait suivre un traitement hormonal visant à bloquer son propre cycle au moment de l'im-plantation, qui interviendrait dans les jours suivant la fécondation in vitro. Elle serait donc seulement la gestatrice de l'enfant, et non sa mère biologique : tout était clair entre les parties impliquées.

— Que puis-je vous proposer ? Café, thé ? Ou bien un verre de vin ? demanda Richard en adressant un sourire à la jeune femme.

Shirley s'était engagée à ne plus boire d'alcool dès l'instant où les œufs seraient implantés dans son utérus, à ne prendre aucune drogue, à ne pas fumer et à ne prendre que les médicaments éventuellement prescrits par le médecin. Cela ne semblait pas lui poser de problème. Shirley n'était pas une femme à la beauté sophistiquée, mais c'était une personne intelligente et visiblement très saine de corps et d'esprit.

Jack et elle avaient eu l'idée de la GPA trois ans plus tôt, lorsqu'ils s'étaient aperçus à quel point ils auraient du mal à joindre les deux bouts après la naissance de leur deuxième enfant. Ses grossesses ayant été incroyablement faciles, ils étaient tombés d'accord sur le principe, à condition qu'elle ne soit pas obligée d'avoir des relations sexuelles avec le père de l'enfant. Les médecins lui avaient assuré que ce n'était pas nécessaire. Par ailleurs, les ovocytes d'Alana auraient très bien pu être fécondés médicalement dans l'utérus de Shirley. Néanmoins, et bien que l'opération soit plus complexe et plus coûteuse, Justin et Richard s'étaient décidés pour une fécondation in vitro, car cette méthode était la plus fiable.

Shirley adorait la sensation de plénitude et d'épanouissement que lui procurait la grossesse. Elle était convaincue que ces neuf mois passeraient vite. Pour Justin et Richard, qui avaient hâte de tenir le bébé dans leurs bras, c'était une éternité !

Shirley et Jack acceptèrent une tasse de café. Ils étaient convenus de revenir voir Justin et Richard toutes les deux semaines et de les tenir au courant des échographies et visites médicales auxquelles Shirley serait soumise chez sa gynécologue habituelle, qui bénéficiait d'ailleurs d'une excellente réputation. La jeune femme recevrait la moitié de ses honoraires à la signature du contrat et le solde quand elle leur confierait le bébé. Il n'y eut donc aucun échange d'argent ce soir-là, juste une soirée amicale pour s'assurer que tout le monde était partant.

Après le départ de leurs invités, Justin et Richard se servirent un verre de vin.

— Difficile de croire que l'aventure commence demain, tu ne trouves pas ? demanda Justin alors qu'ils étaient installés au coin du feu dans le confort de leur petit salon.

La maison comportait une chambre à coucher et un bureau, dont Justin se servait pour écrire dans la journée, et Richard pour préparer ses cours et corriger ses copies le soir. Comme ils n'avaient pas les moyens de déménager, c'est cette pièce qui serait transformée en seconde chambre. Entre la cuisine et la salle de séjour, ils se débrouilleraient bien pour travailler. Les deux compagnons étaient prêts à tous les sacrifices pour le bien-être de leur enfant.

Ce soir-là, ils s'endormirent dans les bras l'un de l'autre, trop remués par leurs espoirs et leurs craintes pour avoir envie de faire l'amour.

Le réveil sonna avant l'aube : à huit heures précises, ils retrouvèrent Alana à l'hôpital. C'était une femme drôle, vive et très jolie, qui semblait au moins aussi enthousiaste qu'eux. Richard et elle se connaissaient depuis l'école maternelle ; il la considérait comme sa sœur de cœur. Au fil du temps, elle était aussi devenue l'amie de Justin. Les deux garçons lui vouaient une immense gratitude. Elle s'était portée volontaire aussitôt qu'elle avait entendu parler de leur projet, renonçant en même temps à tout droit sur l'enfant. Elle était âgée de trente-six ans comme Richard, mais les tests hormonaux avaient montré qu'elle était encore fertile. Elle était en outre infirmière de profession. Son partenaire la soutenait dans sa démarche, et la préparation de cet événement important avait renforcé les liens d'affection qui unissaient les deux couples.

Justin et Richard la prirent dans leurs bras avant qu'elle n'entre seule dans la salle de soins. La procédure n'était pas franchement agréable, mais Alana se montra stoïque. Un moment plus tard, le médecin rejoignit les deux hommes dans la salle d'attente pour leur confirmer que tout s'était bien passé et les inviter à entrer dans la salle le temps qu'Alana se remette de l'intervention. Bientôt, le trio quitta l'hôpital. La jeune femme était encore un peu sonnée par les analgésiques quand ses amis la ramenèrent chez elle, et ils lui promirent de la rappeler dans la journée pour prendre de ses nouvelles. Justin déposa ensuite Richard au lycée où il travaillait, puis il rentra chez lui.

Une fois assis à son bureau, il resta un long moment à fixer l'écran de son ordinateur sans rien pouvoir écrire. Si tout se passait bien, leur bébé naîtrait d'ici neuf mois. Bouleversé par ce qu'il était en train de vivre, il sentit une larme couler le long de sa joue. Il n'avait encore jamais désiré quelque chose aussi ardemment.

Quand Zach arriva à l'appartement d'Izzie le lundi soir, à son retour de Palm Beach, il ne leur fallut pas cinq minutes pour se retrouver au lit.

— Tu m'as manqué, murmura-t-il, hors d'haleine,

quand ce fut terminé. Ce n'était pas très drôle avec ma grand-mère : elle passe presque tout son temps à dormir et plus personne ne lui rend visite. Et toi, comment a réagi ta famille quand tu as parlé de moi ?

— Ils se sont montrés curieux, et ils étaient contents pour moi, répondit Izzie sans préciser qu'elle ne leur avait pas tout dit. Mais, en fait, je n'ai pas eu l'occasion de m'étendre, parce que, juste après, mon frère Justin nous a annoncé qu'il voulait avoir un bébé par GPA, et on n'a plus parlé que de ça. Moi, bien sûr, je vois ça d'un point de vue juridique, et ça me paraît beaucoup trop risqué.

— Waouh, le dîner a dû être mouvementé. Justin, c'est celui qui est gay, n'est-ce pas ? Alors, quand as-tu l'intention de me les présenter ?

Izzie se dit qu'elle pourrait l'inviter pour le réveillon ou le jour de Noël, puisqu'ils fêtaient les deux, mais elle n'était pas encore sûre... Zach perçut son hésitation.

— Est-ce que tu as honte de moi, Izzie ?

— Mais non, bien sûr. C'est juste qu'ils sont terriblement lisses et conventionnels. J'ai peur que tu ne sois un peu trop... rock'n'roll à leur goût. Je ne veux pas qu'ils te fassent subir un interrogatoire, ni qu'ils te mettent mal à l'aise.

— Ça va, je suis un grand garçon, tu sais. Je ne me laisse pas démonter si facilement. Et comment peux-tu dire que ta famille est super conventionnelle alors que ton frère homo va faire une GPA ? C'est plutôt rock'n'roll aussi, ça, non ?

— Pas vraiment. C'est juste une bêtise à mon avis. La GPA n'est pas assez encadrée sur le plan juridique. Ma mère, elle, fait la tête parce qu'ils n'ont pas l'intention de se marier avant. De son point de vue, le mariage, c'est la stabilité. Ça engage les couples à faire des efforts pour préserver leur relation en cas de problème, plutôt que de se séparer à la première difficulté, ce qui n'est jamais drôle pour l'enfant. Quant à ma sœur et ma grand-mère, elles trouvent tout ça formidable. De toute façon, mon frère et son compagnon feront bien ce qu'ils voudront.

— Oui. Ils sont majeurs et vaccinés...

— Mais ma mère a du mal à l'admettre. Elle s'inquiète toujours énormément pour nous. En l'occurrence, je pense qu'elle a raison. Mais mon frère semble très déterminé. Il faut dire que nous avons tous une sacrée caboche, dans cette famille ! Bon, si tu veux tout savoir, je pensais t'inviter pour Noël. Mais seulement si tu y tiens.

— J'y tiens beaucoup, affirma-t-il en déposant un baiser sur ses lèvres. Merci.

— Mais il va falloir que tu laisses tomber le look de biker sexy.

— Pas de problème, je peux mettre une veste et une cravate. Je l'ai déjà fait, si tu te souviens bien !

Izzie fut soulagée : elle savait que cette première impression serait importante pour sa famille. Enfin, pas autant que son statut professionnel... Il ne lui restait plus qu'un mois pour tenter de le convaincre de trouver un petit boulot. Mais lorsqu'elle se leva pour aller travailler le lendemain et qu'elle le vit étalé en travers du lit, tel un géant endormi, sans raison de se réveiller, sans but dans la journée, elle réalisa une fois de plus à quel point ils étaient différents. Et, tout en se demandant combien de temps cette situation allait durer, elle déposa un billet de cent dollars dans le tiroir, consciente qu'elle ne l'aidait pas à gagner son indépendance en agissant ainsi. Mais que pouvait-elle faire ?

Le vendredi suivant, Justin était en train de s'arracher les cheveux sur la rédaction d'un article au sujet des risques chimiques sur l'environnement, quand son portable sonna. Il eut un sursaut : c'était le médecin.

— Bonjour, docteur, est-ce que tout va bien ? demanda-t-il, le cœur battant.

— Bonjour, Justin. Oui, tout va bien. Je voulais vous prévenir que la fécondation in vitro nous a permis d'obtenir cinq cellules-œufs cette semaine. Shirley a donc pu recevoir deux embryons, comme prévu. L'intervention a eu lieu ce matin, et tout s'est bien passé. Nous lui avons recommandé de garder le lit aujourd'hui, mais dès demain elle sera sur pied. Et dans dix jours, elle reviendra nous voir pour une prise de sang : le dosage hormonal nous permettra de voir comment les choses évoluent. Pour le moment, nous sommes optimistes.

Justin se retint de téléphoner sur-le-champ à Richard, afin de lui annoncer la nouvelle de vive voix le soir venu. Tous deux étaient aux anges. Pour fêter l'événement, ils dînèrent avec Alana, qui s'était bien remise de sa petite intervention et partageait pleinement le bonheur de ses amis.

— Moi, j'espère que les deux tiendront, déclara-t-elle. Des jumeaux, ce serait plutôt cool, vous ne trouvez pas ?

C'était une possibilité qu'il ne fallait pas exclure, et Justin était bien placé pour savoir que la gémellité pouvait être une expérience extraordinaire : un lien unique le rattachait à sa sœur Julie. Enfants, ils avaient fait les quatre cents coups ensemble et aujourd'hui encore, c'était la personne dont il se sentait le plus proche après Richard. Oui, avoir des jumeaux serait une chance, mais d'un autre côté, l'arrivée de deux enfants pèserait plus lourdement sur leur budget déjà serré.

Le médecin rappela comme prévu : la prise de sang de Shirley révélait qu'au moins un des deux embryons s'était implanté. Bien sûr, il faudrait continuer à surveiller de près son niveau de hCG...

Justin raccrocha en laissant échapper un cri de joie. Richard accourut pour lui demander ce qui se passait.

— Elle est enceinte ! Ça a marché !

Les deux hommes esquissèrent une danse de la joie et Richard ouvrit une bouteille de champagne. Ils appelèrent Shirley, grisés par la joie plus encore que par le vin. La jeune femme était en pleine forme. Jusqu'à présent, tout lui avait paru facile. Elle venait juste de rentrer de son travail au supermarché ; les deux hommes entendaient ses enfants jouer en fond sonore. Un tel bonheur familial était maintenant à portée de main pour eux !

La semaine suivante, le taux d'hormones de Shirley était encore haut, mais pas excessif : le médecin supposait qu'un seul des embryons avait nidifié et poursuivait une croissance normale. Shirley semblait très détendue. Visiblement, elle n'avait jamais douté que tout se passerait bien, comme à chacune de ses grossesses. Dans la mesure où elle ne ressentait aucun symptôme, elle n'avait pas encore vraiment l'impression d'être enceinte. La première échographie aurait lieu trois semaines plus tard, et elle avait accepté que les deux hommes assistent à l'examen. Elle sourit en les entendant exulter au téléphone : décidément, elle avait fait le bon choix.

Justin brûlait d'envie d'appeler sa mère. Mais vu le peu d'enthousiasme dont elle avait fait preuve à Thanksgiving, il n'osait pas décrocher son téléphone... Par loyauté envers elle, il n'en parla pas non plus à ses frère et sœurs et décida avec Richard d'attendre le résultat de l'échographie avant d'annoncer la nouvelle, comme le font de nombreux couples. Si tout se passait bien, la fête de Noël serait l'occasion idéale. Bien sûr, il serait trop tôt pour connaître le sexe, qui n'avait d'ailleurs aucune importance pour eux. Ce qui comptait, c'est que ce serait leur enfant. Quel miracle !

# 6

Le 23 décembre, Justin et Richard accompagnèrent Shirley pour l'échographie. Ce qui n'était au départ qu'un amas microscopique de cellules atteignait maintenant la taille d'une petite groseille, bien visible à l'écran. Le médecin confirma que l'autre embryon s'était perdu ; il n'y aurait donc qu'une seule naissance. Shirley déclara que sa grossesse était désormais bien plus concrète pour elle... et les deux hommes fondirent en larmes, avant de sortir de la pièce pour l'examen clinique, qui ne révéla aucune anomalie. La date du terme, calculée par ordinateur à partir des mesures du médecin, était le 25 août : Richard espérait déjà pouvoir bénéficier d'un congé de paternité pour tout le mois de septembre. De son côté, Justin se demandait comment il allait pouvoir patienter huit longs mois avant de rencontrer leur enfant.

Ils partirent pour New York le jour même et passèrent une agréable soirée chez les amis qui les hébergeaient à chacun de leurs séjours. Le lendemain, Justin passa chez Still Fabulous pour annoncer la nouvelle en privé à sa mère. Malheureusement, elle était sortie faire une course de dernière minute ; il devrait donc attendre le repas de réveillon...

Richard et lui arrivèrent chez Kate à l'heure dite, tirés à quatre épingles dans leurs beaux costumes, tan-

dis que ses sœurs avaient revêtu une petite robe noire
– dessinée par ses propres soins en ce qui concernait
Julie. Kate portait une robe longue drapée, de chez
Givenchy, en velours noir, avec des manchettes en
zibeline. C'était un modèle ancien, mais en parfait état,
et il donnait à Kate l'air d'une reine, avec ses longs cheveux blonds relevés en un impeccable chignon banane.
Pour sa part, mamie Lou portait comme chaque année
un tailleur-pantalon en velours rouge. Willie arriva le
dernier, vêtu d'un costume noir cintré, très branché,
qui soulignait avantageusement sa silhouette juvénile,
sans oublier la chemise blanche et la cravate noire que
lui avait offertes sa mère. Toute la famille avait fière
allure ! On s'embrassa, on se délecta du fumet éma-
nant de la cuisine et on admira l'imposant sapin de
Noël qui trônait dans la salle de séjour. Les assistantes
de Still Fabulous avaient été mises à contribution pour
suspendre des guirlandes électriques un peu partout,
et la table était dressée comme pour une photo dans
un magazine. Même maintenant qu'ils étaient grands,
Kate avait le don d'émerveiller ses enfants !

Tous parlèrent avec animation en dégustant les
hors-d'œuvre, puis Willie apporta la dinde sous les
applaudissements de la tablée. Quand tous les plats
furent servis, Justin n'y tint plus. Il choqua son verre
à l'aide de sa fourchette pour réclamer l'attention.

— Richard et moi avons quelque chose à vous dire,
annonça-t-il, la voix étranglée par l'émotion. Notre
gestatrice est enceinte. Le bébé est prévu pour le vingt-
cinq août.

Sa sœur jumelle se jeta à son cou, les larmes aux
yeux.

— Je suis trop contente pour vous ! Toutes mes
félicitations !

Puis Julie se leva pour prendre Richard dans ses bras, et toute la famille se mit à parler en même temps. Willie leur répéta en riant qu'ils étaient fous de vouloir un enfant. Mamie Lou était aux anges. Izzie leur souhaita que tout se déroule sans problème ; elle ne pouvait pas faire mieux. La dernière, Kate se leva pour embrasser Justin. Tandis qu'elle enveloppait son fils de son amour, ses yeux trahissaient son inquiétude.

— Je ne veux que ton bonheur, murmura-t-elle. Avoir un enfant représente un changement considérable, mais si vous vous sentez prêts tous les deux, alors vous avez ma bénédiction.

Maintenant que la mère porteuse était enceinte, il était trop tard pour dire quoi que ce soit d'autre... Et pourtant, ce bébé était encore complètement irréel pour elle. Mais ses paroles suffirent à faire couler les larmes que Justin retenait depuis un moment.

— Allez, ne fais pas ta fillette ! lança Willie pour détendre l'atmosphère.

Justin, habitué aux plaisanteries de son frère, rit en s'essuyant les yeux, avant de riposter d'un ton faussement menaçant :

— Je vais te botter les fesses, morveux, et tu verras si je suis un homme !

— Laisse tomber... Assieds-toi plutôt, avant de te faire mal. Je te rappelle que tu es enceint ! En tout cas, j'espère que ce sera un garçon. On manque de mecs dans cette famille !

— Moi, j'espère bien que je serai encore capable de l'emmener à l'aventure quand il ou elle aura vingt et un ans, déclara mamie Lou en passant les plats. Voyons voir... j'aurai alors quatre-vingt-dix-neuf ans... Ça devrait marcher !

Tout le monde se mit à rire, et Justin affirma qu'il

comptait sur elle. Seule Kate restait silencieuse, mais il est vrai que les fêtes de fin d'année la rendaient toujours nostalgique. Ses petits avaient bien grandi… Tom aurait été fier d'eux. Qu'aurait-il dit de ce bébé, son premier petit-enfant ? Vingt-quatre ans après sa mort, la douleur s'était apaisée, ne laissant à Kate qu'une douce mélancolie. Il y avait si longtemps qu'elle menait la barque toute seule…

Après la bûche au chocolat maison, ils s'essayèrent à un nouveau jeu de mimes, apporté par Julie, qui les fit tous hurler de rire. Minuit arriva rapidement pour ceux qui souhaitaient aller à l'église. Louise n'était pas pratiquante, mais Kate, elle, ne manquait jamais la messe de la Nativité. Justin, Richard, Izzie et Julie déclarèrent qu'ils l'accompagnaient. Willie, quant à lui, avait rendez-vous dans une boîte de nuit du quartier, où des amis organisaient une soirée privée.

— Et ton amoureux ? demanda Justin à Izzie.

Il était un peu surpris qu'elle ne l'ait pas amené, mais plutôt soulagé, car cela lui avait permis d'annoncer sa grande nouvelle dans un cercle strictement familial.

— Il vient demain pour le déjeuner, répondit sa sœur sans autre commentaire.

— J'ai hâte de le rencontrer, déclara Justin en toute sincérité.

— Tu te fiches de moi, c'est ça ? lâcha Izzie, visiblement tendue.

— Non, pas du tout ! Pourquoi est-ce que tu dis ça ?

Elle ne répondit pas, mais son frère supposa qu'elle était vexée qu'il n'eût pas requis son avis sur la GPA. Izzie tenait à son rôle de sœur aînée. Et pour les questions juridiques, elle s'attendait à ce que toute la famille s'en remette à elle…

Dans le taxi qu'elles se partagèrent pour rentrer, Julie et Izzie ne parlèrent que du bébé.

— Je pense qu'ils sont inconscients, répétait Izzie. Imagine le bazar que ce sera, si elle refuse de leur laisser le petit ? Je ne comprends pas comment ils peuvent lui faire confiance.

— Tout se passera probablement très bien, avança Julie, qui soutenait loyalement tous les faits et gestes de son frère jumeau.

Le lendemain, ils devaient se retrouver vers midi chez Kate pour un petit buffet froid, moins formel que le réveillon. Izzie avait prévenu Zach qu'il n'avait pas besoin de mettre un costume. Néanmoins, elle tiqua en le voyant émerger de la chambre à coucher vêtu d'un pull en cachemire noir, d'un pantalon en cuir, de ses bottes et de son incontournable perfecto. Finalement, le costume eût été mieux...

— Quoi ? demanda-t-il. Ça ne va pas ? Tu m'as dit « tenue décontractée », alors je t'ai prise au mot. Et je te signale que je me suis rasé...

Certes. Mais il n'avait toujours pas fait couper ses longs cheveux, noués ce jour-là en catogan. Izzie craignait que sa mère n'ait un moment de flottement en découvrant que Zach était coiffé comme elle...

— Tu l'as bien compris, ma famille est plutôt du genre conventionnel.

— Bon. Trop de cuir, je suppose ? lâcha-t-il avant de déposer un baiser sur ses lèvres.

— Non, finalement, tu es parfait. Je t'aime.

Après tout, avec les tatouages et les cheveux longs, le pantalon en cuir ne ferait pas grande différence. Et puis, c'était Noël ! Elle tenait à ce qu'il vive pleinement le plaisir de célébrer cette fête en famille, d'autant qu'il avait tenté sans succès d'appeler ses parents. Son père était à Aspen et sa mère sans doute à St Moritz ou Gstaad.

C'est Justin et Richard qui ouvrirent à Izzie et Zach. Le premier ne put se retenir de hausser un sourcil étonné en découvrant le compagnon de sa sœur, tout en charisme et en muscles saillants sous son cuir ajusté.

— On se calme, souffla-t-il à Richard, tandis qu'Izzie et Zach passaient au salon.

— Ben quoi ? se défendit son compagnon, qui souriait jusqu'aux oreilles. C'est encore permis de regarder, non ? De toute façon, tu n'as pas de souci à te faire…

Et Justin de pouffer. À son tour, Julie ouvrit de grands yeux devant le contraste qui existait entre sa sœur, très jolie dans son pantalon droit, ses hauts talons et son manteau rouge, et le biker à son bras. Jusqu'alors, Izzie les avait habitués à des médecins, des avocats ou des cadres de grandes entreprises. Cette fois-ci, elle semblait plutôt avoir amené une rock star ! Mamie Lou était fascinée. Et Kate faillit laisser tomber le plateau de saumon fumé qu'elle apportait de la cuisine.

Le jeune homme la salua cependant fort courtoisement. Et elle invita tout le monde à se mettre à table, où des quiches, du jambon italien et un plateau de fromages venaient compléter les restes du réveillon.

— Je le trouve cool, murmura Willie en s'asseyant.

— Je dirais plutôt chaud bouillant, répondit Richard – ce qui lui valut une bourrade de Justin.

Zach prit place entre Izzie et mamie Lou, laquelle l'entraîna dans une conversation animée. Au bout d'un moment, Zach parlait à tout le monde, très à l'aise dans ses baskets, bien qu'il ne cadrât absolument pas dans le décor. Ayant tous en tête qu'il ne travaillait pas, ils ne lui posèrent aucune question sur sa vie professionnelle. Lorsque Richard lui demanda où il avait fait ses études, Zach énuméra en riant la liste des pensionnats dont il avait été exclu, et expliqua qu'il n'était pas allé à l'université.

Tous tombèrent sous le charme de son humour et de sa conversation, et, de toute évidence, Izzie et lui étaient follement amoureux. D'un autre côté, il était rare de voir un couple aussi dissemblable. En aparté, Louise posa à sa petite-fille la question qui les intriguait tous.

— C'est un jeune homme intelligent, il me plaît bien, lui dit-elle. Mais je me demandais... Comment arrives-tu à le caser dans ton univers ? Je sais que tu es soumise à une certaine pression dans ton cabinet, qui est plutôt du genre traditionnel. Comment tu gères ?

— Tu vois bien : tout le monde l'adore.

— Oui, et je comprends pourquoi. Mais dans la mesure où il ne poursuit pas de carrière, est-ce que cela ne risque pas de freiner la tienne ?

— Je peux encore fréquenter qui je veux, non ? répliqua Izzie, sur la défensive.

— Bien sûr, ma chérie, mais certaines personnes s'intègrent mieux dans ta vie que d'autres. Le style marlou a son charme, comme on disait de mon temps, mais à terme, est-ce que cela ne risque pas de te créer des difficultés ? Où vivent ses parents ?

Izzie lui brossa les grandes lignes de la situation familiale de Zach, insistant sur le fait qu'il n'avait pratiquement plus de liens avec son père et sa mère. Elle ajouta qu'elle espérait que le clan uni qu'ils formaient lui apporterait un peu de baume au cœur en ce jour de fête. Louise hocha la tête.

— Je vois, mais je crains qu'il n'y ait en quelque sorte un prix à payer pour faire partie d'une famille comme la nôtre : je veux parler d'un certain nombre de règles à respecter. Et pour autant que je puisse en juger, j'ai l'impression que ce n'est pas vraiment dans ses habitudes.

— Il est merveilleux, et il m'aime. Que demander de plus ?

— On pense que ça devrait suffire, mais ce n'est pas toujours le cas, la prévint Louise.

Izzie savait que sa grand-mère n'avait pas tort. Pourtant, elle continuait à espérer que son compagnon finirait par adopter un mode de vie plus conventionnel.

Peu après, Zach rejoignit les deux femmes. Mamie Lou lui parla de ses cours de tango et de son prochain voyage en Argentine. Il avait passé du temps dans ce pays, plus jeune, pour y jouer au polo. C'est de son père qu'il avait hérité le goût de ce sport et il avoua être un cavalier chevronné.

Izzie et lui s'en allèrent les premiers après le repas. Un soupir de soulagement parcourut la table, comme si les convives avaient trop longtemps retenu leur souffle.

— Waouh, fit Justin. Je n'aurais jamais imaginé Izzie sortir avec un type comme ça. Il est canon, mais ce look de bad boy ne colle pas franchement avec celui de ma chère grande sœur. Que lui est-il arrivé ?

— Son fiancé l'a quittée pour une débutante, lui rappela mamie Lou. Son ego et son cœur en ont pris un coup. Zach est peut-être sa première relation sérieuse depuis deux ans.

— Vous croyez qu'il est riche ? demanda Willie.

— Possible, répondit Louise. Mais c'est difficile à dire. Avec une famille comme la sienne, il peut aussi bien être à l'abri du besoin jusqu'à la fin de ses jours que complètement dépendant d'Izzie si ses proches lui ont coupé les vivres pour une raison ou une autre. Si ça se trouve, il est fauché comme les blés – ce qui ne l'empêche pas de garder des habitudes de fils à papa. Enfin, il faut lui reconnaître un certain savoir-vivre.

Même si Kate était encore plus réservée que sa mère quant au choix d'Izzie, elle s'abstint de toute critique, de peur que sa fille aînée apprenne son opinion par quelqu'un d'autre. Toute la fratrie était régulièrement en contact, et si chacun commentait abondamment les nouvelles, ce n'était pas par goût des commérages malsains, mais parce que chacun se souciait sincèrement des autres, en toute bienveillance.

— J'avoue qu'il est beau gosse, et très sympa, ajouta Justin. Mais je ne vois pas du tout Izzie avec lui. Quel changement par rapport aux hommes qu'elle nous a présentés jusqu'ici !

— C'est peut-être le but qu'elle recherche, remarqua Louise. Le changement… Dans la mesure où cela n'a pas fonctionné avec son petit ami de la fac de droit, elle tente sa chance avec quelqu'un qui est à l'opposé. Malheureusement, je crois que ta sœur espère pouvoir le dompter et je crains qu'il ne l'entende pas de cette oreille.

— Et alors ? intervint Julie. Ce n'est pas comme si elle allait l'épouser ! Elle a bien le droit de passer un peu de bon temps, non ?

— Je ne jurerais pas qu'elle ne va pas l'épouser. Les gens font parfois des choses un peu folles. Tu fréquentes sans y penser quelqu'un qui ne te correspond pas vraiment, et puis un beau jour tu t'aperçois que tu es tombé amoureux et tu te maries en te disant que la personne finira par changer. Mais dans la majorité des cas, la personne ne change pas.

— Izzie dit toujours qu'elle n'est pas faite pour le mariage, remarqua Justin.

— Oui, mais seulement depuis qu'Andrew l'a plaquée, précisa Kate.

Willie exprima enfin son opinion :

— Je ne sais pas pourquoi vous vous énervez comme ça, lâcha-t-il. C'est un type cool, et elle sort juste avec lui. Izzie n'est pas complètement stupide...

Sur ce, il se leva pour partir, embrassa tout le monde et souhaita un bon voyage à sa grand-mère.

— Tu m'apprends le tango en rentrant ?

— Entendu ! répondit-elle, un grand sourire aux lèvres.

Justin, Richard et Julie s'éclipsèrent peu après. Ils avaient passé une belle fête de Noël, riche en émotions. Kate était épuisée lorsqu'elle vint s'asseoir sur le canapé près de sa mère.

— Alors, maman, que penses-tu vraiment du nouvel amoureux d'Izzie ? Tu crois que nous devrions nous inquiéter ?

— Cela n'y changerait rien, répondit Louise avec son pragmatisme légendaire. J'ai l'impression que c'est assez sérieux entre eux, sans quoi elle ne nous l'aurait pas présenté. À mon avis, elle espère le faire rentrer dans le rang, mais je doute que cela fonctionne. Il est plutôt du style mustang sauvage que cheval de concours ! Et dans le fond, c'est ce qui doit plaire à Izzie. Elle ne le domptera jamais.

— Pour ma part, je veux continuer à croire que ce n'est qu'une passade. Izzie a la tête sur les épaules !

La grande décision de Justin inquiétait Kate bien davantage : les relations amoureuses se font et se défont... Pas les enfants !

— J'espère que tu as raison, conclut sa mère en

se levant. Bon, il faut que j'y aille, ma chérie : je n'ai même pas commencé à faire mes bagages pour dcmain.

— Tu veux que je t'aide ? proposa Kate.

Louise la prit dans ses bras.

— Non, merci, ma belle. Prends juste soin de toi pendant mon absence. Tu vas me manquer !

— Toi aussi. Sois prudente quand tu arpenteras Buenos Aires de long en large.

D'avance, Kate plaignait Frances : voyager avec Louise était absolument épuisant ! Elle voulait tout faire, tout voir, et ne faisait jamais de pause.

— Bien sûr. Merci pour les cadeaux. La veste d'été sera parfaite pour me promener en ville, et je penserai à toi dans l'avion en me pelotonnant dans mon beau châle en cachemire.

— Au fait, ne t'enfuis pas avec le premier bel hidalgo qui passe...

— Si j'en trouve un, je te le ramène, déclara Louise avec un clin d'œil.

— Que voudrais-tu que j'en fasse ? Je n'ai pas une minute à moi !

— Hum, que tu dis... Bon, tu gardes quand même un œil sur Izzie, n'est-ce pas ?

— Je vais essayer, promit Kate.

Mais elle savait que vouloir influencer ses propres enfants était mission presque impossible. Par chance, sa fille ne semblait pas avoir de projets à long terme avec Zach. Du point de vue de Kate, c'était la meilleure nouvelle de la journée.

# 7

Lorsque Kate déjeuna avec Liam le surlendemain de Noël, elle ne manqua pas de lui rapporter les dernières nouvelles. Liam fit preuve de son bon sens coutumier : il lui conseilla d'accepter l'enfant de Justin, qui était tout de même une raison de se réjouir, et de ne pas trop s'inquiéter pour Izzie. Il y avait de fortes chances pour que ce ne soit qu'une passion fugace, qui ne tarderait pas à se consumer d'elle-même.

Les deux filles de Liam, de retour aux États-Unis pour les vacances, n'étaient pas en reste concernant leurs relations amoureuses. Penny, l'aînée, était raide dingue d'un garçon rencontré à Édimbourg, tandis qu'Elizabeth, à Madrid, alternait entre trois hommes différents ! Mais elles étaient encore jeunes, et rien de tout cela ne lui paraissait très sérieux. Son épouse Maureen, en revanche, se rongeait les sangs à essayer de suivre leurs faits et gestes. La maison était un vrai hall de gare en ce moment : les filles entraient et sortaient toutes les cinq minutes ; leurs amis débarquaient à l'improviste à n'importe quelle heure...

À ce récit, Kate avoua sa nostalgie de l'époque où ses enfants habitaient encore à la maison. Elle adorait avoir la visite de leurs copains : leur petit appartement débordait en permanence de toute cette belle jeunesse.

— Je sais bien. D'ailleurs, Maureen est triste quand

elles repartent, même si toutes ces allées et venues la rendent dingue. Moi, je trouve que c'est vivant. La maison est trop calme en leur absence.

— Dès qu'ils partent pour l'université, ce n'est plus la même chose... Les bons moments passent trop vite !

Kate souffrait encore un peu de ce « syndrome du nid vide ». Heureusement que la boutique l'occupait beaucoup.

Les affaires marchaient vraiment bien pour Still Fabulous en cette période, au point que Kate allait bientôt devoir réassortir son stock : elle envisageait ainsi un voyage en Europe courant janvier. Dans la mesure où il l'avait aidée à se lancer, Liam tirait une fierté personnelle de la réussite de son commerce, qui lui permettait désormais de vivre très confortablement.

Les deux amis firent une petite promenade digestive, au cours de laquelle ils évoquèrent leurs plans respectifs pour le nouvel an. Liam et Maureen restaient chez eux : leurs filles voulaient inviter des amis pour un dîner dansant. Kate était invitée à une soirée par l'une de ses clientes célèbres, mais elle n'irait sans doute pas. Elle détestait sortir pour la Saint-Sylvestre.

— Je trouve que tout le monde en fait trop, ce soir-là. Je préfère rester regarder des vieux films à la maison.

Le 31 décembre, Kate ne ferma la boutique qu'à dix-neuf heures. De nombreuses clientes s'étaient engouffrées tout l'après-midi chez Still Fabulous et en étaient ressorties ravies, avec l'article idéal pour leur réveillon. Sur le coup de dix-huit heures trente, une dernière retardataire avait emporté un sublime fourreau Dior, en satin blanc et velours noir, qui lui allait comme un gant. Et avant cela, Kate et ses assistantes avaient vendu une robe de cocktail dorée signée Oscar de la Renta, terriblement glamour, que Kate avait été tentée de garder pour elle. Mais sur la jeune cliente, on aurait dit de l'or fondu. Avec la veste en renard blanc de chez Revillon achetée en même temps, elle avait l'air d'une star des années 1950. Kate adorait vendre ses vêtements à des femmes qui les portaient bien. C'était un peu comme si elle jouait les entremetteuses entre ses vêtements et ses clientes !

Elle enclencha le système d'alarme et verrouilla le rideau de fer avec un sentiment de satisfaction. Alors qu'elle rentrait à pied, il se mit à neiger, et Kate se félicita d'avoir refusé l'invitation à dîner de sa cliente. Elle n'avait qu'une hâte, se blottir dans son canapé et regarder de vieux Hitchcock : *La Mort aux trousses* d'abord, et *La Main au collet* ensuite. Elle avait toujours eu un faible pour Cary Grant. Une soirée parfaite en perspective !

Naturellement, ses enfants avaient des projets un peu plus festifs. Julie avait invité des collègues, notamment ses stagiaires, de jeunes stylistes avec qui elle s'entendait bien. Justin et Richard resteraient chez eux ou iraient dîner chez des voisins, tandis qu'Izzie et Zach allaient à East Hampton. Dieu seul savait où serait Willie – sans doute en compagnie d'une jolie fille. Et Louise danserait le tango, quelque part à Buenos Aires. Mamie Lou gagnait toujours la palme du réveillon le plus excitant ! L'année précédente, elle était au Brésil.

Zach et Izzie partirent pour les Hamptons en voiture juste avant qu'il ne se mette à neiger. Une heure après leur arrivée, un léger manteau blanc recouvrait le jardin et la plage, leur donnant encore plus envie de se blottir au coin du feu dans la belle villa. À la cave, Zach dénicha une bouteille de Dom Pérignon et un très vieux château Margaux. Ils commencèrent par boire le champagne en dégustant une petite boîte de caviar qu'Izzie avait apportée pour faire la surprise à son amoureux. C'était si amusant de le gâter ! Il faut dire qu'en dépit de son allure peu conventionnelle il avait gardé le goût des bonnes choses...

Il se mit aux fourneaux pendant qu'elle dressait une jolie table avec une nappe en lin et la plus belle vaisselle de la grand-mère. Comme chaque week-end, la gouvernante était en congé et le gardien restait dans son bungalow, de sorte qu'ils avaient la maison pour eux. Quelle différence avec les deux années précédentes, où Izzie avait passé le réveillon seule chez elle devant son poste de télévision, à regarder en pleurant le compte à rebours et les gens qui s'embrassaient sur Times Square... La vie vous réservait parfois de belles surprises !

Quand minuit sonna, ils étaient en train de paresser au lit après l'amour. Zach ouvrit la bouteille de bordeaux.

— Tu penses que nous pouvons piller la cave de ta grand-mère comme ça ? s'inquiéta Izzie.

Il rit en lui tendant son verre.

— Pas de souci, elle ne s'en apercevra jamais ! Si tu voyais sa collection de grands crus...

Izzie se détendit en buvant une petite gorgée. Pour elle qui n'avait jamais eu de maison de campagne, cette villa était un refuge, un cocon... et l'écrin de leur idylle. Il se pencha, lui prit délicatement le verre des mains et le posa sur la table de chevet. Elle s'attendait à ce qu'il lui fasse à nouveau l'amour. C'était un amant habile et infatigable ! Au lieu de quoi, il l'embrassa et la regarda intensément dans les yeux.

— Je dois te demander quelque chose, dit-il doucement. Tu me rends si heureux... Je n'avais encore jamais rencontré une femme comme toi, jamais rien éprouvé de tel...

— C'est pareil pour moi, souffla Izzie.

Elle avait parfois l'impression qu'ils vivaient dans une bulle depuis quatre mois, et elle priait pour qu'elle n'éclate pas.

— Izzie, je t'aime. Veux-tu m'épouser ?

L'espace d'un instant, elle eut l'impression d'avoir rêvé, mais il suffisait de le regarder pour voir qu'il venait bel et bien de prononcer ces mots magiques.

— Tu es sérieux ?

— Absolument. J'aurais voulu t'offrir une bague, mais comme tu le sais, c'est un peu compliqué en ce moment. Je n'ai que mon cœur à te donner, et le reste de ma vie avec toi.

— Je n'ai pas besoin d'autre chose, lâcha-t-elle, la voix étranglée par l'émotion. Moi aussi, je t'aime.

— Alors ne tardons plus, marions-nous !

Après tout, ils étaient inséparables. Depuis quatre mois, Izzie passait chaque minute de son temps libre avec lui.

— Oui, marions-nous..., murmura-t-elle en se calant dans les oreillers.

Alors seulement, et comme pour sceller leur promesse, il lui fit passionnément l'amour.

Cette nuit-là, elle dormit dans ses bras et rêva de la vie qu'ils partageraient. Au matin, elle se réveilla avant lui, se détacha doucement de son étreinte et s'assit au bord du lit pour regarder par la fenêtre : le paysage s'était transformé en un paradis blanc. Il ouvrit un œil ; elle lui sourit en caressant sa crinière de cheveux bruns. Non, jamais elle n'avait vu plus bel homme, et voilà qu'il était tout à elle. Son bonheur était complet.

— Dis-moi, tu étais ivre, hier soir ? demanda-t-elle en souriant jusqu'aux oreilles.

— Pourquoi, j'ai dit quelque chose de bizarre ?

Il la regarda d'un air ahuri, puis tous deux éclatèrent de rire.

— Très bizarre. Je crois que nous sommes fiancés, monsieur Holbrook.

Zach croisa les mains derrière la tête, l'air satisfait.

— En effet, j'en ai bien peur. Alors, qui vas-tu appeler en premier ? Tu dois avoir hâte de le dire à ta mère...

— Non, je préfère le lui annoncer de vive voix en rentrant à New York.

— Et à ton avis, que va-t-elle en penser ?

— Elle va se réjouir, bien sûr. D'autant plus qu'elle m'a vue au trente-sixième dessous pendant un petit moment.

Soudain, Izzie songea que la rupture de ses premières fiançailles était finalement une chance. Sans cela, elle n'aurait jamais rencontré Zach, ou plutôt, il serait resté pour elle un simple client. Elle n'arrivait toujours pas à croire que leurs routes aient pu se croiser, alors que leurs vies avaient commencé de façons aussi différentes. Lui dans le luxe, et elle dans un travail acharné pour financer elle-même une partie de ses études. Mais au bout du compte, elle avait eu une enfance bien plus heureuse que lui. À présent, elle voulait combler son déficit d'affection, le rendre le plus heureux possible, pour qu'il se sente aimé et choyé jusqu'à la fin de ses jours.

Zach appela d'abord sa grand-mère, qui leur adressa tous ses vœux de bonheur. Son père, qu'il réussit à joindre à Aspen, ne le félicita que très brièvement, avant de lui dire qu'il avait rendez-vous avec des amis et qu'il le rappellerait... Quant à sa mère, il ignorait dans quelle partie du monde elle se cachait, et il craignait d'y laisser son forfait téléphonique.

Malgré cette déception, ils passèrent un merveilleux week-end, à se promener en se lançant des boules de neige. Izzie adorait chez lui cette spontanéité de grand enfant... Toutefois, il y avait une limite à l'insouciance. Puisqu'il voulait l'épouser, il faudrait qu'il contribue aux revenus du ménage. Pour le moment, il semblait considérer que le tiroir de la cuisine était inépuisable ; l'argent lui brûlait les doigts. Le deuxième soir, alors qu'ils cuisinaient ensemble, elle lui demanda ce qu'il comptait faire.

— À quel sujet ? lâcha-t-il, perplexe.

— Zach, il faut vraiment que tu trouves un travail. Rester sans rien faire, ce n'est pas bon pour toi.

— Et que veux-tu que je fasse ? Je ne sais que jouer au polo, au tennis et au bridge, faire du ski... J'ai un peu pratiqué le rallye auto, mais je n'ai plus de voiture. Aucune de mes compétences n'est monnayable. À la rigueur, je pourrais donner des cours de tennis, mais tu ne voudrais tout de même pas être l'épouse d'un simple prof de gym ? Et je ne me vois pas reprendre des études. J'ai passé l'âge.

— Peut-être, mais il faudra bien que tu trouves quelque chose, ne serait-ce que pour t'occuper.

C'était la première fois qu'elle abordait la question aussi directement avec lui. Tant qu'ils n'avaient pas eu de projets communs, elle était trop gênée pour lui dire la vérité toute crue. Mais à partir du moment où ils décidaient de se marier...

— Est-ce si important pour toi ?

Elle hocha la tête.

— Je crois que ça l'est aussi pour toi. À terme, tu

ne pourras pas te sentir à l'aise au milieu de gens qui travaillent et qui te demanderont inévitablement ce que tu fais dans la vie.

— C'est bien le cadet de mes soucis, ça. Je te l'ai dit : dans ma famille, personne n'a jamais travaillé.

— Dans la mienne, c'est plutôt l'inverse. Et je pense que cela impressionnerait favorablement les administrateurs de ton fonds fiduciaire.

— Ah, ceux-là..., fit-il en balayant l'idée d'un geste de la main. Comment veux-tu que je conserve mon rôle de brebis galeuse si je me mets à travailler ? Ils se feraient du souci pour moi !

— Ils te laisseraient surtout accéder à une partie de ton argent.

— Sûrement... Il faut que j'y réfléchisse.

Ils passèrent à table, et Zach s'empressa de changer de sujet.

— De quoi as-tu envie pour le jour J ? Une énorme fête ?

— Non, juste ma famille et quelques amis. Je n'ai jamais rêvé d'un grand mariage. Seulement un mari que j'aime et qui m'aime en retour.

— Alors tout est prêt..., dit-il en la dévorant des yeux.

— Et toi, comment vois-tu les choses ?

— Je ne peux inviter personne de ma famille. Ma grand-mère est trop fragile depuis son AVC. Et ma mère ne viendrait pas ; elle a cessé de s'intéresser à moi depuis des années. Ma sœur non plus, mais pour d'autres raisons, la pauvre : elle est trop amochée par la drogue pour aller où que ce soit. À la rigueur, mon père pourrait faire une apparition. Pour ce qui est de mes amis, je me suis tellement baladé à droite et à gauche que je n'en ai pas beaucoup… et je doute qu'ils te plaisent.

Il ne désirait être qu'avec elle. Zach Holbrook était un homme sans attaches. Toutes ses possessions tenaient dans deux valises, l'une à East Hampton, l'autre chez Izzie. En fin de compte, ils n'auraient aucun mal à fusionner leurs deux vies.

— Tu sais ce que j'aimerais ? lança-t-il soudain. T'emmener à Palm Beach pour te présenter à ma grand-mère. Elle va t'adorer, et pour une fois je suis sûr qu'elle approuvera mon choix.

— Ça me ferait très plaisir, mon amour.

Ils passèrent une soirée tranquille, à établir la date de la cérémonie. Izzie souhaitait se marier le premier mai. De son côté, Zach trouvait que c'était un peu trop loin dans le temps, mais elle argua qu'elle avait besoin de ces quatre mois pour organiser correctement une petite fête intime avec l'aide de sa mère. Ils dressèrent la liste des invités, qui s'éleva en tout à trente personnes.

De retour à New York, Izzie le déposa à l'appartement avant d'aller voir Kate. Dans la boutique, Jessica lui dit que sa mère travaillait à l'étage : après le raz-de-marée des fêtes, elle mettait de l'ordre et dressait l'inventaire de son stock, qui avait considérablement diminué.

— Hé, bonjour, ma chérie, quelle bonne surprise ! Tu es déjà rentrée de vacances ?

— Oui, nous avons quitté East Hampton ce matin. En fait, j'ai une nouvelle pour toi.

Kate émergea des rangées de vêtements.

— Que se passe-t-il ? Rien de grave, j'espère ?

— Non, au contraire. Zach et moi allons nous marier. Il m'a fait sa demande le soir du réveillon !

Kate resta figée sur place.

— Oh ! Mais tu ne crois pas que c'est un peu… prématuré ? Depuis combien de temps est-ce que vous sortez ensemble ?

— Quatre mois. Je sais que ce n'est pas très long, mais à nos âges, nous savons ce que nous voulons et nous sommes assez grands pour prendre ce genre de décisions. Je n'ai jamais autant aimé un homme ! Nous voulons nous marier en mai : en tout, nous nous serons fréquentés pendant huit mois, ce qui n'est pas si mal ! avança Izzie.

Kate resta sans voix pendant un instant. Certes, ils étaient libres de leurs décisions. Mais celle-ci n'était clairement pas la bonne ! Cet homme se comportait comme un enfant gâté, et il n'avait ni carrière ni formation. Rien de commun avec sa grande fille ! Leur union lui semblait vouée à l'échec.

— Sans vouloir te vexer, ma chérie, puis-je te demander… si son patrimoine suffit à participer aux frais du ménage ? Dans la mesure où il ne travaille pas…

— Il va se trouver une situation, il me l'a promis.

Le cœur de Kate se serra un peu plus.

— Alors… tu ne préférerais pas attendre qu'il l'ait trouvée, justement ?

À ses yeux, il était important que le compagnon de sa fille soit sur un pied d'égalité avec elle. D'un autre côté, son ex-fiancé, qui paraissait à la hauteur à première vue, l'avait lâchement abandonnée… Louise avait vu juste : Zach était le premier homme qui consolait Izzie depuis sa rupture, mais ce n'était pas un très bon choix. Si seulement sa fille comprenait qu'elle ne pourrait jamais compenser les carences affectives de son amoureux !

— Non, maman, nous ne voulons pas attendre. Nous nous aimons, et c'est tout ce que nous avons besoin de savoir. Pour le reste, nous verrons bien au fur et à mesure.

— Il me semble que ce n'est pas l'idéal, Izzie... Il vous faut au moins un plan d'avenir. Et s'il ne trouve pas de travail, tu perdras peu à peu ton estime pour lui.

— Je l'estime pour la personne qu'il est, pas pour son CV !

La jeune femme ne pensait presque plus jamais aux circonstances de leur rencontre et à son passé de dealer. Encore heureux que sa mère ne soit pas au courant...

— Mais pourquoi vous précipiter ?

— Pourquoi attendre ? Il habite chez moi depuis septembre. C'est comme si nous étions mariés.

— Non, cela n'a rien à voir. Construire une vie de couple, cela ne se limite pas à cohabiter sous le même toit. Vous devez avoir tous les deux une situation stable. Il faut qu'il trouve un travail.

— C'est ce qu'il va faire. Il n'y a vraiment que cela qui compte pour toi ?

— Je veux que tu sois heureuse, Izzie, et tu le sais. J'ai simplement peur que toutes les responsabilités reposent sur tes épaules.

— Ce ne sera pas le cas. Zach est solide, maman, et il veut faire sa part. C'est juste qu'il ne sait pas encore comment.

— Eh bien, il a intérêt à y réfléchir au plus vite. Encore une fois, je ne comprends pas pourquoi vous voulez précipiter ce mariage...

— Notre décision est prise. Si cela ne tenait qu'à moi, nous le ferions encore plus tôt. Mais je me suis dit que j'avais besoin de quelques mois pour organiser la fête. J'aimerais beaucoup que tu t'en occupes avec moi... Alors, tu me donnes ta bénédiction, maman ?

Kate aurait voulu crier : « Non, ne fais pas ça ! » Mais la détermination et le regard suppliant d'Izzie ne lui laissaient pas vraiment d'échappatoire. Qu'en penserait Louise ? Avant son départ pour l'Argentine, elle était persuadée que Zach n'était qu'une amourette...

Kate céda.

— Tu as ma bénédiction, Izzie, mais je suis convaincue que vous devriez prendre votre temps. Pourquoi tant de hâte ? Il ne va pas s'envoler.

— J'ai trente-deux ans, maman. Je suis responsable de mes actes et je veux me marier.

— Hum... Promets-moi de réfléchir encore. Vous pourriez attendre d'avoir passé ensemble une année complète...

D'ici là, Izzie se lasserait peut-être de lui et de son indolence, ou elle finirait par retrouver la raison. Kate soupçonnait une passion charnelle dévorante ; leur extase les empêchait de penser clairement.

— Nous n'attendrons pas un an, maman. La cérémonie est prévue pour le mois de mai. Si cela ne te convient pas, tu n'es pas obligée de donner une réception.

— Bien sûr que si, chérie, je serai très heureuse de le faire pour toi. Mais je voudrais que votre couple parte sur de bonnes bases.

— C'est le cas. Zach est une personne merveilleuse. Son seul problème, c'est qu'il a eu une enfance abîmée, dans une famille explosée. Il a besoin de la stabilité du mariage, tout comme moi.

Kate ne répondit rien. Elle savait que Zach n'avait pas une once de stabilité en lui...

Après avoir embrassé sa fille sur le seuil de la boutique, elle remonta dans son bureau, se laissa tomber sur sa chaise et fondit en larmes. La démarche de Justin de recourir à une mère porteuse l'avait déjà beaucoup perturbée. Mais là, c'était la goutte d'eau qui faisait déborder le vase.

Izzie rentra chez elle, passablement nerveuse.

— Comment ça s'est passé ? s'enquit Zach.

— Mieux que j'aurais pu le craindre. Typique de ma mère, en fait : elle ne voit que ce qui risque de capoter, jamais les aspects positifs. Avec elle, c'est la chasse aux sorcières en permanence.

— C'est moi, la sorcière ?

— Non, moi. Je m'y attendais, remarque. Elle juge qu'un mariage en mai est précipité.

— Ce serait mieux en juin, alors ? Je veux bien attendre un mois de plus si cela peut l'amadouer...

— Je ne pense pas... Elle nous suggère d'attendre un an. Il n'en est pas question pour moi, et je ne vois pas comment elle pourrait nous y obliger ! Qu'est-ce que cela changerait ? Puisque nous vivons ensemble, autant officialiser la situation ! Elle a quand même fini par me donner sa bénédiction, et je crois qu'elle a compris le message : nous ne changerons pas de date pour lui faire plaisir.

Zach la prit dans ses bras, reconnaissant et admiratif. Cette femme se battait pour obtenir ce qu'elle voulait, et en l'occurrence... c'était lui qu'elle voulait ! C'était comme s'il avait enfin trouvé un foyer.

# 8

Kate appela Liam le lendemain. Elle semblait si peinée au téléphone qu'il lui proposa de passer la voir le jour même. Il tomba des nues en apprenant la décision d'Izzie.

— Pourquoi cèdes-tu ? Tu n'as qu'à lui dire que tu lui offriras une fête de mariage dans un an, pas avant !

Pour lui, c'était aussi simple que cela. Il faut dire qu'il n'avait pas été confronté à cette situation avec ses filles… et celles-ci n'étaient probablement pas aussi têtues qu'Izzie.

— Elle s'en moque. Si je lui fais ce chantage, elle se mariera quand même et refusera de me parler pendant dix ans. Je n'ai pas envie de couper les ponts avec elle, d'autant qu'elle aura besoin de moi quand leur couple partira en lambeaux.

— Il est si terrible que ça, ce type ?

— J'imagine que ce n'est pas un mauvais bougre, et je suppose qu'il l'aime. Mais c'est un grand enfant, gâté et irresponsable. Il n'a jamais travaillé de sa vie, et Izzie m'a confirmé qu'il n'a pas un sou à lui.

— De quoi vit-il ?

— Si j'ai bien compris, ses parents ont établi un fonds fiduciaire à son nom, dont les administrateurs lui délivrent une petite somme quand ils le veulent bien.

— Hum, pour un mineur, ce serait normal. Mais à

trente-cinq ans, cela dit tout de la confiance que ses parents placent en lui pour gérer un budget.

— Exactement : tout laisse à penser que ce garçon est un vrai panier percé. Je ne vois pas mon Izzie se marier avec quelqu'un comme lui. Il est couvert de tatouages, avec des cheveux plus longs que les miens... Rien à voir avec elle ! Elle devrait comprendre que traîner un bon à rien derrière soi comme un poids mort n'a rien de romantique. Il n'a pas de métier, n'a pas fait d'études... je ne vois pas ce qu'il lui apporte.

— Elle doit bien lui trouver quelque chose...

— Je suppose que c'est surtout une attirance physique. Il faut reconnaître qu'il est bel homme ; elle ne doit pas s'ennuyer au lit... Mais la passion des débuts ne suffit pas à construire une relation sur la durée. Vraiment, l'amour est aveugle ! Elle court à la catastrophe. Elle prétend le consoler de son enfance malheureuse de pauvre petit garçon riche, négligé par ses parents. C'est le scénario d'un très mauvais film !

— Ce n'est peut-être pas si grave que ça, après tout ? Elle finira par s'apercevoir de son erreur et elle divorcera, voilà tout.

— Après trois enfants et dix ans de relation chaotique ? On se réveille un jour, à quarante-cinq ou cinquante ans, et on se demande ce qu'on a fait de sa vie. Ces années-là ne se rattrapent jamais.

— Peut-être, mais tu n'y peux rien, de toute façon. Est-ce que tu écoutais tes parents, toi ?

— Non, tu le sais bien. Ils ont piqué une crise quand j'ai interrompu mes études pour épouser Tom.

Liam s'en souvenait comme si c'était hier : lui aussi trouvait que c'était une mauvaise idée, à l'époque, mais elle ne l'avait pas plus écouté que ses parents.

— La différence, poursuivit Kate, c'est que Tom

était tout sauf un boulet. Nous nous sommes soutenus mutuellement pendant des années. Il ne m'a laissée tomber qu'une seule fois, et Dieu sait que ce n'était pas sa faute, paix à son âme !

— C'est vrai, mais cela ne change rien au fait qu'Izzie ne t'écoutera pas. Tout ce que tu peux faire, c'est serrer les dents et te tenir prête si elle a besoin de toi.

— C'est horrible, j'ai l'impression de la regarder en train de foncer dans un mur...

— Certaines personnes ont besoin de se crasher avant de trouver la bonne trajectoire.

— Grands enfants, grands soucis, soupira Kate. Elle devrait savoir pourtant que l'on ne peut pas changer autrui. On ne gagne jamais à ce jeu-là.

Alors qu'elle accompagnait son ami vers la sortie du magasin, Liam posa une main compatissante sur son épaule :

— Il faudra qu'elle l'apprenne par elle-même, Kate... Ne te ronge pas les sangs pour ça, puisque tu n'y peux rien.

Elle secoua la tête. Au plus profond d'elle-même, elle sentait qu'Izzie faisait un pari trop risqué et qu'elle allait perdre.

Après le départ de Liam, Kate resta assise à son bureau, perdue dans ses pensées, lorsque Jessica passa la tête par l'embrasure de la porte : un homme à l'accent français la demandait au téléphone. Qui cela pouvait-il bien être ? Par pure curiosité, elle prit l'appel.

L'homme – un certain Bernard Michel – travaillait pour une entreprise dont le nom n'évoqua rien à Kate. Il était de passage à New York pour quarante-huit heures et souhaitait lui rendre visite à Still Fabulous le lendemain pour lui faire une proposition. Kate se demanda s'il espérait racheter sa boutique, ou peut-être une partie de son stock.

Déprimée par ses soucis de famille, elle n'avait pas particulièrement la tête à ça, mais la voix de son interlocuteur était agréable et sa démarche semblait sérieuse. Et dans le fond, de nouvelles perspectives professionnelles la distrairaient de son anxiété. Kate avait toujours procédé ainsi : chaque fois qu'elle avait du chagrin, elle se réfugiait dans son travail. Cela l'avait aidée à garder la tête hors de l'eau dans bien des moments difficiles.

Le lendemain, à seize heures, Bernard Michel se présenta à la boutique en costume sombre, chemise blanche et cravate élégante. Il avait un air très professionnel dans son beau costume en cachemire, un attaché-case en croco sous le bras. De haute stature, les cheveux poivre et sel, il était extrêmement séduisant et devait avoir une soixantaine d'années. Il lui tendit sa carte, mais Kate ne fut pas plus avancée quant au type de services que proposait son entreprise. Elle l'invita à s'asseoir dans son bureau étriqué, le maximum d'espace ayant été réservé aux besoins de stockage du magasin.

— Que puis-je faire pour vous, monsieur Michel ?

— Eh bien, voilà : un de mes associés à New York m'a parlé de Still Fabulous, et je me demandais quel usage d'Internet vous faisiez ?

— Nous avons un site vitrine, répondit Kate. Cela permet à nos clientes de nous joindre par mail, mais c'est à peu près tout. Certaines me font des demandes particulières par ce biais, mais en général, elles tiennent à venir essayer sur place les articles que je leur réserve.

— Est-ce que l'on peut consulter votre catalogue en ligne ?

— Non, les articles partent très vite, et notre stock est trop important pour que mes collègues et moi ayons le temps de tout référencer.

— Je vois. Mais avec un peu d'aide, que penseriez-vous de mettre en place une vente par Internet ? Nous sommes spécialisés dans la communication d'entreprise et le e-commerce, en particulier la conception et la maintenance de boutiques en ligne, pour les commerçants passionnés comme vous. Je sais que Still Fabulous fonctionne très bien, mais je crains fort que vous ne manquiez une part de marché considérable, en particulier à l'international, en restant absente du Web. Notre équipe comprend des graphistes, des développeurs, des rédacteurs, des animateurs de réseau...

Tandis que Bernard Michel lui expliquait leur fonctionnement, Kate se sentit à la fois intriguée et un peu dépassée. Au bout d'un moment, elle déclara qu'elle n'y connaissait pas grand-chose, mais qu'elle en parlerait le soir même à son fils Willie, qui était dans l'informatique.

— Très bien. Dans ce cas, que diriez-vous de nous revoir demain ? Si vous êtes d'accord, vous pourrez me faire visiter la boutique et m'expliquer plus en détail votre modèle économique. Ainsi, je m'imprégnerai de l'esprit du lieu et ciblerai plus précisément vos besoins.

— Entendu, monsieur Michel. Pouvez-vous me rappeler comment vous avez eu connaissance de Still Fabulous ?

— Il y a quelque temps, une amie m'a vanté votre boutique comme une véritable caverne d'Ali Baba, et j'ai tout de suite fait le rapprochement quand mon associé a attiré mon attention sur vous. Je ne voulais pas rater l'occasion de vous rencontrer en personne ! Ce que je vous propose, c'est un partenariat gagnant-

gagnant. Le passage au numérique vous permettrait d'augmenter considérablement votre chiffre d'affaires, en l'espace de quelques mois seulement. Vous pourriez ainsi vendre des pièces de collection à une clientèle internationale. Des clientes qui, à l'instar de mon amie, sont à la recherche de pièces rares de grands créateurs, mais ne peuvent pas se déplacer systématiquement à New York pour faire leur shopping ! D'ailleurs, il serait judicieux de prévoir la traduction professionnelle du site dans deux ou trois langues de votre choix...

Kate appela Willie aussitôt après le départ de Bernard Michel. Il n'eut pas besoin de réfléchir plus de deux secondes :

— Maman, il y a longtemps que je t'en parle. Il est temps de mettre ton site au goût du jour et d'en améliorer le référencement. Tu devras prendre en photo les pièces que tu veux vendre, ce qui te demandera un peu de temps, surtout au début, mais comme je te l'ai toujours dit, avec une boutique en ligne, tu pourrais doubler tes ventes presque du jour au lendemain. Rappelle-moi le nom du type ?

Tout en parlant, Willie fit des recherches sur Google.

— Ah. Je vois qu'il possède sa propre boîte, et il a de très bons retours de ses clients, surtout des galeries d'art et des boutiques de luxe. Je pense qu'il a parfaitement ciblé Still Fabulous. En fait, il ne te proposera pas seulement de créer la boutique en ligne : il peut s'occuper de ta communication Internet de A à Z. Tu ne risques rien à lui demander un devis !

— Super, merci pour le conseil, mon chéri. J'ai encore rendez-vous avec lui demain. Tu veux venir ?

— Désolé, maman, mais je n'ai pas le temps. Demande-lui précisément comment il voit les choses, et on se rappelle.

Le lendemain, Kate ne cacha pas à M. Michel que son fils était enthousiaste.

— Le contraire m'aurait étonné, madame Madison.

— Je vous en prie, appelez-moi Kate.

Elle lui fit faire la visite du magasin, puis ils parlèrent longuement de tout ce qui pouvait être mis en place pour affirmer la présence en ligne de Still Fabulous.

— Ce que je vous propose, conclut-il, c'est de vous envoyer dès mon retour en France un devis détaillé reprenant ce que nous avons vu ensemble. Vous le montrerez à votre fils et vous aurez tout votre temps pour y réfléchir.

Alors qu'elle le raccompagnait, il hésita sur le seuil.

— Voudriez-vous continuer à parler de tout cela ce soir ? Je vous invite au restaurant.

— C'est que... Pourquoi pas, après tout ? Je ne connais vraiment rien à Internet, et j'aimerais me sentir moins ignorante.

— Ne vous inquiétez pas, dans le fond c'est assez simple. Quant à moi, j'espère que vous m'en direz plus sur l'histoire de Still Fabulous.

Ils décidèrent de se retrouver à La Grenouille, l'un des meilleurs restaurants gastronomiques de New York. Bernard Michel séjournait tout près, à l'hôtel Pierre.

Kate revêtit pour l'occasion un tailleur Chanel noir, sous un superbe manteau de zibeline – d'occasion, bien sûr.

Un serveur, qui parlait français et semblait connaître Bernard, les conduisit à l'une des meilleures tables. Au cours des premières minutes, ils se concentrèrent sur la carte et commandèrent, puis Bernard demanda à Kate si elle avait jamais songé à créer un blog. Elle était si éloignée de tout ce qui touchait à l'informatique qu'elle le regarda avec des yeux ronds. Après s'être fait expliquer le concept, elle promit d'y réfléchir.

Bernard lui parla de ses enfants, un fils avocat et une fille étudiante en médecine, dont il était visiblement très fier. À son tour, Kate lui décrivit sa famille. Au passage, elle lui révéla qu'elle avait perdu son mari alors que ses enfants étaient encore très jeunes, de sorte qu'elle avait dû les élever seule.

— Vous ne vous êtes jamais remariée ?

— Je n'en ai pas eu le temps, entre mon magasin et mes quatre petits...

C'est alors qu'elle lui raconta la genèse de Still Fabulous. Bernard fut impressionné par son parcours et déclara qu'il adorait travailler avec des entrepreneurs aussi passionnés et courageux qu'elle. Au final, ils passèrent une très bonne soirée, dans un cadre élégant, autour d'un menu raffiné et d'une excellente bouteille de vin. Il l'accompagna jusqu'à son taxi et lui promit de lui soumettre très prochainement son devis. Tandis que la voiture s'éloignait, il adressa à Kate un signe de la main, puis rejoignit son hôtel à pied. La nuit de janvier était froide, mais Bernard adorait marcher dans New York.

Le lendemain, Kate appela Liam pour lui parler de son nouveau contact professionnel.

— Intéressant, comment l'as-tu rencontré ?

— Il a connu le magasin par le bouche-à-oreille.

Comme Willie, Liam chercha son nom sur Internet et fut impressionné par son livre d'or. M. Michel avait équipé des entreprises similaires à la sienne en Grande-Bretagne et ailleurs en Europe, mais aussi aux États-Unis, avec des résultats probants.

Deux semaines plus tard, le devis promis arriva. Kate fit suivre à Liam et à Willie le document de trois pages, qui détaillait la prestation proposée. Elle en imprima un exemplaire, l'emporta chez elle et passa la soirée à l'étudier. L'offre était très complète et faisait valoir une augmentation importante du chiffre d'affaires, moyennant une commission assez raisonnable.

Kate ne vit que de bonnes raisons de se lancer, Willie était de son avis ; quant à Liam, il lui conseilla de revoir M. Michel lors de son prochain passage à New York et se proposa d'assister à l'entretien. Elle répondit donc rapidement au mail de Bernard, lequel lui donna rendez-vous deux semaines plus tard.

Le lendemain, Justin appela Kate pour prendre des nouvelles, et elle lui fit part de son enthousiasme pour ce nouveau projet. Lui aussi considéra que c'était une bonne opportunité.

— Comment va le bébé ? se sentit-elle obligée de demander.

— Pour le moment, tout va bien. La prochaine échographie de Shirley aura lieu dans quatre semaines, nous en saurons davantage à ce moment-là. As-tu des nouvelles d'Izzie ? Je ne comprends pas pourquoi elle se précipite dans ce mariage. Pourquoi ne se contente-t-elle pas de sortir avec lui ?

Justin ne tenait pas particulièrement à l'institution matrimoniale... En outre, il était navré de voir sa sœur aînée faire un aussi mauvais choix.

— C'est aussi ce que je lui ai dit, mais elle ne veut rien entendre.

— Où la réception aura-t-elle lieu ?

— J'attends qu'Izzie me soumette une liste. Elle est en train d'y réfléchir avec Zach. Ils veulent une petite fête. Ah, mon grand, j'aurais tellement préféré organiser ton mariage avec Richard !

— Désolé, maman, ce n'est toujours pas au programme pour nous. Au fait, quand mamie Lou rentre-t-elle d'Argentine ?

— Demain. Je ne lui ai pas encore parlé du mariage d'Izzie, mais j'ai comme l'impression qu'elle sera aussi chagrinée que nous.

— Oui, difficile d'être optimiste...

Kate dut se mordre la langue pour ne pas dire qu'elle s'inquiétait tout autant au sujet de son projet de mère porteuse. Tout à coup, c'était comme si deux de ses enfants partaient en hors-piste, au mépris du danger. Bien sûr, elle les avait encouragés à prendre leur indépendance, mais pas à faire n'importe quoi !

Le lendemain, Louise ne se montra guère surprise par les noces programmées de sa petite-fille.

— Je ne sais pas pourquoi, mais je me doutais qu'elle mijotait quelque chose dans ce goût-là. Le jour de Noël, elle avait le même air buté que dans son adolescence, quand elle était déterminée à aller contre ton avis. Lorsqu'elle est dans cet état d'esprit, rien ne l'arrête.

— Je sais bien. Peut-être que tu peux lui parler, toi, et essayer de la convaincre d'attendre un peu ?

— Je n'y crois pas une seconde et j'ai bien peur que nous soyons obligées de la laisser apprendre sa leçon toute seule. Elle va tomber de haut quand elle comprendra qu'elle ne peut pas le changer...

C'était précisément ce que redoutait Kate : Izzie risquait de mettre plusieurs années à se relever d'une nouvelle déception, encore plus violente que la première...

— Au fait, maman, je ne t'ai même pas demandé comment s'était passé ton voyage ! lança-t-elle pour changer de sujet.

— Ah, ma chérie, c'était parfait !

— Tu as dansé le tango ?

— Bien sûr ! J'ai emmené Frances dans un bar différent tous les soirs.

— Waouh, j'imagine qu'elle a adoré ?

— Pas vraiment. Mais elle est bonne camarade et m'a suivie quand même ! C'était comme pour la samba au Brésil l'année dernière... Elle n'aime pas spécialement danser, mais elle sait que c'est un bon moyen de rencontrer de nouvelles personnes et de s'immerger dans une nouvelle culture... Bref, et toi, quoi de neuf ?

Kate lui parla de son projet de partenariat avec Bernard Michel.

— Intéressant, commenta Louise. Pourquoi ne vas-tu pas le voir à Paris ?

— Il revient ici dans deux semaines !

— Peut-être, mais un voyage à Paris te ferait du bien.

Après avoir raccroché, Kate songea que sa mère avait raison. Elle avait besoin d'un peu de changement, et d'ailleurs il était grand temps pour elle de reconstituer le stock de Still Fabulous. Sa mère avait le chic pour élargir l'horizon, le sien et celui des autres !

# 9

Fin janvier, Louise était rentrée depuis une semaine à New York lorsque Izzie appela Kate à la boutique. Elle avait sélectionné plusieurs lieux de réception qu'elle voulait lui soumettre : deux restaurants, un petit hôtel de charme à Tribeca, et enfin une maison de ville privée sur Washington Square Park. Cette dernière option paraissait la plus intéressante, quoique légèrement plus chère. Même si Izzie se déclarait prête à participer aux frais, Kate avait accepté de respecter la tradition en lui offrant la noce. Néanmoins, elle était toujours aussi chagrinée, d'autant que Louise n'avait pas réussi à convaincre sa petite-fille de reporter le mariage de quelques mois.

Les deux femmes se donnèrent rendez-vous le vendredi après-midi pour visiter les quatre lieux. En temps normal, Kate adorait prendre le moindre prétexte pour passer du temps en compagnie de ses enfants, mais là, cette expédition ne l'enchantait pas du tout. Izzie, en revanche, faisait preuve de l'excitation légitime de toute future mariée.

Elles commencèrent par l'hôtel à Tribeca, mais le jugèrent sombre et triste. Kate, qui craignait que cela ne plombe l'ambiance, fut soulagée de voir que l'endroit ne plaisait pas non plus à Izzie. Quant aux deux restaurants, ils étaient assez joliment décorés, quoique de façon trop impersonnelle. De plus, un seul proposait un salon séparé. Dans le second, il leur faudrait privatiser tout l'établissement. Or la salle était beaucoup trop grande pour trente invités. Du côté d'Izzie, la famille proche comptait sept personnes (en comptant la mariée), auxquelles il faudrait rajouter Liam et Maureen, ainsi qu'environ une quinzaine de ses collègues. Zach, quant à lui, pensait n'inviter que deux de ses amis, mais ce n'était même pas sûr. Et il ne comptait guère sur la présence de son père. Au final, ils risquaient de se retrouver à une vingtaine de convives en tout. Izzie et Kate, dépitées par leurs premières visites, étaient pleines d'espoir quand le taxi les déposa sur Washington Square devant une maison en brique rouge avec de jolis encadrements de fenêtres blancs.

Un gérant immobilier les attendait devant la porte. Le propriétaire des lieux, producteur de cinéma en Californie, ne venait que rarement à New York, mais il adorait la maison et la louait pour des événements privés ou professionnels. Comme dans la plupart des demeures du tournant du XXe siècle qui bordaient la place, le hall d'entrée était assez étroit. Il desservait deux petits salons de part et d'autre, ainsi qu'un bureau aux murs tapissés de livres à l'arrière. Le grand salon occupait tout le premier étage. Il était magnifiquement meublé et décoré de tableaux choisis avec goût. Les fenêtres donnaient sur le jardin public et le célèbre arc de triomphe de la place. Au dire du gérant, cette salle pouvait recevoir jusqu'à cinquante personnes pour un cocktail et une soirée dansante, mais serait très confortable pour vingt-cinq. Les deux derniers étages hébergeaient les chambres à coucher, notamment la suite principale, une pièce terriblement romantique dans laquelle la mariée pourrait s'habiller et se préparer. À l'étage inférieur (un sous-sol semi-enterré, typique des maisons de cette époque), on trouvait une cuisine tout équipée et une salle à manger avec une longue table en chêne ciré qui accueillait sans problème vingt-cinq personnes, et jusqu'à trente avec les rallonges. Les murs étaient peints dans des tons pastel, les fenêtres ornées de voilages en soie raffinés, et chaque pièce disposait d'un lustre en cristal et d'une cheminée.

Izzie tomba amoureuse de cette adorable maison de poupée et s'y projeta immédiatement en mariée. Kate, pour sa part, n'imaginait absolument pas Zach, avec son cuir, ses tatouages et ses cheveux longs, dans un décor aussi bourgeois... Évidemment, elle n'en dit rien à sa fille, mais signa le contrat de réservation pour le premier mai. Ainsi, elles avaient trouvé le lieu du mariage. La maison proposait également un service traiteur, de sorte que cette partie-là était réglée du même coup. Et si elles le décidaient par la suite, elles pourraient aussi recourir aux services d'un fleuriste par l'intermédiaire du même prestataire. Il ne leur restait donc plus qu'à s'occuper des faire-part et de la robe de mariée.

Selon la tradition américaine, les parents de Zach auraient dû organiser la veille de la noce un dîner « de répétition », en plus petit comité. Mais puisqu'il n'avait pas de famille, Kate avait accepté de recevoir chez elle. La soirée serait bien moins formelle que le mariage proprement dit : Zach et Izzie souhaitaient faire livrer un petit buffet par un restaurant mexicain du quartier. Pas de discours, pas de plan de table, chacun se servirait soi-même, et on s'assiérait sur des coussins à même le sol, en toute décontraction. Voilà qui créerait un plaisant contraste avec le cadre à la fois intime et élégant du lendemain. Pour le budget dont elle disposait, et dans un délai aussi bref, Kate n'aurait pu trouver meilleure solution. Dans la mesure où elle ne pouvait pas empêcher cette union, elle tenait à offrir à sa fille une belle journée, à son image.

Ce soir-là, les deux femmes rentrèrent à l'appartement de Kate, satisfaites d'avoir accompli leur mission. La maison de Washington Square était un véritable bijou ! Alors qu'elles se servaient une tasse de thé dans la petite cuisine stylée, étincelante de propreté et parfaitement ordonnée de Kate, cette dernière leva un regard tendre vers sa fille. Dieu seul savait ce que lui réservait l'avenir... En attendant, elle goûtait pleinement la complicité de cet instant.

— Bon, maintenant il te faut une robe ! lança-t-elle. Tu as des idées ?

Izzie l'avait déjà prévenue qu'elle ne voulait pas d'une robe de chez Still Fabulous. Rien d'ancien, juste quelque chose qui plaise à Zach. Tout en buvant leur thé à petites gorgées, elles regardèrent le site de plusieurs créateurs sur l'ordinateur portable de Kate. Oscar de la Renta, Marchesa, Herrera, Vera Wang et Monique Lhuillier. Toutes leurs robes de mariée étaient plus sophistiquées que ne l'aurait souhaité Izzie. Elle voulait une tenue simple et épurée, des fleurs dans les cheveux et pas de voile.

Les futures mariées avaient toujours des idées très arrêtées, Kate avait eu l'occasion de s'en rendre compte à plusieurs reprises dans sa boutique. Et bien souvent, elles finissaient par choisir une robe qui n'avait rien à voir avec leur idée de départ ! En irait-il de même pour Izzie ? Dans ce domaine comme dans tous les autres, sa fille ne changerait probablement pas facilement d'avis. Kate lui suggéra d'aller faire des essayages chez Bergdorf-Goodman.

Izzie suivit son conseil, sans grand succès. À court d'idées, elle appela sa mère quelques jours plus tard. Kate était occupée à inventorier un nouvel arrivage, mais elle lui promit d'y réfléchir et de la rappeler plus tard. Après tout, une simple robe de cocktail blanche, de chez Armani ou Calvin Klein, pourrait produire l'effet moderne et épuré recherché par Izzie. D'ailleurs, sa fille avait la silhouette longiligne qui convenait à ce style.

Kate se remit à son inventaire, une tâche dont elle aimait s'acquitter elle-même afin de s'assurer de la qualité de chaque vêtement. Un frère et une sœur venaient de lui envoyer ce jour-là l'ensemble des robes de haute couture de leur mère, ainsi que d'autres souvenirs de famille dont personne ne voulait. Parmi ceux-ci, la robe de mariée de leur grand-mère. Comme elle datait des années 1910, 1920 au plus tard, Kate craignait qu'elle ne soit trop ancienne et trop fragile pour la proposer à la vente. Elle avait cependant promis d'y jeter un coup d'œil, tout en prévenant la famille qu'il serait sans doute préférable d'en faire don à un musée.

La robe était restée emballée dans un carton blanc depuis la seule fois où elle avait été portée. La curiosité de Kate était à son comble tandis que son assistante et elle défaisaient l'une après l'autre les nombreuses épaisseurs de papier de soie. Ce dernier avait jauni au fil du temps – contrairement à la robe en satin, qui avait miraculeusement gardé sa délicate couleur ivoire, avec sa taille basse typique de l'époque, ses manches en dentelle, son corsage entièrement rebrodé de minuscules perles, sa longue traîne, son interminable voile et sa petite coiffe, elle aussi en satin brodé de perles. Pour mieux l'admirer, Kate et Jessica l'étendirent sur un drap blanc à même le sol.

— Mon Dieu, souffla Kate.

À n'en pas douter, la place de cette pièce exceptionnelle était au musée ! Jessica effleura précautionneusement le subtil lacis de perles. Le vêtement était l'œuvre d'une couturière californienne de l'époque, dont Kate n'avait encore jamais entendu parler. Sa réalisation avait dû nécessiter des dizaines d'heures de patience et de minutie ! Dans la boîte blanche se nichait également une paire de chaussures, ornées des mêmes broderies. Visiblement, la riche mariée qui avait commandé tout cela était d'assez haute taille, surtout pour son temps…

Certes, ce n'était absolument pas ce que recherchait Izzie. Néanmoins, Kate ne faisait pas une telle trouvaille tous les jours et elle ne résista pas au plaisir d'appeler sa fille sur-le-champ.

— C'est de loin l'une des plus belles robes de mariée que j'aie jamais vues, chérie. Même si tu n'en veux pas, c'est un plaisir pour les yeux, et ça te donnera peut-être des idées…

Izzie ne sembla guère enthousiaste, mais accepta de venir à la boutique le lendemain – qui était un samedi –, juste après sa séance de fitness. Dans la mesure où Kate faisait preuve de bonne volonté en organisant un mariage qu'elle désapprouvait, sa fille pouvait bien céder à ce petit caprice ! Kate avait eu une nouvelle déception en apprenant que Zach ne voulait entendre parler ni d'église ni de religion. Enfant, il avait dû aller à la messe tous les dimanches et visiblement, il n'avait pas apprécié.

Quand Izzie arriva le lendemain, Kate s'excusa auprès de la cliente qu'elle était en train de conseiller et demanda à Jessica de la remplacer. Sa fille fronça d'abord les sourcils en découvrant la robe. Puis elle s'agenouilla pour toucher les perles et Kate songea encore une fois que c'était la robe la plus raffinée qu'il lui ait été donné de voir. Lorsqu'elle se releva, Izzie ne dissimula pas son admiration.

— Tu crois qu'elle m'irait ? demanda-t-elle.

— Hier, je l'ai mise devant moi pour me faire une idée et je crois que c'est plus ou moins ma taille. Donc elle devrait t'aller aussi...

Izzie lança un regard timide à sa mère.

— Je peux l'essayer ?

— Bien sûr !

Quand Julie et Izzie étaient petites, Kate leur rapportait parfois de vieilles robes de mariée avec lesquelles elles adoraient se déguiser. C'était un peu comme si le jeu se prolongeait, mais avec beaucoup plus de classe !

Kate aida donc sa fille à l'enfiler. Aucun faux pli n'avait marqué le tissu. Le dos était orné d'une multitude de petits boutons de satin blanc, que Kate mit une éternité à fermer. Lorsque ce fut fait, elles s'aperçurent que le vêtement lui allait comme un gant. Une fois portée, cette robe révélait encore plus le talent de la couturière, aussi bien dans la coupe que dans les ornements.

Izzie était en train de s'approcher sur la pointe des pieds de la psyché installée à l'autre bout de la pièce quand Kate se souvint des chaussures et les plaça devant elle. Elles aussi se révélèrent parfaitement ajustées. À croire qu'Izzie était un clone de la mariée d'autrefois ! Elles eurent le souffle coupé en découvrant son reflet dans le miroir. Si, par la qualité de ses matériaux et de ses finitions, cette robe avait une indéniable valeur historique, la façon dont elle épousait la silhouette d'Izzie lui conférait une singulière modernité. Kate songea soudain qu'elle cadrerait à merveille dans la maison bourgeoise de Washington Square : ainsi vêtue, dans un tel décor, Izzie aurait l'air tout droit sortie d'un roman de Henry James !

— Waouh, je n'arrive pas à le croire ! s'exclama la jeune femme. Est-ce que je peux l'avoir, maman ? Tu crois que la famille voudra bien nous la vendre ?

— Je leur avais dit qu'ils feraient mieux de la donner à un musée, mais je pense qu'ils ne m'en voudront pas si je change d'avis. Une chose est sûre : tu ne trouveras jamais rien d'aussi beau, même avec le retour de la mode vintage chez les grands créateurs. Cette robe a la patine du siècle passé !

Après avoir soigneusement replié la robe dans sa boîte, les deux femmes redescendirent dans la boutique. Entre-temps, la cliente était repartie, non sans avoir acheté deux tailleurs Chanel et une robe Balenciaga qu'elle avait réservée à l'avance. Kate appela la famille de San Francisco. La journée venait de commencer sur la côte Ouest, si bien que la dame qui avait envoyé le lot de vêtements vaquait encore à ses occupations domestiques avant de sortir. Kate lui expliqua que sa fille était tombée amoureuse de la robe de sa grand-mère.

— Ah oui ? C'est étonnant, je pensais que personne n'en voudrait. De nos jours, les jeunes femmes préfèrent souvent des tenues plus sexy, n'est-ce pas ? Mais il est vrai que les perles brodées sont magnifiques.

— Absolument. À vrai dire, elle est époustouflante quand ma fille la porte.

Quand Kate lui demanda à quel prix elle voudrait bien lui céder le vêtement, la dame marqua un long moment d'hésitation, et Kate retint son souffle. Allait-elle exiger une somme mirobolante, maintenant qu'elle savait que c'était une pièce historique ?

Enfin, elle répondit :

— Après tout, cette robe est restée enfermée dans une boîte pendant près de cent ans. J'aimerais autant qu'une jeune femme à qui elle plaît vraiment ait la chance de lui donner une seconde vie. Je suis certaine que cela aurait fait plaisir à ma grand-mère ! Que diriez-vous de cinq cents dollars, avec tous mes vœux de bonheur à la future mariée ?

Kate sentit monter des larmes d'émotion. Sa boutique lui avait toujours porté chance, amenant vers elle des personnes de cœur, désireuses de partager leur histoire avec d'autres et ajoutant en prime « une bonne mesure » de bénédictions, comme il est dit dans la Bible.

— Ce serait merveilleux ! déclara-t-elle. Je ne pourrai jamais vous remercier assez.

— L'essentiel, c'est que cela fasse plaisir à votre fille.

Son interlocutrice semblait aussi touchée qu'elle par cet heureux alignement de planètes. Kate raccrocha et, s'essuyant les yeux, elle annonça à sa fille :

— Elle est à toi !

Après une seconde d'incrédulité, Izzie sauta au cou de sa mère.

— Merci, maman, c'est génial ! Moi qui ne voulais rien de vintage... Mais j'ai l'impression d'être une reine quand je la porte. J'ai hâte que Zach me voie dedans !

Malgré le visage radieux de sa fille, Kate ne put s'empêcher de songer qu'elle aurait préféré voir Izzie la porter au bras d'un autre que ce Zach Holbrook. Cependant, elle était bien obligée d'accepter les choix de sa fille... celui de l'homme autant que celui de la robe.

Une semaine plus tard, Bernard Michel revint à New York avec une proposition plus détaillée. Kate lui donna rendez-vous en même temps qu'à Liam, dont elle voulait entendre l'avis éclairé.

L'entretien se déroula sur un ton strictement professionnel à l'hôtel Four Seasons, où Bernard était descendu cette fois-ci. Le Français les reçut dans sa suite au quarante-huitième étage, d'où l'on jouissait d'une vue époustouflante. Tout comme Kate, Liam fut favorablement impressionné par ses propositions. Toutes ses idées pour améliorer la communication de la boutique et augmenter le chiffre d'affaires semblaient pertinentes, et Kate n'y aurait jamais pensé de son propre chef. Dès qu'ils eurent pris congé, Liam lui confirma que la proposition de Bernard s'annonçait lucrative.

— *Très* lucrative, souligna-t-il dans le taxi qui les ramenait dans le centre.

Liam habitait lui aussi à Tribeca, non loin de l'appartement de Kate, ce qui leur permettait de se voir souvent pour faire une courte promenade ou un brin de causette, quand le temps manquait pour un de leurs déjeuners. Les deux amis parlèrent avec animation des nouvelles perspectives commerciales de Kate. Dès que le contrat serait validé par son avocat, elle pourrait lancer sa boutique en ligne. Elle avait déjà trouvé le nom du site : « Fabulous on the Net ».

Le soir même, alors qu'elle était en train de relire ses notes du rendez-vous de l'après-midi, Kate eut la surprise de recevoir un coup de fil de Bernard. Il tombait bien : elle voulait justement lui demander des éclaircissements sur certains points du contrat. Bernard répondit on ne peut plus clairement, puis laissa traîner la conversation, lui demandant si elle travaillait comme cela tous les soirs ou si elle s'octroyait quand même des loisirs. Kate lui avoua qu'elle passait son peu de temps libre à voir sa mère et ses quatre enfants. Toutefois, elle était ravie de se consacrer à la mise en place de sa nouvelle e-boutique, qui mobiliserait sans doute quelques-unes de ses soirées d'hiver.

— Voudriez-vous dîner avec moi demain ? s'enquit son interlocuteur d'un ton décontracté.

Si elle avait apprécié leur repas à La Grenouille, Kate ne s'attendait pas à ce qu'il l'invite dans un grand restaurant à chaque fois qu'ils devaient mettre leur contrat au point... Et elle ne se priva pas de le lui dire.

Il se mit à rire.

— Kate, ne soyez pas si américaine, la taquina-t-il. Il n'y a pas que le travail, dans la vie ! Un homme ne peut-il inviter une jolie femme à dîner que pour parler affaires ?

— Non, sans doute...

Toutefois, elle se demanda ce qu'il pouvait bien attendre d'elle. Elle vivait à New York, lui à Paris... Et de quoi parleraient-ils, maintenant que leur accord était pratiquement conclu ? Kate était troublée... Elle n'avait pas eu de rendez-vous galant digne de ce nom depuis des années et elle ne pensait pas à Bernard Michel en ces termes. En outre, elle n'aimait pas l'idée de mélanger les affaires et la bagatelle. Pour elle, les choses devaient être bien délimitées, et sans ambiguïté, comme c'était le cas entre Liam et elle. Ils étaient amis, point final. Quant à Bernard, c'était juste un partenaire commercial.

— Y a-t-il un endroit pas trop guindé où vous aimeriez aller ? insista-t-il. Je vous propose un dîner tout simple, en toute décontraction. Je suis encore en ville pour quelques jours.

Après quelques secondes de réflexion, Kate suggéra Da Silvano... C'était à la fois chaleureux, confortable, bien situé, et leurs pâtes maison étaient divines. Comme le patron était toujours sur place, il n'y avait jamais rien à redire à la cuisine ou au service.

— Parfait, alors je vais réserver et je passerai vous prendre à vingt heures, si cela vous convient.

Sa voix était enjouée et chaleureuse, mais Kate n'aurait su dire s'il voulait instiller une connotation romantique à ce rendez-vous. Elle espérait que ce ne soit pas le cas. En revanche, il n'y avait aucun mal à ce qu'ils deviennent amis s'ils s'apprêtaient à sceller une alliance commerciale, bien au contraire ! Et si jamais il dévoilait d'autres intentions, elle s'en tiendrait à sa ligne de conduite personnelle, se promit-elle.

Lorsqu'il vint la chercher à la porte de son appartement le lendemain, il portait un pantalon à pinces et un blazer sous un beau manteau en drap de laine. Une voiture de location avec chauffeur les attendait au pied de l'immeuble. Chez Da Silvano, on les plaça à la meilleure table, et Bernard se montra sociable, plein d'humour et visiblement heureux de passer ce moment avec Kate autour d'un verre de chianti. Sans qu'il sorte le grand jeu de la séduction, elle eut néanmoins l'impression toute la soirée qu'il la regardait davantage comme une femme que comme une cliente... Et alors qu'ils étaient tombés d'accord pour partager un dessert, il la prit de court en déclarant :

— Je ne sais pas à quel point c'est important pour vous, Kate, mais je tiens à jouer cartes sur table. Techniquement, je suis marié. D'un point de vue légal, en tout cas. Mais dans les faits, ce n'est plus le cas depuis plusieurs années. Ma femme et moi vivons selon un arrangement assez fréquent en France. Divorcer, séparer des investissements et des propriétés imbriqués depuis aussi longtemps... c'est bien trop compliqué. Elle vit sa vie, je vis la mienne. Nos relations sont cordiales quand nous nous croisons. Nous voyons nos enfants chacun de notre côté ; nous n'avons pas les mêmes amis. Aujourd'hui, je la considère plutôt comme une sœur.

Kate avait déjà entendu parler de tels arrangements et n'aurait pas voulu vivre la même chose. Mais après tout, si cela convenait à Bernard, c'était son problème. Il n'avait pas à se justifier. Elle avait remarqué qu'il ne portait pas d'alliance, comme la plupart des Européens mariés. Il dut percevoir le regard sceptique de Kate, car il ajouta :

— Je tenais à vous en informer, de peur que vous ne soyez gênée de passer la soirée avec moi. J'aime être avec vous, Kate. J'apprécierais de vous voir plus souvent quand je suis à New York.

Cette fois, Kate fut troublée par sa franchise. Personne ne lui avait rien dit de tel depuis longtemps, surtout pas en lui expliquant ses « arrangements » avec un léger accent d'outre-Atlantique...

— Vous voulez dire que votre épouse ne voit pas d'objections à ce que vous fréquentiez d'autres femmes, c'est cela ?

— Nous ne nous posons jamais de questions à ce sujet, répondit-il, évasif. Ce qu'elle fait ne me regarde pas, et réciproquement. Au début, nous sommes restés mariés pour protéger les enfants, et maintenant c'est parce que c'est moins compliqué sur le plan financier. Mais la flamme s'est éteinte depuis plusieurs années.

— Comme c'est triste. J'en suis désolée pour vous, déclara Kate en toute sincérité.

Elle était restée follement amoureuse de Tom jusqu'à la fin. Et ses parents s'étaient aimés jusqu'au dernier souffle de son père.

— Non, ce n'est pas si triste, répliqua Bernard d'un ton désinvolte. Ce sont des choses qui arrivent. Aux États-Unis, les gens divorcent dès qu'ils estiment qu'ils ne sont plus amoureux. En France, nous sommes plus pragmatiques. Nous nous efforçons de maintenir l'intégrité de la famille. Il faut dire que le divorce est entré dans nos mœurs plus tardivement qu'ici. La plupart de nos amis ont le même mode de vie que nous. Certains vivent avec leur maîtresse comme si elle était leur épouse légitime.

Il présentait la chose comme si c'était normal, acceptable et presque désirable. Kate resta songeuse.

— Ce que vous dites est surprenant, finit-elle par lâcher. Je serais quant à moi gênée de fréquenter un homme marié.

— Vraiment ? Ce n'est pas le cas de toutes les Américaines... Mais permettez-moi d'insister : j'aimerais beaucoup dîner avec vous quand je suis de passage ici. Cela vous semble-t-il envisageable ? Comme nous le faisons ce soir ?

Elle se serait sentie stupide de refuser. Après tout, Bernard était resté on ne peut plus correct, et elle appréciait sa compagnie.

— Oui, cela me semble envisageable, déclara-t-elle en souriant, tandis que le serveur apportait le tiramisu.

Après le repas, il la fit encore rire en lui racontant des anecdotes sur ses enfants, son travail, sa vie à Paris et ses voyages autour du monde.

— Ma mère vous plairait, dit Kate. Elle aussi a la bougeotte, et c'est un sacré numéro.

Elle lui relata les dernières aventures de Louise.

— J'adorerais la rencontrer, assura Bernard, enthousiaste. Ainsi que vos enfants...

C'est alors que Kate lui dit ses inquiétudes à propos du mariage d'Izzie. Bernard lui ayant parlé de sa vie privée, elle se sentait autorisée à en faire autant.

— Nous ne pouvons pas contrôler nos enfants, répondit-il. Ma fille, celle qui fait des études de médecine, a un petit ami que nous détestons tous cordialement. C'est un vrai rustre aux manières épouvantables, mais elle sort avec lui depuis déjà cinq ans. Par chance, il n'a encore jamais été question de mariage entre eux. Quant à la compagne de mon fils, nous ne l'aimons guère plus. Ils vivent ensemble et ont deux enfants, deux garçons adorables. Ils n'ont pas plus l'intention de se marier... C'est très courant chez nous, pour les jeunes générations.

En l'écoutant, Kate se demanda ce qui était préférable : rester marier et tromper sa femme, ou bien ne pas se passer la bague au doigt mais avoir des enfants. Les deux cas de figure lui semblaient suspects. Elle songea alors à Justin et Richard, qui s'apprêtaient eux aussi à fonder une famille sans s'embarrasser de mariage – mais avec une mère porteuse !

— L'un de mes fils va avoir un bébé au mois d'août et ne veut pas se marier non plus.

Elle ne précisa pas qu'il était gay, ne sachant pas comment Bernard réagirait à l'idée de l'homoparentalité. En dépit de leurs mœurs plutôt libres, les Français étaient parfois étrangement conservateurs. À New York, Kate n'avait aucun problème à dire qu'elle avait un fils homosexuel et qu'il vivait avec son partenaire.

— Waouh, je n'arrive pas à vous imaginer grand-mère, remarqua Bernard avec un coup d'œil admiratif qui la fit rire.

— Moi non plus ! Je ne suis pas sûre d'être prête...

En réalité, elle n'y avait pas encore songé en ces termes. Pour le moment, c'était le bébé de Justin, pas son petit-fils ou sa petite-fille à elle... Cette perspective avait quelque chose de déstabilisant.

Ils continuèrent à bavarder longtemps après avoir fini leurs cafés. Puis Bernard régla l'addition et la raccompagna chez elle. Avant qu'elle ne descende de voiture, il lui adressa un regard chaleureux.

— J'ai vraiment passé un bon moment, Kate. J'ai hâte de vous revoir lors de mon prochain passage en février.

— J'espère quant à moi faire un tour à Paris très bientôt pour renouveler mon stock.

— Alors prévenez-moi un peu avant. J'adorerais vous retrouver là-bas.

— C'est promis.

Kate se sentait finalement très à l'aise avec lui. De toute évidence, son mariage n'avait plus de valeur que sur le papier. Aucune des anecdotes qu'il racontait n'impliquait sa femme. C'était un électron libre.

Après l'avoir embrassée sur les deux joues, il attendit qu'elle soit rentrée dans le hall de l'immeuble, puis lui adressa un signe de la main à travers la vitre.

Quelques minutes plus tard, Kate se faisait couler un bain. Elle songea en souriant que Bernard était vraiment un homme sympathique, avec qui il était plaisant de travailler... et voilà qu'ils étaient devenus amis ! Kate se mit à rire. Cette soirée lui avait donné un nouvel élan.

# 10

La veille de la Saint-Valentin, une terrible tempête de neige balaya le sud du Vermont. Justin et Richard, qui avaient invité des amis à dîner, les appelèrent vers seize heures pour annuler, car les routes étaient devenues impraticables. Dans la soirée, la neige cessa, mais les températures chutèrent et la chaussée se couvrit de plaques de verglas. Les services météorologiques diffusaient des flashs spéciaux conseillant aux gens de rester chez eux.

Les deux amoureux se couchèrent de bonne heure et dormaient à poings fermés lorsque le téléphone sonna, à trois heures du matin. C'est Justin qui répondit. D'abord groggy, il se dressa brusquement sur son séant.

— Comment va-t-elle ? Que s'est-il passé ?

Richard émergea à son tour. Ses pensées se tournèrent aussitôt vers la grand-mère de Justin à New York, où la tempête sévissait également.

— Est-ce que nous pouvons la voir ? demanda Justin d'une voix tremblante. Quand saurons-nous ? Est-ce qu'elle saigne beaucoup ?

Il avait fermé les yeux. Son compagnon posa une main sur son épaule pour le calmer. Quelques instants plus tard, Justin raccrocha et se tourna vers Richard, en panique.

— C'est Louise ?

Justin secoua la tête.

— Non, c'est Shirley. Ils ont eu un accident de voiture. La mère de Jack est tombée chez elle, elle s'est cassé le col du fémur. Ils étaient en route pour la voir à l'hôpital quand leur van a dérapé sur le verglas. Ils ont percuté un arbre. Shirley a une commotion cérébrale, mais elle n'a pas perdu connaissance. En revanche, elle s'est mise à saigner il y a une heure environ. Les médecins ne peuvent pas encore prédire la suite.

La jeune femme en était à deux mois et demi de grossesse, la période la plus sensible pour les fausses couches... Le visage de Richard s'assombrit.

— Ils ont fait une échographie, reprit Justin, et le cœur bat encore. D'après l'infirmière, l'hémorragie ne signifie pas forcément que Shirley va perdre le bébé.

— Est-ce qu'on peut la voir ? demanda Richard en attrapant son jean sur la chaise.

— Oui, répondit Justin, anéanti. Tu veux y aller par ce temps ?

— Je conduirai tout doucement, j'ai l'habitude. Tu veux m'attendre ici ?

— Tu plaisantes ? Bien sûr que non.

Ils s'emmitouflèrent en toute hâte dans leurs vêtements les plus chauds et se dirigèrent vers la voiture à pas prudents, priant pour qu'elle veuille bien démarrer. Tandis que Richard tentait de mettre le contact, Justin dégagea l'allée avec la pelle à neige. Enfin, le moteur démarra dans un toussotement. Ils le laissèrent tourner quelques minutes, puis sortirent du jardin le plus lentement possible. Sur la route, ils ne dépassèrent pas les 10 km/h, essayant d'éviter les plaques de verglas. Ils glissèrent une fois, mais Richard reprit le contrôle du véhicule. Il leur fallut une demi-heure pour atteindre l'hôpital, au lieu de cinq minutes en temps normal. Shirley était toujours aux urgences. Sonnée par le choc, qui lui avait occasionné maux de tête et vomissements, elle était très pâle. À la vue des deux hommes, son visage s'éclaira, mais son sourire se fondit aussitôt dans un sanglot.

— Les garçons, je suis tellement désolée...

Le cœur de Justin se serra.

— Est-ce que... ? Est-ce qu'il..., lâcha-t-il d'une voix étranglée.

L'infirmière intervint :

— Tout va bien. L'échographie montre que l'embryon est toujours là, le cœur bat normalement. Il faut juste prendre soin de Shirley, qui est un peu secouée. Elle a besoin de repos ; nous la gardons en observation.

À ces mots, elle borda la patiente à l'aide d'une grosse couverture, et les deux hommes sortirent pour la laisser dormir.

Justin et Richard restèrent assis dans la salle d'attente jusqu'à sept heures trente du matin. Entre-temps, le personnel installa Shirley dans une chambre, car si elle saignait toujours un peu, l'embryon ne présentait aucun signe anormal. On leur conseilla de rentrer chez eux.

Quand ils revinrent prendre des nouvelles sur le coup de midi, une interne s'approcha d'eux avec un sourire encourageant.

— Elle va bien. L'hémorragie s'est arrêtée. Nous gardons Shirley jusqu'à demain. Par précaution, elle devra garder le lit pendant quelques jours. Mais ce bébé a l'air bien accroché !

— Dieu soit loué, lâcha Justin.

Après avoir remercié la jeune femme, ils frappèrent à la porte de la chambre. Shirley était pâle et souffrait de migraine. Cependant les vertiges s'étaient calmés. Et par chance, elle ne ressentait aucune crampe ou contraction au niveau de l'abdomen.

— Justin, Richard, je suis vraiment désolée. Ma belle-mère s'est cassé le col du fémur... Jack conduit très prudemment, vous savez, mais il n'a pas vu une plaque de verglas, et *bam* !

— Nous sommes bien contents que ça n'ait pas été plus grave pour Jack et toi, répondit Justin en toute sincérité. Est-ce qu'on peut faire quelque chose pour t'aider ?

Après ce moment fort en émotion, le tutoiement lui était venu sans qu'il y pense.

— Non, merci. Le docteur préconise beaucoup de repos, mais je devrais m'en sortir sans séquelles. J'ai juste paniqué pour le bébé...

— Nous aussi, je te l'avoue. Heureusement, il y a eu plus de peur que de mal.

Sur ce, les deux amoureux prirent congé et descendirent acheter des magazines et une peluche à son intention. Ils s'arrêtèrent aussi chez le fleuriste sur le chemin du retour et lui firent livrer un gros bouquet multicolore. Arrivés chez eux, ils se recouchèrent, épuisés. Ne parvenant pas à dormir, ils restèrent un long moment à parler de cette nuit riche en émotions. Quelle frayeur ! L'espace d'un instant, ils avaient bien cru que le bébé était perdu. Plus tard dans l'après-midi, Justin appela Julie pour lui raconter l'incident. Comme toujours, sa sœur lui témoigna toute son empathie. Elle avait hâte de devenir la tante préférée de ce petit être en devenir ! Son seul regret était que ce ne soient pas des jumeaux.

Le lendemain, le van de Jack étant au garage, sévèrement endommagé, Justin et Richard allèrent chercher

Shirley à l'hôpital. Elle avait déjà meilleure mine que la veille. Sa belle-sœur avait pris les enfants chez elle pour quelques jours. Bien que le médecin lui ait finalement dit qu'elle n'avait pas besoin de rester alitée tant qu'elle ne faisait aucun effort, elle mit un point d'honneur à ne pas bouger pour rassurer Justin et Richard...

Au final, l'épisode leur rappela la fragilité de la vie et leur fit comprendre à quel point ils désiraient ce bébé.

Fin février, Kate se rendit à Paris, ainsi qu'elle l'avait annoncé à Bernard. Elle s'offrit une chambre au Meurice et se mit en route pour explorer ses coins préférés : l'Hôtel Drouot, bien sûr, mais aussi tous les petits dépôts-ventes haut de gamme de la capitale française, dans lesquels elle avait ses habitudes depuis des années. Dès le premier jour, elle trouva plusieurs articles intéressants, se promena sur les quais de Seine et but un thé dans une brasserie typique.

Le lendemain, elle appela Bernard, lequel déclara qu'ils se devaient de fêter la signature de leur contrat, finalisé la semaine précédente. Il suggéra un dîner au Voltaire, un des restaurants préférés de Kate à Paris, car on y croisait souvent des célébrités du monde de la mode. Bernard vint la chercher dans son Aston Martin. Kate remarqua son costume parfaitement taillé, plus élégant que la plupart des tenues qu'elle l'avait vu porter à New York. Il lui adressa un large sourire et la serra chaleureusement dans ses bras pour lui faire la bise. Un instant plus tard, ils filaient dans les rues sous un soleil presque printanier, exceptionnel pour cette période de l'année.

La soirée fut merveilleuse, et dès le lendemain, il sortit le grand jeu en l'invitant chez Apicius. Cette fois, il avait revêtu un costume anthracite. Pour sa part, Kate portait une petite robe de cocktail noire sous un manteau en vison brun foncé. Le décor somptueux de l'ancienne demeure des Rothschild, à deux pas des Champs-Élysées, donnait clairement une tonalité plus romantique à leur entrevue. Elle remarqua que les serveurs et maîtres d'hôtel connaissaient bien Bernard et qu'ils étaient aux petits soins pour eux.

— Il m'arrive de louer un salon privé ici, quand j'invite un groupe d'amis à dîner, expliqua Bernard. Pour un homme seul comme moi, c'est une façon pratique de recevoir.

Kate finit de se convaincre qu'il était bien célibataire dans les faits, sinon sur le papier, et songea qu'elle avait rarement passé une aussi bonne soirée. Les saveurs du repas gastronomique, par l'un des plus grands chefs parisiens, étaient tout simplement renversantes ; le décor raffiné et le service irréprochable ne gâtaient rien. Juste avant de la déposer à son hôtel, Bernard lui proposa une excursion à Deauville le lendemain, qui était un samedi.

Ils partirent dès potron-minet, se promenèrent sur les Planches de la petite ville balnéaire et déjeunèrent dans un restaurant de poisson. Il faisait nuit lorsqu'ils rentrèrent à Paris. Il lui offrit un dernier verre au bar de son hôtel.

— Que faisons-nous demain ? lui demanda-t-il.

— Tu me gâtes trop… Mais j'avoue que c'est plutôt agréable.

— J'ai une idée : que dirais-tu de déjeuner à la Grande Cascade, puis d'aller au Grand Palais pour voir l'expo dont tout le monde parle en ce moment ?

Elle accepta.

Quelques minutes plus tard, tandis que les portes

de l'ascenseur se refermaient sur elle, il lui adressa un signe de la main à regret. Une fois dans sa chambre, Kate appela sa mère, mais elle ne lui dit pas un mot de Bernard. Après tout, elle pouvait bien dîner avec qui elle voulait lors de son séjour à Paris... Officiellement, elle était là pour renouveler son stock et elle ne parla à Louise que des belles pièces qu'elle avait acquises aux enchères. Même à son âge, Kate n'avait pas envie de raconter à sa mère qu'elle se faisait courtiser par un homme marié : Louise ne verrait pas cela d'un très bon œil. Mais à vrai dire, elle non plus, si un de ses enfants se trouvait dans la même situation...

Elle se demanda soudain si ceux-ci lui cachaient beaucoup de choses... Ainsi va la vie, songea-t-elle : chaque génération fait des cachotteries à la précédente, que ce soit pour éviter les critiques ou pour épargner des soucis à ses parents.

Le lendemain midi, Bernard et Kate profitèrent d'un déjeuner décontracté à la Grande Cascade, avec vue sur le bois. Puis ils passèrent un bon moment à admirer les œuvres d'art au Grand Palais, firent une longue promenade sur les Champs-Élysées et s'installèrent enfin dans la galerie du George V pour prendre le thé au son d'un orchestre de chambre, ne se privant pas d'observer les autres clients et de faire quelques commentaires par-ci, par-là. Entre eux, il n'y avait jamais de blanc dans la conversation, et Kate appréciait de plus en plus la compagnie de Bernard, davantage qu'elle n'aurait dû.

Alors qu'ils se tenaient tous deux devant l'entrée du Meurice, elle aurait voulu le remercier pour cette merveilleuse journée, mais les mots refusaient de franchir ses lèvres... Sans rien dire, il l'attira à lui et l'embrassa.

D'abord surprise, elle se laissa fondre dans ses bras, enivrée, avant de le repousser doucement.

— Est-ce bien raisonnable ? souffla-t-elle.

Tout à coup, elle ne savait plus si elle devait le considérer comme marié ou célibataire. Mœurs françaises ou pas, la situation de Bernard lui paraissait terriblement ambiguë.

— Pourquoi pas ? Je suis un homme libre...

Il semblait si sincère qu'elle l'embrassa à son tour. À son grand soulagement, il ne lui demanda pas la permission de monter dans sa chambre, même si elle sentait qu'il en brûlait d'envie. Une chance, car elle ne savait pas trop comment elle aurait réagi. Elle avait besoin de temps pour digérer tout ce que leur relation impliquait ou n'impliquait pas. Après tout, Bernard était peut-être un séducteur invétéré. Mais si tel était le cas, il était vraiment doué, car il se montrait très attentionné et à l'écoute. Il l'embrassa une dernière fois avant de la laisser à la porte de l'ascenseur, puis l'appela dès qu'il fut de retour chez lui.

— Je n'arrête pas de penser à toi, déclara-t-il.

Kate sourit. Elle non plus ne pouvait s'empêcher de penser à lui. Avait-elle réellement envie de vivre une histoire d'amour, surtout avec un partenaire commercial – marié de surcroît ? D'un autre côté, il était si drôle et si séduisant... Aux États-Unis, aucun homme ne lui avait jamais témoigné autant d'égards. Les Français maîtrisaient si bien l'art de la galanterie qu'il était difficile de leur résister.

Le lendemain, Bernard avait fort à faire. Le soir venu, il ne l'invita pas à dîner mais se présenta à son hôtel et l'appela depuis le hall pour lui proposer de boire un verre. Il était vingt-deux heures. Il lui expliqua qu'il sortait tout juste d'un dîner de travail avec des hommes d'affaires chinois, de potentiels clients. L'heure tardive la fit hésiter, mais il la convainquit de descendre au bar comme elle était. C'est donc en pull et en jean, les cheveux lâchés, qu'elle fit tinter sa flûte de champagne contre la sienne.

Le lendemain, il l'accompagna à une vente publique, où il admira ses talents d'enchérisseuse et la complimenta sur les superbes pièces qu'elle venait d'acquérir. Un soir, ils allèrent simplement au cinéma. Jour après jour, Kate était obligée d'admettre qu'il était sans doute aussi libre qu'il l'affirmait, ce qui dissipa ses dernières réticences. Qu'importe qu'il fût légalement marié, si elle n'empiétait pas sur le pré carré d'une autre femme !

Pendant le dernier week-end de Kate en France, ils allèrent à Versailles en voiture, se promenèrent dans le parc du château et dînèrent dans un petit bistro. Elle quittait Paris le surlendemain. Grâce à lui, elle avait passé deux semaines de rêve.

— Je suis triste que tu repartes si vite, soupira-t-il en la raccompagnant.

— Moi aussi, répondit-elle avec sincérité. J'ai toujours adoré Paris, mais je n'en avais jamais autant profité... Merci pour tout, Bernard.

— Tu le mérites bien, tu sais. Et je crois que je vais me sentir très seul après ton départ. Heureusement que je retourne à New York le mois prochain.

Devant l'hôtel Meurice, Bernard confia son Aston Martin au voiturier, qui les avait reconnus de loin. Alors qu'ils entraient dans l'hôtel bras dessus, bras dessous, il se pencha pour murmurer la question qui lui brûlait les lèvres depuis deux semaines.

— Est-ce que je peux monter ? souffla-t-il dans ses cheveux.

Elle se tourna vers lui et, les yeux rivés aux siens, elle hésita un long moment. Elle s'était promis de ne pas céder, mais l'émotion qu'elle lisait dans son regard eut raison de sa volonté. Elle opina lentement, et il la suivit sans un mot dans l'ascenseur. Dès qu'ils eurent refermé la porte de la chambre, il l'enlaça et laissa libre cours au désir qui montait en lui depuis leur première rencontre. En moins d'une minute, ils se retrouvèrent nus sur le lit, emportés par la passion comme de jeunes tourtereaux.

Kate se sentit submergée par une vague d'émotion qui emportait tout sur son passage. Quand ce fut terminé, ils se regardèrent, radieux et hors d'haleine.

— Seigneur, je suis fou de toi, Kate. J'ai l'impression d'avoir dix-huit ans. Tu m'as ensorcelé. Comment vais-je faire ? Comment vais-je survivre sans te voir tous les jours ?

— Nous trouverons bien une solution, le rassura Kate avant de l'embrasser à nouveau.

Après tout, le fait de ne pas se voir en permanence ajouterait de l'intensité à leurs rencontres, songea-t-elle. Si les choses devenaient plus sérieuses entre eux, ils pourraient toujours en discuter au fur et à mesure...

Bernard passa le reste de la nuit avec elle, ce qui scella quelque part leur relation naissante. Au matin, ils prirent le petit déjeuner dans la chambre, puis Bernard partit travailler, non sans lui avoir promis de trouver une idée de sortie. Kate n'avait plus que deux soirs à passer à Paris, et ils comptaient bien profiter à fond de ces derniers instants avant de se revoir en mars.

Finalement, ils dînèrent dans un des bistros préférés de Bernard, sur la rive Gauche, puis se promenèrent devant Notre-Dame, enlacés au clair de lune. Jamais

Kate n'oublierait cette scène idyllique... Ensuite, ils rentrèrent à son hôtel et passèrent la nuit ensemble.

La veille de son départ, ils ne prirent même pas la peine de sortir : ils commandèrent quelque chose à grignoter dans la chambre de Kate et passèrent une soirée tranquille, à parler de Still Fabulous et de leurs différents projets.

Le lendemain, Bernard conduisit Kate à l'aéroport. Il était navré de ne pouvoir attendre avec elle jusqu'à l'heure du départ, mais il avait un rendez-vous dans la matinée. Après l'avoir aidée à enregistrer ses bagages, il l'embrassa tendrement et la quitta avec un signe de la main. Au cours de ces deux semaines, la Ville lumière avait offert à Kate tout ce qu'elle avait de plus romantique.

Deux heures plus tard, en montant à bord de son avion, elle souriait encore en pensant à Bernard lorsqu'elle reçut de sa part un SMS en français. *À bientôt. Je t'aime.* C'était tout ce qu'elle avait besoin de savoir.

# 11

De retour à New York, Kate eut bien du mal à reprendre sa routine habituelle. Elle flottait sur un petit nuage. Son séjour à Paris avait été parfait. Le premier jour, alors qu'elle répondait aux mails et courriers accumulés sur son bureau en son absence, Bernard lui fit parvenir un gigantesque bouquet de roses rouges et lui envoya plusieurs SMS romantiques. *J'ai très envie de t'appeler,* écrivit-il, *mais je ne veux pas te déranger dans ton travail.*

Le soir venu, Kate dîna avec sa mère. D'excellente humeur, celle-ci évoqua ses nombreux projets et activités, avant de demander à sa fille comment s'était déroulé son séjour parisien. Une fois encore, Kate passa sous silence sa relation avec Bernard. Sa mère ne comprendrait sans doute pas « l'arrangement » qu'il avait conclu avec son épouse. Pourtant, elle-même avait pu constater, au cours de ces deux semaines passées à Paris, que la situation était conforme à la description qu'il lui en avait faite : il menait librement sa vie et, s'il ne lui en avait pas parlé, Kate n'aurait jamais soupçonné qu'il était légalement marié. Mais elle savait que sa mère s'inquiéterait pour elle. Elle aussi aurait peur de voir sa fille souffrir si jamais Izzie ou Julie tombait amoureuse d'un homme marié.

Le lendemain, elle déjeuna avec Izzie, qui la tint

informée de l'avancée des préparatifs du mariage. Elle avait commandé les faire-part, rencontré la fleuriste pour la décoration de la maison sur Washington Square Park et trouvé le juge qui acterait la cérémonie. À deux mois de la date fatidique, Izzie avançait comme un chef d'état-major... et Kate était persuadée qu'elle courait à la catastrophe. L'imaginant dans sa fabuleuse robe ancienne, au bras de cet homme si peu recommandable, elle était ballottée par les sentiments contradictoires que lui insufflait son amour maternel, entre l'envie d'empêcher sa fille de commettre une telle folie, et celle de la laisser faire, dans la mesure où elle était majeure et libre...

Pour cesser d'y penser, Kate se jeta à corps perdu dans le travail. D'ailleurs, avec la prochaine mise en service de la boutique en ligne, elle avait fort à faire. L'équipe de Bernard avait déjà orchestré une campagne de presse pour annoncer la date de lancement de Fabulous on the Net. Et Julie lui proposa de venir l'aider à choisir les vêtements qu'elle mettrait en vente sur le site.

Mère et fille travaillèrent d'arrache-pied tout le week-end. Elles tombèrent d'accord sur une cinquantaine d'articles vraiment époustouflants, qui partiraient en un clin d'œil, et la série de photos artistiquement réalisées par sa fille plut beaucoup à Kate. Le lundi, elle la rappela pour lui proposer de l'accompagner à une soirée de gala. C'était l'inauguration d'une exposition de vêtements Art déco au Metropolitan Museum : elle avait complètement oublié qu'elle y était invitée.

— J'aimerais bien, mais je n'ai rien à me mettre, prétexta Julie.

Kate éclata de rire.

— Tu plaisantes ? Ton dressing déborde de tes

propres créations, et tu as carte blanche dans la boutique de ton patron ! Qu'est-ce qu'il te manque ? Une petite robe noire ? Choisis la marque, j'en ai des dizaines, de quoi habiller tout Greenwich Village pour un cocktail géant.

— Ah non, le noir, c'est trop ennuyeux. Tu n'aurais pas quelque chose de rouge ?

— Je vais voir ça tout de suite ! lança Kate.

Dix minutes après avoir raccroché, elle avait sélectionné trois robes susceptibles de plaire à Julie. Elle demanda à Jessica de les prendre en photo et de les envoyer sur le portable de sa fille. Il y avait un modèle très sexy de chez Hervé Léger, une magnifique robe signée Christian Dior et une autre sans griffe connue, mais pour laquelle Kate avait eu un coup de cœur.

Julie la rappela une heure plus tard.

— Merci pour les photos, maman, mais tu tiens vraiment à ce que je vienne avec toi ?

— Bien sûr, ça te changera les idées, chérie, et je n'ai pas envie d'y aller toute seule.

— Pourquoi est-ce que tu n'emmènes pas Willie ? Lui, au moins, il adore sortir.

— Tu plaisantes ? Ce genre d'événement est beaucoup trop guindé à son goût. Et à moins de me balader avec un panneau « C'est mon fils », je passerais pour une cougar !

En outre, quel jeune homme de vingt-quatre ans avait envie de passer du temps avec sa mère ?

— Alors, est-ce que l'une des robes te plaît ? reprit Kate, avalant en vitesse le yaourt qui lui tenait lieu de déjeuner.

— J'avoue que la Hervé Léger n'est pas trop mal.

— Merci beaucoup... Sache que je la vends deux mille dollars et qu'elle n'a jamais été portée. La femme à qui elle appartenait l'avait achetée cinq mille, mais elle est vraiment minuscule. Il faut avoir une silhouette de liane : à part toi, je ne sais pas qui rentrerait dedans. Tu veux que Jessica te l'apporte au bureau ? Essaie-la, je pense qu'elle fera son petit effet.

— Mouais, pourquoi pas...

Kate dit à son assistante d'arrêter tout ce qu'elle était en train de faire et la mit dans un taxi avec le vêtement, puis elle rappela Julie peu après.

— Alors, cette robe ?

— J'avoue qu'elle est plutôt cool ! Tu as un sacré coup d'œil, maman.

— Venant d'une vraie pro comme toi, je suis flattée, ma chérie. Je passe te chercher à dix-neuf heures trente.

La soirée débutait à vingt heures ; il leur faudrait un peu de temps pour arriver au musée à l'heure de pointe.

Plus tard dans l'après-midi, Liam appela Kate pour se plaindre qu'elle ne l'avait pas encore contacté depuis son retour de Paris. De fait, Kate l'évitait... et culpabilisait à ce sujet. Que pourrait-elle lui dire ? Elle savait qu'il n'approuverait pas sa relation avec un homme marié. Liam avait des idées très arrêtées sur l'adultère, et il ne verrait sans doute rien de charmant dans les « arrangements » à la française. Kate ne lui parla donc pas de Bernard, se contentant de lui dire qu'elle avait passé un excellent séjour à Paris et fait de belles trouvailles.

— Super. Et comment va Izzie ? Elle n'a toujours pas changé d'avis ?

— Elle est plus partante que jamais, soupira Kate. Mais que veux-tu ? Je ne vais pas lui interdire de se marier... Bon, il faut que je te laisse, Liam. Ce soir, je sors avec Julie : je l'emmène à un gala. Cela ne peut pas lui faire de mal, de s'habiller un peu et de voir de nouvelles têtes.

Kate rentra chez elle en toute hâte pour se changer. Elle avait décidé de mettre son tailleur Dior en velours noir, qu'elle savait particulièrement photogénique. La soirée serait couverte par la presse et Kate ne voulait pas manquer l'occasion de mettre en avant le lancement de sa boutique en ligne. Elle incarnait une présence discrète en marge de la scène de la mode, mais les gens du milieu et les fashionistas la connaissaient.

Quand le taxi de Kate s'arrêta devant chez Julie, la jeune femme émergea de l'immeuble, moulée dans la robe rouge. Une touche de vermillon sur les lèvres, ses cheveux de jais relevés en chignon serré, une veste en renard noir que sa mère lui avait offerte pour Noël cinq ans plus tôt et une paire d'escarpins vertigineux, assortis à la robe...

— Waouh, tu es canon ! s'exclama Kate, non sans fierté.

— Merci, maman. Tu n'es pas mal non plus.

Kate portait un manteau de zibeline noir sur son tailleur Dior, et ses talons culminaient presque aussi haut que ceux de Julie. Ensemble, elles ne passèrent pas inaperçues ; les photographes de *Vogue* et de *Women's Wear Daily* les mitraillèrent dès qu'elles franchirent les portes du musée. Les têtes se tournèrent au crépitement des flashs, et les yeux des hommes se fixèrent sur Julie.

Après la visite de l'exposition, on servit des petits-fours et du champagne dans le hall. Julie attrapa une coupe quand le serveur passa près d'elle, puis se contenta d'observer l'assistance, tandis que sa mère bavardait avec la curatrice. La jeune femme était plus timide que Kate ou Izzie, et sa position de sœur jumelle lui avait longtemps servi de refuge. Lorsqu'ils étaient enfants, puis adolescents, elle comptait sur Justin pour la protéger et parler en son nom. Il faut dire que sa dyslexie l'avait empêchée d'avoir autant de confiance en elle que ses frères et sœur. Devenue adulte, elle avait encore du mal à engager la conversation avec des inconnus en l'absence de Justin.

Kate la présenta à différentes personnes, puis on les invita à passer dans l'aile des antiquités égyptiennes, où un banquet était dressé. Un époustouflant service en porcelaine dorée à l'or fin, prêté par Tiffany pour l'occasion, trônait sur les nappes en organdi vaporeux. Dans ce décor grandiose, avec sa chevelure noire, ses lèvres rouges et sa robe près du corps, Julie avait l'air d'une reine d'Égypte.

Placées à une table de dix, avec deux chroniqueuses de mode que Kate connaissait vaguement et un conservateur renommé du musée, elles furent rejointes par un jeune homme et sa cavalière. Celui-ci se désintéressa bientôt de sa compagne, une jeune femme blonde au teint pâle, pour engager la conversation avec Julie, laquelle, visiblement, le captivait. Il était employé d'une grande entreprise et habitait New York depuis deux ans, après avoir vécu à Chicago et à Atlanta. Il adorait la Grosse Pomme et ses habitants.

— Peter White, se présenta-t-il.

Julie resta d'abord distante. Elle n'avait que peu d'occasions de rencontrer des hommes comme lui. Les rares fois où elle sortait, elle ne fréquentait que des gens de son milieu – ses stagiaires, des collègues designers ou d'autres artistes –, de sorte qu'elle ne savait pas très bien quoi dire à un cadre dynamique dans le genre de Peter. C'est donc lui qui fit la conversation dans un premier temps.

Assez vite, il parvint à la faire rire et Julie passa dès lors une excellente soirée, buvant juste assez de vin pour se détendre. Arrivés au dessert, les deux jeunes gens avaient l'impression d'être amis de longue date.

— Est-ce que tu viens souvent au Met ? lui demanda-t-il.

Élégant, fort poli, c'était le genre d'hommes à l'aise dans n'importe quel contexte. Et pour ne rien gâter, sa large carrure laissait deviner un corps d'athlète... Il lui avait confié qu'il était féru de sport et assistait régulièrement aux matchs de hockey ou de football américain.

— Pas vraiment. Je suis venue pour accompagner ma mère, confia-t-elle de sa voix à la fois rauque et ingénue qui enchantait la gent masculine. Je ne sors que très rarement. Je travaille beaucoup.

Elle était d'une beauté frappante, presque exotique, avec ses cheveux sombres, sa peau blanche et ses grands yeux bruns.

— Ah oui ? J'imagine que ton travail est passionnant.

— Oh, je ne sais pas, je suis dessinatrice de mode.

Lorsqu'elle mentionna la marque, Peter fut impressionné.

— Waouh, tu dois être très douée !

— Pas vraiment. En fait, je dessine des vêtements depuis toute petite. À l'école, j'ai toujours préféré l'art aux autres matières, alors j'en ai fait mon métier dès que j'ai pu, après un cursus à la Parsons School of Design.

Ils parlaient encore à bâtons rompus lorsque les autres convives commencèrent à se lever de table.

Ayant remarqué leur intense conversation, Kate n'avait pas voulu les déranger : Peter était beau garçon, semblait intelligent... et fasciné par sa fille.

Il prit congé : la jeune femme blonde qui l'accompagnait le tirait par la manche. Pendant tout le repas, elle s'était entretenue avec son voisin de droite. À présent, elle voulait le présenter à une connaissance. Elle parlait avec un fort accent du sud des États-Unis et se montrait un peu trop collante au goût de son partenaire.

— On y va, maintenant ? murmura Julie à l'intention de sa mère.

— D'accord, donne-moi juste le temps de dire au revoir à une ou deux personnes. Tu ne t'es pas ennuyée au moins ? Tu semblais passer un bon moment avec ton voisin de table...

— Ouais, il est assez sympa.

Julie ne voulait pas lancer sa mère sur le sujet des hommes...

— Qu'est-ce qu'il fait dans la vie ?

— Je n'ai pas tout compris, mais il est cadre dans une grande boîte. Il habite New York depuis deux ans et il aime le hockey.

Kate rit en entendant sa fille résumer deux heures de conversation en deux phrases. Elles se préparèrent à partir. Peter avait disparu dans la foule, et la soirée s'essoufflait. En dépit de ses préventions contre ce type d'événements, Julie s'était bien amusée. Pour sa part, Kate avait eu une conversation passionnante avec le conservateur du musée, qui était un véritable puits de science.

— Tu devrais garder cette robe, conseilla-t-elle à sa fille dans le taxi qui les ramenait au sud de Manhattan. Elle te met vraiment en valeur.

— Merci, maman ! C'est vrai qu'elle me plaît bien.

— En tout cas, elle a fait forte impression : ton voisin te dévorait des yeux.

— Je crois juste qu'il s'ennuyait ferme avec la fille qu'il avait invitée. Il ne lui a pas adressé la parole de la soirée.

— C'est peut-être parce qu'il te préférait...

Julie esquissa un sourire. Elle était arrivée. Kate la regarda entrer dans son immeuble, puis elle demanda au chauffeur de taxi de la déposer à Soho. Une fois chez elle, elle s'aperçut qu'elle avait reçu un mail de Bernard, mais il était cinq heures du matin à Paris, et elle ne pouvait pas le rappeler. Le décalage horaire ne leur facilitait pas la tâche... Plus que deux semaines avant son retour à New York – elle avait hâte de le voir !

Le lendemain matin, Julie fut très surprise de recevoir un coup de fil de Peter White à son bureau. Ainsi, il avait mémorisé le nom de sa maison de couture...

— Petite cachottière, lui lança-t-il. La fille du standard m'a dit que tu étais la créatrice principale !

— Hum, eh bien... je ne suis que directrice de collection, et nous travaillons tous ensemble...

En effet, le styliste qui possédait la marque récoltait tous les lauriers, mais le travail était plutôt le fruit d'une collaboration étroite avec toute son équipe.

— Ne sois pas si modeste ! En tout cas, grâce à toi, j'ai vraiment apprécié la soirée d'hier. Je t'appelle pour savoir si tu aimerais venir à un match de hockey avec moi demain soir. C'est sûr, ce ne sera pas aussi glamour qu'au Met, mais tu verras, c'est marrant.

— Oui, je sais, j'ai déjà assisté à des matchs avec mon frère. Lui aussi aimait ça, quand on était ados.

— Vraiment ? Ton grand frère, ou ton petit frère ?

— Ni l'un ni l'autre ! Enfin si, techniquement, c'est lui l'aîné... de cinq minutes. Nous sommes jumeaux.

— Waouh, la classe ! J'ai toujours rêvé d'avoir un frère jumeau.

— Oui, on a plein de bons souvenirs ensemble. J'ai détesté la fin du lycée, quand nous avons dû partir étudier chacun de notre côté. Mais c'est toujours mon meilleur ami.

— Est-ce qu'il vit à New York ?

— Non, dans le Vermont. Je vais le voir chaque fois que j'ai des jours de congé.

Un ange passa. Julie ne savait plus que dire. Elle se sentait tout à coup bien plus timide au téléphone que la veille, au Met, dans son incroyable robe rouge, où elle avait eu l'impression de jouer un rôle.

— Alors, à propos de ce match ? reprit Peter.

— Oui, ça me plairait, merci beaucoup.

— Génial ! N'oublie pas de bien te couvrir.

— Oui, oui, je sais ! dit-elle en se mettant à rire comme une toute jeune fille.

— Où est-ce que je passe te chercher ?

Elle lui donna son adresse, précisant qu'elle l'attendrait dehors. Elle ne voulait pas faire monter un inconnu à la porte de son appartement.

— Euh, c'est dans quel quartier ? demanda-t-il, perplexe.

— Dans le Bowery. Tu ne connais pas ? C'est un quartier très cool, arty, éclectique... Et toi, tu habites où ?

— Soixante-Dix-Neuvième Rue Est.

En plein Upper East Side, donc, au nord de Manhattan, où vivaient la plupart des jeunes cadres. Les proches de Julie résidaient comme elle à la pointe sud de l'île, entre Soho, Tribeca, Greenwich Village et le Meatpacking District. Ses amis artistes avaient une prédilection pour Chelsea et Brooklyn. Pour Peter, ce devait être un autre monde.

— Ça ne te dérange pas de faire tout ce chemin ? s'enquit-elle. Sinon, on peut se retrouver devant Madison Square Garden, je n'aurai qu'à prendre le métro.

— Bien sûr que non, s'offusqua Peter. Je serai ravi de passer te prendre en taxi.

Avant de raccrocher, il lui demanda son numéro de téléphone et son adresse mail, au cas où il y aurait un imprévu. Julie se demanda ce qui s'était passé avec la fille qui l'accompagnait la veille. Est-ce qu'elle comptait pour lui ? À en juger par la façon dont la soirée s'était déroulée, c'était peu probable... Julie appela immédiatement son frère pour lui faire part de ce mini-événement. Évidemment, Justin se montra ravi pour elle. À sa connaissance, il y avait une éternité qu'elle n'était pas sortie avec un homme. Et puisqu'elle l'avait rencontré au Met, en compagnie de leur mère, il se dit que ce Peter devait être un type recommandable.

Pendant le match, Julie s'amusa comme une folle. Elle portait une paire de bottillons militaires qu'elle adorait, un jean et une parka noirs, ainsi qu'un pull en angora blanc. Elle avait laissé libres ses cheveux sombres et s'était à peine maquillée. Elle paraissait encore plus jeune que le lundi soir. Ils mangèrent des hot-dogs, du pop-corn, des glaces... et Julie acheta une barbe à papa quand la distributrice passa dans les gradins, ce qui fit bien rire Peter.

— Bon, dis-moi la vérité, Julie : quel âge as-tu ?

— J'adore la barbe à papa, s'excusa-t-elle, couverte de sucre rose du menton jusqu'au bout du nez. J'ai trente ans, pourquoi ?

— Tu fais beaucoup plus jeune. Surtout ce soir, sans tes talons hauts et cette robe incroyable.

Elle se défendit lorsqu'il la taquina au sujet de ses godillots – c'étaient ses chaussures préférées –, et Peter déclara qu'il adorait qu'elle puisse ainsi passer d'un extrême à l'autre, qu'elle se sente parfaitement à l'aise au stade, alors que la jeune femme qui l'avait accompagné au Met, originaire de Savannah, n'avait jamais voulu en entendre parler. Et en effet, Julie criait aussi fort que lui quand les Rangers marquaient. L'équipe new-yorkaise affrontait les Bruins de Boston. La partie était serrée.

— Et toi, tu as quel âge ? lui demanda-t-elle.

Peter commençait vraiment à lui plaire. Il était intelligent, drôle et surtout très respectueux envers elle – avec une galanterie un peu démodée, mais au moins elle se sentait détendue et en sécurité en sa compagnie.

— Trente-quatre, répondit-il.

À cet instant, les Rangers marquèrent, et tous deux se levèrent en poussant un cri de joie. Au final, leur équipe remporta la victoire. Puis, comme ni l'un ni l'autre n'avait plus faim en sortant du stade, il l'emmena dans un bar au décor de pub anglais, où ils restèrent longtemps à bavarder autour d'un verre de vin.

La conversation fut tout à fait détendue. Il lui expliqua qu'il était originaire d'une petite ville de l'Iowa et qu'il avait deux frères, plus jeunes que lui. Son père était directeur financier dans une compagnie d'assurances, tandis que sa mère était restée au foyer pour les élever. Peter avait étudié à l'université d'Iowa, puis en section commerce à l'université Northwestern de Chicago. Depuis, il travaillait en entreprise. Ses deux frères, mariés depuis plusieurs années déjà et tous deux parents, étaient restés profondément provinciaux.

— Ils me croient fous de préférer la grande ville. Ils m'ont rendu visite, mais ils ont détesté New York. Je sais que c'est incroyable... Comment ne pas aimer cette ville ? Pour moi, c'est le centre du monde !

— Pour moi aussi, renchérit Julie. Quand Justin a déménagé dans le Vermont, je pensais qu'il ne s'y ferait jamais, mais en fin de compte il se dit très heureux. Comme tes frères, il vit dans une petite ville. Avec quelqu'un.

— Quelqu'un ? Homme ou femme ? demanda Peter de but en blanc.

— Un homme. Et ils vont avoir un bébé au mois d'août.

— Ah ! Comment réagissent tes parents ?

— Mon père est mort quand j'avais six ans. Quant à ma mère, elle est inquiète. Elle pense que c'est une lourde responsabilité pour Justin et son compagnon. En ce qui me concerne, je ne m'imaginerais pas avoir des enfants si vite...

Peter aurait pu être assommé par toutes ces informations, mais après tout c'est lui qui avait posé la question et Julie lui répondait en toute simplicité. Quoique réservée, c'était une jeune femme naturelle et spontanée ; il appréciait sa franchise.

— Grandir sans père, ça n'a pas dû être facile ?

— Je pense que c'était encore plus dur pour mes frères, surtout Justin. Mais ma mère nous a toujours protégés. Elle est très présente, bien qu'elle travaille énormément.

— Dans quel domaine ?

— Elle a une boutique de vêtements d'occasion haut de gamme... Elle vient de lancer son commerce en ligne. Je l'ai aidée tout le week-end dernier à choisir des vêtements, expliqua Julie avec une certaine fierté.

Peter était impressionné. Ses rapports avec sa propre famille étaient plus distendus : il ne rentrait chez ses parents que pour les fêtes de fin d'année, et s'il avait une bonne excuse, il se dispensait même de cette visite annuelle.

Après un second verre de vin, il la raccompagna dans le Bowery en taxi. Elle s'excusa de lui imposer un si grand détour, mais le jeune homme affirma que cela lui faisait plaisir. Lorsqu'ils arrivèrent au pied de son immeuble, il descendit de voiture pour l'escorter jusqu'à la porte, mais il ne lui demanda pas la permission de boire un dernier verre chez elle. Elle en fut soulagée... C'était encore bien trop tôt entre eux, et apparemment il partageait cet avis.

— On se revoit bientôt ? Pas forcément pour un match de hockey... mais pour un dîner... ou ce que tu voudras ! Je t'appelle. J'ai adoré cette soirée.

— Moi aussi, merci beaucoup...

En guise d'adieu, il la serra dans ses bras, puis sauta dans le taxi dès qu'elle eut ouvert la porte du hall.

Chaussée de ses bottillons, Julie monta l'escalier quatre à quatre. À l'instant où elle pénétrait dans son appartement, une sonnerie de son portable lui signala l'arrivée d'un message.

*Alors, ce rancard ?* C'était Justin.

*Supère,* répondit-elle.

Dans le Vermont, son frère sourit : l'orthographe n'était pas le point fort de Julie... Il resta un instant songeur. Tout ce qu'il souhaitait à sa sœur jumelle, c'était de rencontrer un homme qui lui plaise et d'être un jour aussi heureuse que lui.

# 12

Bernard revint à New York pour une dizaine de jours. Comme la fois précédente, il avait réservé une chambre au Four Seasons, mais il passa tout son temps libre avec Kate. Il avait de nombreux rendez-vous avec les représentants des entreprises dans lesquelles il comptait investir, tandis que Kate croulait sous les ventes en ligne : elle devait remettre de nouveaux articles au catalogue presque quotidiennement. Mais dès qu'ils se retrouvaient, ils profitaient à fond des plaisirs de New York.

Un jour qu'ils se promenaient dans un marché en plein air du West Village, ils croisèrent Liam dans la rue. Il parut surpris de les voir ensemble et appela son amie le lendemain.

— Dis-moi, Kate... Il y a quelque chose entre Bernard et toi ?

Kate n'avait plus aucune raison de le nier. Désormais, sa relation avec Bernard était aussi florissante que son e-boutique. Elle avait l'impression qu'ils étaient ensemble depuis des années.

— Oui, avoua-t-elle. Il m'a invitée à dîner plusieurs fois, et puis tout a commencé à Paris. J'avais l'intention de t'en parler, mais c'est encore très récent.

— Il est marié ? demanda Liam sans tourner autour du pot.

— Qu'est-ce qui te fait penser ça ? s'étonna-t-elle.

— C'est le cas de la plupart des Français de son âge, sauf quand ils sont veufs. Ils ne divorcent jamais ! Enfin presque jamais, par rapport à nous.

— Tiens, c'est aussi ce qu'il m'a dit. Et, oui, il est marié, mais sa femme et lui ont conclu un arrangement. Ils mènent des vies séparées depuis des années.

— C'est ce qu'ils disent tous... Et puis un jour tu t'aperçois qu'ils sont bien plus mariés que tu ne le pensais. Sois prudente, Kate. Je ne veux pas que tu souffres.

— Moi non plus ! Mais dans son cas, il semblerait que ce soit vrai. Nous sommes sortis ensemble tous les soirs quand j'étais à Paris. Et il ne rentrait pas voir sa femme.

— Peut-être qu'elle était en voyage.

— Ou peut-être qu'il dit la vérité... Tu ne pourrais pas plutôt te réjouir pour moi, Liam ? Voilà des années que je n'avais pas eu un homme dans ma vie.

— Je voudrais seulement que ce soit un type bien. Et non un don Juan qui te brise le cœur. Aimerais-tu que l'une de tes filles vive ce genre d'histoire ?

— Bien sûr que non. Mais je ne suis plus une enfant. Et je suis convaincue qu'il est honnête.

— Sur le plan professionnel, je partage ton point de vue. Pour le reste, je n'en sais rien.

— L'avenir nous le dira.

Au bout de quelques minutes de conversation, Kate raccrocha, vexée. Quelques jours plus tard, elle eut l'occasion de présenter Bernard à Julie, qui était venue à la boutique pour l'aider à mettre de nouvelles photos en ligne.

— Il est cool, il me plaît bien, déclara sa fille lorsque Bernard les quitta pour honorer un rendez-vous en ville.

— N'est-ce pas ?

— Est-ce que c'est sérieux entre vous ?

— Non, ou du moins, il est trop tôt pour le dire. Et puis, il vit à Paris, moi ici... Mais pour l'instant, cela nous convient.

En réalité, Kate commençait à s'attacher plus qu'elle ne voulait l'avouer.

— Est-ce que tu envisagerais de t'installer à Paris ? s'inquiéta Julie.

— Non, je ne pourrais jamais vivre aussi loin de vous... et de la boutique.

La jeune femme acquiesça, soulagée, puis toutes deux se remirent au travail jusqu'au retour de Bernard. Le soir venu, au restaurant, ce dernier complimenta Kate sur sa fille.

— Merci. C'est une chouette nana, à la fois très douce et très talentueuse. Je suis fière de ce qu'elle est devenue. Figure-toi qu'elle te valide aussi !

Et contrairement à Liam, elle n'avait pas demandé si Bernard était marié : cela ne lui était même pas venu à l'esprit. D'ailleurs, Kate ne le lui aurait peut-être pas dit. Cela ne regardait que Bernard et elle, d'autant qu'ici personne ne le connaissait. Comme il le disait lui-même, son état civil n'était qu'un « détail administratif ». Elle regrettait d'en avoir parlé à Liam, qui avait maintenant une mauvaise impression de son soupirant...

À la même période, les préparatifs du mariage d'Izzie s'accéléraient. Les invitations étaient envoyées, vingt-six personnes seraient présentes, le nombre idéal pour la maison qu'elles avaient louée. La première fausse note se fit entendre quand Izzie demanda à Justin de lui prêter son bras lors de la cérémonie... et qu'il refusa.

— Quoi ? Tu plaisantes ? Tu es mon frère... Pourquoi est-ce que tu ne veux pas ?

— Parce que je pense que tu es en train de commettre une erreur, et je ne veux pas y contribuer.

Izzie devint blême.

— Justin, tu es gay, pas marié, tu vas avoir un enfant par mère porteuse – et ça, permets-moi de te dire que c'est *vraiment* une erreur –, mais tu oses me juger ?!

— Je ne te juge pas. C'est juste que je ne veux pas te confier, même symboliquement, à un homme qui n'a jamais travaillé, n'en a visiblement pas l'intention, et n'a rien à voir avec ton style de vie. Comment imagines-tu un seul instant que ça va marcher ?

— Et tu peux me dire en quoi le choix de mon fiancé te regarde ? gronda-t-elle, furieuse.

Justin était un fervent partisan de l'honnêteté en tout état de cause ; il n'était pas prêt à agir en contradiction avec son ressenti profond pour faire plaisir à sa sœur.

— Si cela fonctionne, je serai heureux pour toi, Izzie, et je l'espère de tout cœur. Mais je ne sais pas comment te dire mon inquiétude autrement qu'en refusant de t'escorter le jour de ton mariage.

— Tu te prends pour le chevalier blanc ? Le parfait justicier ? Eh bien, tu n'es qu'un crétin ! J'ai bien vu que maman avait des doutes, elle aussi, mais au moins elle me fait confiance et elle me le prouve en payant pour la fête et en m'offrant une robe.

— Elle n'a pas envie de te perdre. Mais moi, je ne suis pas ta mère. Et elle a raison de s'inquiéter : toute personne dotée de plus de deux neurones se ferait du souci pour ton couple.

Sous l'effet de la colère, Izzie fut sur le point de lui dire de ne pas venir au mariage, mais elle se retint à temps : au fond d'elle-même, elle tenait à sa présence, et elle savait qu'elle briserait le cœur de leur mère si elle créait la zizanie au sein de la famille.

— Izzie, je suis vraiment désolé...

— Arrête, je ne te crois pas une seconde. Pour ma part, je pense que tu es dingue de commander un bébé à une femme qui ne voudra sans doute jamais le lâcher. Tu n'as pas les moyens de t'offrir dix ans de poursuites judiciaires. Et que se passera-t-il si vous vous séparez, Richard et toi ?

— Ce genre de choses peut arriver à tout le monde. Nous verrons bien, le cas échéant. Je te rappelle que nous sommes ensemble depuis cinq ans. Zach et toi, vous vous fréquentez depuis six mois à peine ! C'est de la folie. Je veux bien croire que ce mec est une bête de sexe, mais on ne se marie pas avec quelqu'un qu'on connaît à peine.

— Je le connais ! Je sais ce que j'ai besoin de savoir, lança-t-elle.

Elle-même, cependant, n'était pas complètement sereine au sujet de Zach, mais à sa connaissance il ne se droguait plus et n'avait pas commis d'écart de conduite depuis son arrestation en juin, neuf mois plus tôt. Heureusement que les membres de sa famille n'étaient pas au courant de tout ça...

Éconduite par Justin, Izzie appela Willie aussitôt après avoir raccroché. Quoique surpris, il se montra enthousiaste.

— Bien sûr, je t'escorterai pour la cérémonie, si cela te fait plaisir. Mais pourquoi moi, et pas Justin ? C'est lui le grand frère !

— Nous avons eu un léger différend à propos de son bébé et de mon futur mari. Quel poseur, quand il s'y met !

163

— Bon, OK. Mais si tu changes d'avis et que tu veux le lui demander à la dernière minute, ne te gêne pas.

Willie se souciait peu de qui donnerait le bras à Izzie. Du moment que Justin ne s'y opposait pas, il endosserait volontiers ce rôle. Et bien qu'il soit persuadé lui aussi qu'elle faisait fausse route, il n'aurait jamais osé le lui dire. Elle avait huit ans de plus que lui, elle était majeure et avait le droit d'épouser qui elle voulait. Tout ce qu'il lui importait, c'était que personne ne lui demande de choisir entre son frère et sa sœur.

Un autre rebondissement survint fin avril, une semaine avant le mariage, quand Julie appela Izzie pour lui demander si elle pouvait inviter Peter. Ils se voyaient presque tous les soirs, et c'était devenu sérieux entre eux. C'était l'homme le plus aimable et le plus respectueux qu'elle ait jamais rencontré.

— Hum… C'est vraiment important pour toi ? voulut savoir Izzie. Zach et moi ne l'avons jamais vu…

Il lui semblait étrange d'avoir un inconnu à son mariage, alors qu'ils seraient si peu nombreux.

— Oui, j'aimerais beaucoup qu'il vienne avec moi. Si ça ne te dérange pas trop…

La douceur de Julie eut raison de sa sœur aînée.

— Bon, très bien. Après tout, mon mariage est une occasion comme une autre de faire sa connaissance, concéda Izzie.

— Merci ! Est-ce que je peux t'aider à quoi que ce soit ? Désolée de ne pas te l'avoir proposé avant, mais je croule sous le boulot, et c'est tout neuf entre Peter et moi, tu comprends…

En dehors de son travail, Julie avait du mal à s'organiser. Le temps lui filait entre les doigts.

— Ne te tracasse pas. Maman et moi nous sommes

occupées de tout. Viens juste avec ton copain passer un bon moment.

Bien que Julie eût entendu parler du refus de Justin, elle jugea préférable de ne pas évoquer le problème avec Izzie. Pas question de se retrouver ballottée entre eux deux.

La veille du mariage, Kate passa la journée à vérifier tous les détails dans la maison de Washington Square, avec l'aide de son assistante Jessica. Une calligraphe avait confectionné les menus et porte-noms. Les futurs mariés étaient venus un mois plus tôt pour une dégustation des plats et du gâteau, et Zach avait apporté de grands vins en provenance de la cave de sa grand-mère : d'après lui, c'était sa façon à elle de lui faire un cadeau de mariage. Son père avait confirmé qu'il ne viendrait pas... pour cause de safari en Afrique du Sud avec son épouse du moment. Quant à sa mère, elle ne répondait pas à ses messages. Kate commençait à le plaindre sincèrement : y compris le jour de son mariage, sa famille brillerait par son absence.

Tout était fin prêt. Même le voyage de noces était organisé : faute de faire le déplacement à New York, le père de Zach lui prêtait son chalet à Aspen. Mais c'est Izzie qui payait les billets d'avion... ce que Kate ignorait. La jeune femme avait aussi offert un smoking à son futur époux pour la cérémonie.

Kate, pour sa part, s'était acheté une robe en satin signée Oscar de la Renta – bleu marine, et pour une fois flambant neuve. Et lors d'une séance de shopping mère-fille, Louise était revenue avec un très beau tailleur en satin beige. De son côté, Julie avait prévu de porter une robe de sa confection. Quant à la mariée, elle porterait sa fabuleuse robe, bien sûr, qu'elle agrémenterait d'un bouquet de muguet – mois de mai oblige. La cérémonie aurait lieu à dix-neuf heures, le dîner commencerait à vingt heures trente, et un DJ ami de Zach animerait la deuxième partie de soirée dans le salon.

Même si elle en mourait d'envie, Kate avait décidé de ne pas inviter Bernard : leur relation était trop neuve. Néanmoins, elle comptait bien le présenter à ses enfants dans un futur proche.

Elle rentra chez elle à dix-huit heures, juste à temps pour prendre un bain et s'habiller en vue du dîner de répétition. En guise de code vestimentaire, Izzie avait dit à la vingtaine d'invités qu'ils pouvaient porter leur jean préféré. Kate enfila sur le sien une chemise mexicaine multicolore, assortie de grosses boucles d'oreilles turquoise et d'une paire de sandales dorées. Selon le souhait des futurs mariés, la soirée s'annonçait détendue. Ensuite, Zach passerait la nuit chez un ami. Pour le jour J, Izzie avait prévu de se préparer chez sa mère plutôt que dans la maison de location, avec l'aide d'une coiffeuse et d'une maquilleuse, lesquelles s'occuperaient aussi de Julie et Kate.

À vingt heures trente, une ambiance joyeuse régnait autour du buffet mexicain arrosé de margaritas. Izzie reçut beaucoup de compliments pour sa jolie robe couleur pêche. Peter était d'une politesse extrême et prévenait le moindre désir de Julie... à tel point que Kate s'en étonna. Elle l'avait trouvé plus naturel au Met, plus spontané. Ce soir, il en faisait trop. Il mit un point d'honneur à être présenté à chaque membre de la famille et s'assit pour bavarder avec Louise, qui en fut charmée. Pourtant, au bout d'un moment, Kate fut traversée d'un sentiment étrange, comme s'il voulait plaire à tout prix... Cela en devenait louche. Elle en toucha deux mots à Izzie lorsqu'elles se croisèrent près du buffet.

— Que penses-tu du copain de Julie ?

— Il est parfait, non ?

— Peut-être un peu trop... ?

— Maman, pour l'amour de Dieu ! À t'écouter, personne n'est jamais comme il faut pour nous, de toute façon ! se fâcha Izzie.

Si Kate trouvait à redire à quelqu'un d'aussi lisse que Peter White, c'était peine perdue ! Elle se préoccupait tant du bonheur de ses enfants et de leur bien-être que cela en devenait ridicule.

— Ce n'est pas vrai, se justifia Kate. C'est juste que mon radar de mère est en éveil... et je ne sais pas pourquoi, mais il y a quelque chose chez Peter qui me dérange. Voilà une heure qu'il bavarde avec mamie Lou ! Cela représente un sacré bout de temps pour un garçon de son âge. En plus, c'est le seul à porter un costume... Je me demande ce qu'il essaie de prouver.

— Voyons, maman, tout le monde aime parler avec mamie Lou ! Elle est intarissable : elle a dû lui expliquer en détail le programme de son voyage en Chine cet été. Si ça se trouve, il a juste engagé la conversation pour être poli et n'a plus pu s'en dépêtrer.

Kate hocha la tête, espérant qu'elle ait raison. Puis elle jeta un coup d'œil en direction de son futur gendre, qui représentait l'extrême opposé. Il était venu en jean déchiré et débardeur sans manches, les cheveux plus longs que jamais. Mais même avec cette dégaine de naufragé, il était extrêmement séduisant. Izzie resta lovée contre lui toute la soirée. À la veille de son mariage, le seul regret de la jeune femme était le refus de Justin : elle n'était pas certaine de le lui pardonner un jour.

La soirée se prolongea jusqu'à minuit, après quoi Kate renvoya tout le monde : pas question qu'ils aient mal aux cheveux pour le grand jour. Comme on pouvait s'y attendre, c'est Zach qui avait bu le plus de margaritas. Willie repartit avec lui en taxi et le déposa chez l'ami qui l'hébergeait, tandis qu'Izzie rentrait chez elle pour sa dernière nuit de célibataire.

Après avoir rangé le salon avec l'aide des deux serveuses envoyées par le traiteur, Kate s'assit sur son canapé, un verre d'eau gazeuse à la main. Ainsi, ils n'étaient plus qu'à quelques heures du moment fatidique : sa fille allait épouser Zach Holbrook. Chaque fois que Kate observait le jeune homme, toutes ses sirènes d'alarme se mettaient à hurler. Si seulement Izzie pouvait avoir raison !

# 13

Il était quatorze heures pile quand Izzie sonna à l'interphone de l'immeuble de Kate. Julie les rejoignit peu après, histoire d'avoir le temps de papoter avant l'arrivée des esthéticiennes. À seize heures trente, Kate sortit la robe de l'armoire, et Julie l'aida à la soulever au-dessus de la tête d'Izzie, qui l'enfila comme un gant. Il leur fallut dix bonnes minutes pour fermer dans son dos la ribambelle de minuscules boutons de satin. Puis Kate attacha au cou de sa fille aînée son propre collier de perles. Izzie avait mis la jarretière ornée d'un ruban bleu ciel offerte par ses amis. Ainsi, elle était parée de tous les porte-bonheur de la mariée selon la tradition américaine : *quelque chose de neuf, quelque chose de vieux ; quelque chose d'emprunté, quelque chose de bleu.*

Kate et Julie s'éclipsèrent le temps de s'habiller et revinrent pour ajuster la coiffe et le voile d'Izzie. Quand ce fut fait, Kate recula d'un pas pour l'admirer. Elle en eut le souffle coupé. De toute sa vie, elle n'avait rien vu de plus beau que sa grande fille dans cette robe de mariée vintage. Avec son maquillage et sa coiffure réalisés par des professionnelles, elle était absolument resplendissante.

Willie fit son apparition à dix-huit heures quinze et aida Izzie à monter à bord de la première des deux limousines qu'ils avaient réservées pour se rendre à Washington Square. Très élégant en smoking et souliers vernis, il semblait soudain très mûr, et le cœur de Kate se gonfla de fierté : son petit dernier était devenu un beau jeune homme, aux manières impeccables !

Kate et Julie embarquèrent dans la seconde voiture et s'arrêtèrent pour prendre mamie Lou au passage. Elle attendait dans le hall de son immeuble dans son tailleur neuf et, pour une fois, elle s'était offert un brushing qui mettait en valeur sa chevelure de neige. Comme prévu, Izzie entra dans la maison par la porte de service afin que Zach ne la découvre qu'à la dernière minute.

Les invités ne tardèrent pas à arriver : Justin et Richard les accueillaient à la porte pour les diriger vers le salon du premier étage, où les chaises avaient été disposées pour la cérémonie. Le juge attendait déjà sous l'arceau de fleurs dressé dans la pièce. À dix-huit heures quarante-cinq, tout le monde était en place... à l'exception du marié. Dans la chambre du deuxième étage où elle attendait le signal en compagnie de Willie, Izzie était au bord de la crise de nerfs, et Kate avait la plus grande peine à dissimuler sa fureur.

Zach se présenta à dix-neuf heures trente avec une sévère gueule de bois : il avait une demi-heure de retard.

— J'arrivais pas à mettre la main sur ce fichu nœud pap, marmonna-t-il en guise d'excuses à l'intention de Justin.

L'ami chez qui il avait passé la nuit portait un jean sous sa veste de smoking et une barbe de huit jours. Zach le présenta à son futur beau-frère, tandis que ce dernier nouait en vitesse le fameux nœud papillon, aucun des deux rockers ne sachant comment s'y prendre.

— Au moins, il s'est rasé, murmura Richard à l'oreille de son compagnon tandis qu'ils montaient l'escalier.

Zach se plaça près du juge. Il n'avait pas de garçon d'honneur : il aurait voulu proposer à Willie de tenir ce rôle, mais le jeune homme escortait la mariée... Et de peur qu'il ne se fasse éconduire à son tour, Izzie avait défendu à son fiancé de demander à Justin. Bien qu'elle ne lui ait pas donné d'explications, Zach avait compris qu'il valait mieux ne plus aborder le sujet avec elle.

Enfin, les premiers accords du trio de musiciens classiques résonnèrent, et Izzie descendit l'escalier, qui donnait directement dans le salon, au bras de Willie. À sa vue, les yeux de Kate se mouillèrent. Ses larmes résultaient autant de son inquiétude pour elle que de son émotion face à tant de beauté. Pour la première fois depuis longtemps, elle regretta que Tom ne fût pas à ses côtés pour voir sa fille. Zach lui-même semblait époustouflé. Malgré ses cheveux trop longs et son nœud papillon de guingois, il avait quelque chose de touchant tandis qu'il regardait, d'un air émerveillé, sa future épouse s'approcher à pas lents. Lui aussi avait les larmes aux yeux.

Willie lui confia sa sœur avec une expression solennelle. Puis tout le monde s'assit pour écouter le bref discours du juge. Dès qu'ils eurent échangé leurs consentements, il les déclara mari et femme. Zach embrassa alors Izzie avec fougue. À croire qu'il allait la déshabiller sur place.

— Ils n'ont que ça en tête, souffla Louise à l'oreille de Kate.

Cette dernière savait que sa mère voyait juste, avec son franc-parler : la relation de Zach et Izzie était de nature passionnelle, ce qui ne constituait en aucun cas, selon elle, la fondation solide d'une relation durable.

— Chère famille, chers amis... Monsieur et madame Zach Holbrook ! annonça le juge sous les hourras.

On sabla le champagne et les festivités commencèrent. Tandis qu'Izzie passait d'un petit groupe à l'autre, Kate s'entretint avec Liam pour superviser le déroulement de la soirée. Maureen était là aussi, très élégante dans son ensemble de soie bleu nuit. Au bout d'un moment, la mariée vint remercier sa mère de lui offrir cette journée exceptionnelle. C'était une petite fête intime, mais organisée à la perfection jusque dans les moindres détails.

La soirée, cependant, n'était pas terminée... Zach parut franchement ivre avant même que l'on passe à table. Et au moment de couper le gâteau avec Izzie, le jeune homme tint un discours décousu, essentiellement composé d'allusions peu raffinées à leur vie sexuelle. Après quoi il plongea littéralement le visage dans le glaçage blanc, déclenchant autant d'éclats de rire que de réactions outrées. C'était pousser un peu trop loin la coutume, apparue au cours des dernières années, qui veut que les mariés se donnent mutuellement la becquée et se barbouillent généreusement au passage. Et tandis que l'on servait la pièce montée, il quitta sa veste, déboutonna sa chemise et s'illustra dans une danse tapageuse, collé à sa jeune épouse, qui paraissait prête à tout lui pardonner. On aurait dit un grand ado qui se lâchait, certainement pas un homme capable d'assumer les responsabilités de la vie de couple.

Par chance, il semblait ignorer la tradition selon laquelle il devait danser ensuite avec sa belle-mère.

172

De toute façon, le protocole était largement écorné, dans la mesure où le marié n'était pas entouré de sa famille. C'est donc Justin qui invita Kate à un tour de valse, non sans grommeler tout du long sur la folie de sa sœur aînée.

— Elle l'aime, répondit calmement sa mère.

— Ce n'est pas une raison pour épouser un type comme lui.

Il conserva son air grincheux jusqu'à ce qu'Izzie, qui avait bu quelques flûtes de champagne, vienne déposer un baiser sur sa joue.

— Je suis fâchée contre toi, mais tu es toujours mon frère, déclara-t-elle, conciliante.

Il posa son verre et l'entraîna sur la piste.

— Je veux juste que tu sois heureuse, Izzie.

— Alors sois gentil avec Zach. C'est nous qui lui tenons lieu de famille, ce soir.

Justin acquiesça. C'était la triste vérité.

Les festivités se terminèrent à deux heures du matin, comme prévu selon le contrat de location. Après avoir embrassé les siens, Izzie dut aider Zach à monter à bord de la limousine qui les ramenait à son appartement. Juste après leur départ, Kate retrouva la veste, le nœud papillon et une des chaussures de son gendre. Avec une profonde mélancolie, elle plia soigneusement la veste et déposa le tout près de son sac à main. L'ami de Zach était reparti en taxi depuis longtemps, complètement ivre. Le reste de la famille embarqua dans la seconde limousine pour déguster une dernière coupe de champagne chez Kate. Louise demanda à ce qu'on la dépose au passage : elle avait bien profité de la fête, mais elle commençait à fatiguer.

— Bravo maman, tout était parfait, dit Justin en passant un bras autour de ses épaules.

Mais le cœur n'y était pas. Avec Zach, ils n'étaient sans doute pas au bout de leurs surprises... Heureusement, la joie de vivre de Willie leur évita de broyer du noir. Quant à Peter, il affirma à Kate que c'était le mariage le plus merveilleux auquel il ait jamais assisté. Ils savaient tous que c'était faux, mais l'attitude exemplaire du jeune homme, même si elle semblait un peu factice, les consolait de la mauvaise conduite de Zach.

Justin et Richard s'éclipsèrent à trois heures du matin, bientôt suivis par Peter et Julie. Willie s'endormit sur le canapé, où sa mère le couvrit d'un plaid. La journée avait été longue. Kate se mit au lit avec un soupir de soulagement. Voilà, c'était passé. Elle avait fait de son mieux et espérait au moins avoir offert à sa fille de beaux souvenirs, même si elle-même aurait préféré que ce mariage n'ait jamais eu lieu.

Zach s'effondra sur le lit tout habillé et s'endormit instantanément. Izzie dut déboutonner sa robe toute seule avant de la poser sur une chaise avec son voile. Elle avait eu l'impression d'être une princesse toute la soirée, et peu lui importait que Zach eût dépassé les bornes : ce qui comptait, c'est qu'il ait profité à fond de leur mariage. Alors, seulement, elle remarqua qu'il avait perdu une chaussure en cours de route. Elle s'allongea près de lui et régla le réveil. Leur vol pour Aspen décollait à midi ; ils devaient quitter l'appartement à dix heures au plus tard. Pourvu que Zach soit en état... Elle se lova contre lui et s'endormit, un sourire aux lèvres. Elle était Mme Zach Holbrook !

Zach était étonnamment frais et dispos quand Izzie le réveilla à huit heures. Elle-même avait fait ses bagages

deux jours à l'avance, mais comme il n'avait rien préparé, elle dut l'aider à rassembler ses affaires tandis
qu'il leur servait deux coupes de champagne en guise
de petit déjeuner. Elle protesta : après la soirée de la
veille, elle avait encore mal à la tête, mais il soutint
qu'elle ne pouvait pas refuser car cela portait malheur.
Ils burent donc, après quoi il l'attira sur le lit.

— Attends voir... Techniquement, nous n'avons pas
consommé notre mariage !

Elle rit, mais objecta qu'ils allaient manquer l'avion.

— Nous n'aurons qu'à prendre le prochain. Il y a
toujours un prochain avion.

Ils firent l'amour avec la passion du premier jour,
puis Izzie s'aperçut qu'il était neuf heures trente. Plus
qu'une demi-heure pour se préparer ! Elle l'entraîna
avec elle sous la douche, où il voulut la prendre à
nouveau, mais cette fois elle ne le laissa pas faire.

— Mon chéri, à Aspen, nous pourrons passer deux
semaines au lit si ça nous chante...

Par miracle, cela réussit à le convaincre de s'habiller
et de boucler son sac. Ils montèrent dans le taxi sur le
coup de dix heures et quart et arrivèrent à l'aéroport
à onze heures, juste à temps pour l'enregistrement de
leur vol pour Denver, d'où ils prendraient un avion
plus petit en direction de la Suisse. Zach dormit pendant toute la première partie du voyage.

Pendant ce temps, la famille d'Izzie se réunissait
chez Da Silvano. Peter avait accompagné Julie. Il se
montra adorable avec Louise et très prévenant envers
Kate. Il s'intéressa au projet de bébé de Justin, avant
de commenter les derniers résultats du hockey et du
football américain avec Willie. Tout le monde évitait
soigneusement d'évoquer les frasques de Zach lors de

son mariage. Il faisait maintenant partie de la famille et, par respect pour Izzie, il fallait essayer de l'accepter.

Pourtant, tout ce que Kate trouva à dire à sa mère après le départ des autres fut que Peter en faisait trop, et que cela lui donnait un sentiment étrange.

— Intégrer un clan comme le nôtre doit avoir quelque chose d'assez intimidant, remarqua Louise. Chacun d'entre nous a son petit caractère. On ne peut pas reprocher à Peter de faire des efforts. Et il est aux petits soins avec Julie.

Dans un sens, c'était vrai, mais Kate n'avait pas apprécié le moment où il avait ri parce que Julie avait lu quelque chose de travers sur le menu. Clairement, il ne savait pas qu'elle était dyslexique et qu'elle n'aimait pas qu'on la taquine à ce sujet. Mais la jeune femme n'avait rien dit et s'était contentée de rire avec lui. L'incident n'avait pas échappé à Justin, lequel avait dévisagé Peter un moment avant que la conversation glisse sur autre chose. Quand ils étaient petits, il s'était bagarré des dizaines de fois pour prendre sa défense.

Kate soupira.

— Ça ne finira donc jamais ? lâcha-t-elle. Est-ce que tu penses qu'au moins l'un des enfants finira par épouser quelqu'un de correct ?

— Mais voyons, nous adorons tous Richard, lui rappela sa mère. Et si ça se trouve, Peter rendra Julie très heureuse. C'est le garçon le plus convenable qu'elle nous ait présenté jusqu'ici.

— Tu as peut-être raison...

— Quant à Zach, il n'a pas mauvais fond, c'est juste un chien fou.

Kate rit de cette image. Elle convenait parfaitement à son nouveau gendre.

— Et Dieu sait qui Willie finira par nous ramener !

— Alors là, je pense que nous pouvons nous attendre à tout, du moins dans un premier temps. Mais tu verras, il finira sûrement par se caser avec une fille charmante.

— Ça nous changerait...

— Allons, ma chérie, tous les parents se font du souci. La seule chose que tu puisses faire, c'est prier et rester présente pour eux. Tu ne peux pas choisir à leur place.

Kate soupira une nouvelle fois.

— Qu'as-tu prévu de faire cet après-midi, maman ?

— Je vais au cinéma avec Frances, ensuite nous dînons ensemble.

— Je ne sais pas comment tu fais pour être aussi vaillante... Moi, je rentre me coucher, je suis crevée.

— C'est parce que tu t'inquiètes trop : à la longue, c'est épuisant. C'est plus facile pour moi, qui ne suis que la grand-mère. Essaie de te détendre au sujet de Peter...

— C'est juste que je n'ai pas aimé la façon dont il s'est moqué de Julie, avança Kate.

— Il ne savait pas, c'est tout, et Julie n'a pas eu l'air vexée. Je t'en prie, ne va pas te mettre martel en tête à cause de lui.

Sa mère parlait d'or, mais alors qu'elle rentrait chez elle à pied, Kate restait songeuse : pourquoi ne pouvait-on pas protéger ses enfants de toutes les embûches de la vie, surtout celles qu'ils semaient eux-mêmes ?

# 14

La semaine suivante, Bernard proposa à Kate qu'ils se retrouvent à St Bart, puis aillent ensemble à Miami. Ils ne s'étaient pas vus depuis cinq semaines et trouvaient le temps long. La patronne de Still Fabulous croulait sous le travail : avec la boutique en ligne, elle avait dû embaucher une deuxième employée, que Jessica était en train de former. Une partie d'elle-même se sentait obligée de rester pour les superviser, mais l'envie de voir Bernard fut la plus forte, d'autant qu'elle ne se sentait pas au meilleur de sa forme depuis le mariage.

Elle annonça à sa mère qu'elle avait été invitée pour une semaine de vacances aux Caraïbes. Louise approuva : Kate semblait en avoir bien besoin. Toujours très discrète, elle ne lui demanda pas de qui émanait l'invitation, mais espérait bien que ce fût d'un homme.

Deux jours plus tard, Kate décolla pour St Martin. De là, elle embarqua à bord d'un petit avion brinquebalant, qui se posa à St Bart sur une piste effroyablement courte, après avoir frôlé la route à flanc de montagne. Heureusement, Bernard était là, dans le minuscule hall d'arrivée de l'aéroport, qui l'attendait. Il la serra dans ses bras tendrement, d'autant qu'il avait bien lu la fatigue sur son visage. Tout ce qu'il voulait, c'était lui faire oublier les soucis des dernières semaines. Il l'emmena à l'hôtel où il avait loué un bungalow, et, trente minutes plus tard, ils se baignaient dans leur piscine privée. C'était comme s'ils n'avaient jamais été séparés ; ils reprirent la conversation là où ils l'avaient interrompue, partageant fous rires, plaisanteries et confidences. Elle lui parla des frasques de Zach lors de son mariage, de ses craintes pour Izzie et de ses doutes au sujet de Peter.

— Je ne pense pas que tu doives t'inquiéter au sujet du nouveau copain de Julie. Il essaie de vous impressionner, voilà tout.

— Il est tellement parfait que ça m'énerve, et il n'arrête pas de faire des courbettes à ma mère.

— Et alors ? Je parie qu'elle adore ça, non ? À propos, j'aimerais bien la rencontrer.

— Bien sûr, mais chaque chose en son temps.

— Tu lui as parlé de moi ?

— Non, pas encore. Il me semblait que c'était encore trop neuf entre nous...

— Et puis je suis marié..., conclut-il à sa place. Mais tu sais, elle ne sera peut-être pas aussi choquée que tu l'imagines, d'après ce que tu m'as dit sur elle. Si ça se trouve, elle n'y verra rien à redire.

Kate en doutait, car Louise avait des idées très arrêtées sur certaines choses ; les maris volages figuraient en tête de liste. Et malgré son apparente décontraction, elle aussi s'inquiétait pour sa fille, comme toutes les mères.

— Pour le moment, je ne me sens pas prête à accueillir sa réaction, trancha Kate.

Ces vacances à St Bart lui firent un bien fou : quatre jours plus tard, lorsqu'ils s'envolèrent pour Miami, elle avait l'impression d'être une femme neuve. Bernard avait raison : maintenant que le mariage d'Izzie était prononcé, la suite était entre les mains de sa fille. Et si elle s'apercevait qu'elle avait commis une erreur, ce serait à elle de quitter le navire à temps, ou d'essayer de redresser la barre. Kate songea, une fois de plus, que les hommes étaient beaucoup plus pragmatiques que les femmes.

À Miami, ils descendirent dans la luxueuse suite que Bernard avait réservée à l'Eden Roc. Et tandis qu'il honorait ses rendez-vous professionnels, elle écuma toutes les boutiques de la très chic galerie marchande de Bal Harbour. Après le dîner, ils se baignèrent dans l'une des trois piscines de l'hôtel, et le lendemain, Kate passa la matinée à lézarder sur la terrasse. Bernard rentra à la mi-journée pour déjeuner avec elle et lui faire l'amour. Elle avait l'impression d'être au paradis...

Après quatre jours passés à Miami, ils repartirent ensemble pour New York, où il resta encore une semaine. La veille de son départ, fin mai, elle lui demanda ce qu'il prévoyait de faire cet été.

— Nous louons une maison en Sardaigne tous les ans. Les enfants vont et viennent, ils invitent des amis.

— Nous ? Tu veux dire tes enfants et toi ?

— La famille, répondit-il, évasif.

— Vous êtes combien, en fait ?

— Ça dépend.

— Ta femme sera là ? insista Kate, voyant qu'il éludait la question.

— Par moments. Et j'y serai aussi une partie du temps, avec les enfants.

— Mais vous vous relayez ou vous y serez ensemble ? voulut-elle savoir, les sourcils froncés.

Un nuage venait de passer dans le ciel limpide.

— Qu'est-ce que ça change ? Nous ne sommes plus un couple, même quand nous nous retrouvons sous le même toit. Nous menons des vies séparées.

— Enfin, vous passez des vacances ensemble ! Tu ne me l'avais jamais dit !

— Je n'y pense même pas. Nous nous parlons à peine. Je te dis que ça ne change rien, ni pour elle ni pour moi.

— Eh bien, pour moi, ça fait une grande différence. Je n'aime pas du tout l'idée que tu passes la moitié de l'été avec elle.

À cet instant, les paroles de Liam résonnèrent dans sa mémoire. Il l'avait prévenue : ces hommes soi-disant libres comme l'air se révélaient bien plus mariés qu'ils ne le prétendaient. Sa confiance en Bernard était sérieusement émoussée. Elle sentit un frisson la parcourir.

— On s'organise comme ça tous les ans, argua-t-il, comme si cela suffisait à normaliser la situation.

— Sauf que jusqu'à maintenant je ne faisais pas partie de ta vie, souligna Kate.

— Ne me demande pas de sacrifier le temps que je passe avec mes enfants. Je pensais que tu comprendrais à quel point c'est important pour moi. C'est d'ailleurs une des choses que j'aime en toi, Kate, le fait que tu sois une si bonne mère...

Ses flatteries ne servirent qu'à l'énerver davantage.

— Est-ce que tes enfants sont au courant de l'arrangement que tu as avec ta femme ?

— Je n'en parle jamais avec eux. C'est un état de fait qu'ils vivent depuis des années. Ils comprennent.

Comment pouvaient-ils comprendre, si leurs parents prenaient encore des vacances ensemble ? Kate soupçonna qu'ils le pensaient plutôt trop occupé par son travail pour consacrer du temps à sa famille par ailleurs.

— Mais pourquoi ne partez-vous pas chacun à votre

tour avec les enfants ? Ce doit être terriblement stressant, cette cohabitation !

— Nous sommes tous deux très courtois, répondit-il en souriant.

« Et très français », songea Kate, désabusée. C'était la première fois que Bernard lui faisait de la peine. Elle resta silencieuse une bonne partie de la soirée, ce qui finit par le contrarier à son tour. Il ne voulait pas gâcher le peu de temps qu'il leur restait à passer ensemble, d'autant qu'il n'avait pas prévu de revenir à New York avant la fin du mois de juin.

— Allez, n'y pense plus ! lui dit-il. Et toi, que fais-tu cet été ?

— Je travaille.

— Tu ne pars pas avec tes enfants ?

— Ils travaillent, tu sais... et ici, ce n'est pas comme chez vous : nous n'avons que deux semaines de congés payés ! Ils s'organisent de leur côté, en posant des jours pour faire le pont autour de la fête nationale ou du Labor Day. Mais ils ne prévoient rien de spécial avec moi.

— Comme c'est triste... Peut-être pourrions-nous nous retrouver quelque part tous les deux, en juillet ?

Elle poussa un soupir.

— Bernard, je n'ai pas envie d'attendre que tu aies un créneau disponible dans ta vie affective. Je ne veux pas être ton plan B.

En trois mois de relation, la question des fêtes et des moments importants ne s'était pas encore posée entre eux. Mais Kate réalisait soudain que Bernard les passait très probablement avec son épouse.

— Tu n'es pas mon plan B, affirma-t-il. Tu es la femme que j'aime.

— Et elle, c'est ta femme tout court.

182

Kate commençait à bouillonner de rage.

— Pourquoi chercher la petite bête alors que nous sommes si heureux ? pleurnicha Bernard.

— Je ne vois pas très bien comment je pourrai être heureuse au mois d'août, quand tu seras avec elle...

— Je peux m'échapper quelques jours, avança-t-il pour l'amadouer.

— Comme si c'était la question... Je veux une relation, tu comprends ? Pas une garde alternée !

— Je fais de mon mieux compte tenu des circonstances, lâcha-t-il. On trouvera bien une solution.

Mais elle avait compris. De toute évidence, il n'était pas prêt à modifier son emploi du temps pour elle. Elle se montra glaciale envers lui tout le reste de la soirée. Il l'embrassa une dernière fois le lendemain matin, au moment de partir pour l'aéroport. Ni l'un ni l'autre n'évoqua leur conversation de la veille, mais rien ne serait plus comme avant. Kate passa la journée à ruminer, et lorsqu'elle croisa Liam, un peu plus tard, elle ne lui dit rien : elle avait trop de peine à admettre qu'il avait vu juste. Bernard était bien plus marié qu'il ne le prétendait. Et cela changeait beaucoup de choses pour elle. Certes, elle l'aimait, mais pas suffisamment pour le partager avec une autre femme. Si tel était le cas de son épouse, grand bien lui fasse. Est-ce que tout cela était d'ordre culturel, comme l'affirmait Liam ? Dans ce cas, Kate se sentait complètement américaine. Bernard était un merveilleux partenaire commercial, mais sur le plan personnel, c'était une autre histoire... Elle savait que tôt ou tard, il lui briserait le cœur.

Izzie et Zach passèrent deux semaines de rêve à Aspen. Le chalet était en fait une gigantesque et luxueuse propriété, entretenue par un personnel nombreux. Le père de Zach se payait grassement sur le fonds fiduciaire, et Izzie fut d'autant plus choquée par l'indigence dans laquelle il laissait son fils.

Ils faisaient l'amour tout le temps, entre deux balades en ville ou au bord du lac, deux randonnées dans les alpages ou parties de pêche dans le torrent. Les boutiques de luxe et les restaurants gastronomiques étaient alléchants, mais Izzie s'était dit que Zach finirait par être gêné qu'elle paie systématiquement l'addition. Ils emportaient donc un pique-nique préparé par la cuisinière avant de partir à l'aventure et se concoctaient eux-mêmes quelque chose le soir, après le départ des domestiques. Souvent ils mangeaient au lit, dans le plus simple appareil, après avoir donné libre cours à leur passion.

Ils rentrèrent à New York heureux et détendus. Après avoir ainsi rechargé ses batteries, Izzie se retrouva plongée immédiatement dans deux importants projets qui l'obligèrent à faire des heures supplémentaires. C'en était fini de la lune de miel, et Zach commença à se plaindre qu'elle rentrait bien tard le soir. Mais que faire ? Il fallait bien qu'elle travaille... Elle en profita pour essayer de le convaincre de chercher un emploi, sans plus de succès que par le passé. Il aurait voulu qu'elle reste à la maison avec lui.

— Maintenant qu'on est mariés, je te vois encore moins qu'avant, geignait-il.

Jour après jour, il s'étiolait, et Izzie s'inquiétait de plus en plus pour lui.

Un après-midi, elle était en rendez-vous avec le manager du cabinet quand sa secrétaire les interrompit pour lui dire qu'elle avait un appel urgent de son mari. Elle s'excusa et alla décrocher dans son bureau. À l'autre bout du fil, Zach était en larmes. Il venait de se faire arrêter : il était en détention provisoire. Le cœur de sa jeune épouse s'affola dans sa poitrine.

— Je suis toujours mis à l'épreuve. Ils vont m'envoyer en taule pour de bon. Il faut que tu fasses quelque chose...

— Oh mon Dieu... Là, tout de suite, je ne peux rien faire, murmura-t-elle, de peur d'être entendue. Je suis en réunion avec mon chef. Je viens dès que je peux. Est-ce que tu es sous caution ?

— Non, lâcha-t-il dans un sanglot.

— De quoi est-ce qu'on t'accuse ?

— Recel.

— Recel de quoi ?!

— Cocaïne.

— Avec l'intention de revendre ?

— Je crois... Mais je n'en avais qu'un tout petit peu !

— Pour l'amour du ciel, Zach, tu sais forcément pourquoi ils t'ont embarqué !

— Oui, bon, d'accord : avec l'intention de revendre. C'est parce qu'on ne se voit jamais, toi et moi. Je m'ennuyais comme un rat mort. J'ai acheté une dose à un type que je connais. Mais en fait non, je n'avais pas l'intention de la revendre...

Le monde d'Izzie s'effondra.

— Comment est-ce qu'ils t'ont attrapé ? Quelqu'un t'a balancé ?

— Non... J'étais au volant de la Buick de ma grand-mère et j'ai grillé un feu rouge. Ils ont vu que j'étais en probation sur mon permis de conduire, donc ils m'ont fait descendre et ont dit qu'ils devaient fouiller la voiture pour voir si j'avais des armes ou de la drogue. Le sachet était sur le siège passager.

— Comment peux-tu être aussi stupide, Zach ?!

185

explosa Izzie d'une voix étouffée. Tu savais que la prison te pendait au nez. Ah, la vache ! Je ne sais même pas si je vais pouvoir te tirer de là. Écoute, je dois retourner à ma réunion. J'arrive dès que je peux. Mais si le montant de la caution n'est pas encore fixé, je ne pourrai la payer que demain. Et s'ils décident de te garder parce que tu es mis à l'épreuve, on est cuits !

— Alors trouve-moi un avocat ! cracha Zach, qui commençait à s'énerver.

— Je *suis* avocate, pauvre idiot ! C'est moi qui t'ai représenté la dernière fois, tu te souviens ? À tout à l'heure.

Elle raccrocha en tremblant de peur autant que de rage. Sa réunion dura jusqu'à dix-neuf heures trente, après quoi elle sauta dans un taxi pour rejoindre la prison. Comme elle le craignait, aucune caution n'avait été fixée, de sorte que Zach devait au moins passer la nuit sous les verrous. Ils eurent une brève conversation dans un étroit parloir, puis elle lui promit de revenir le lendemain matin. Mais elle avait rendez-vous avec des clients à onze heures et devait encore préparer le dossier... C'était un véritable cauchemar.

Elle ne put fermer l'œil de la nuit. Il lui faudrait remuer ciel et terre, faire jouer toutes ses relations pour éviter à Zach la prison ferme. Et elle n'était pas sûre d'y arriver. La dernière fois, elle avait déjà accompli un petit miracle. Alors là, c'était presque mission impossible.

Le lendemain, elle se présenta à la prison dès huit heures du matin. Par une chance incroyable, la mise à l'épreuve de Zach n'avait pas été annulée ; une audition était programmée à neuf heures pour fixer la caution. Quand on lui avait demandé qui était l'avocat de Zach, elle avait donné son nom, tout en précisant qu'ils étaient mariés, pour que les choses soient claires dès le départ. Mais au moment de l'audience, le juge débordé n'y prêta pas attention, et le fait qu'ils portent des noms différents dut jouer en leur faveur.

Le tribunal établit que Zach ne menaçait pas de s'enfuir. La caution fut fixée à cinquante mille dollars, et Izzie devait en payer dix pour cent pour le libérer. Alors, seulement, le magistrat remarqua que le prévenu était mis à l'épreuve et demanda à l'huissier si un mandat avait été prononcé à son encontre. Izzie retint son souffle pendant qu'ils vérifiaient... Par miracle, ils n'avaient pas eu le temps de le faire. Quarante-cinq minutes plus tard, Zach et elle étaient dans un taxi. Dès qu'ils furent arrivés à l'appartement, elle lui lut le procès-verbal et martela qu'il ne devait *jamais* recommencer, sous peine de briser leurs deux vies.

— Je sais, je sais, j'ai été débile... Je suis vraiment désolé. Je ne le ferai plus, promit-il avec un air de profond remords.

— Super. Je te crois. Mais ça m'étonnerait que le juge fasse preuve de la même confiance.

Pendant que Zach prenait une douche, elle appela le substitut du procureur qui avait traité son dossier la dernière fois et le supplia de ne pas faire sauter la mise à l'épreuve de Zach. Si elle ne voulait pas être réveillée par un agent à cinq heures du matin, elle avait intérêt à jouer franc jeu.

— C'est encore vous qui le représentez ? s'étonna le magistrat. Je pensais que l'on vous avait commise d'office l'année dernière.

— En effet.

— Alors pourquoi reprenez-vous le dossier ? Vous ne seriez pas un peu masochiste sur les bords ? demanda-t-il en riant.

— Il faut le croire. J'ai épousé Zach Holbrook il y a un mois.

— Seigneur... Bon, après tout, aucune loi ne vous interdit de défendre votre mari. Dites-moi plutôt ce qui pourrait m'empêcher de constater qu'il a récidivé pendant sa période de probaïon, et de l'envoyer en prison ?

L'homme de loi ne riait plus. Quoique navré pour Izzie, il n'avait aucune envie de commettre une faute professionnelle pour ses beaux yeux. Mais si elle avait de bons arguments, il était prêt à l'écouter, car il appréciait sa franchise et son professionnalisme.

— Parce que je vous en supplie, monsieur le substitut... L'envoyer en prison n'avancera à rien. C'est un idiot, pas un criminel.

Il y eut un silence, au terme duquel elle eut un éclair de génie :

— Il est d'accord pour suivre une cure de désintoxication. Laissez-moi juste le temps de lui trouver un établissement. Il y restera aussi longtemps que vous voudrez.

Le substitut vérifia les données du procès-verbal : au vu de la faible quantité de cocaïne que l'on avait trouvée dans la voiture de Zach, l'intention de revendre ne serait sans doute pas retenue. Il comptait visiblement en faire un usage personnel.

— Bon, très bien, répondit-il enfin. Je ne touche pas à sa mise à l'épreuve pour le moment, le temps que vous lui trouviez une place quelque part. Mais ne vous croyez pas tirée d'affaire pour autant ! Il y a très peu de chances pour que vous tombiez sur un juge aussi clément que la première fois.

— Merci infiniment, monsieur le substitut. Est-ce que vous avez déjà la date de la comparution ?

— Demain, seize heures. Vous pourrez être là ?

— Il le faut bien.

— Je ne sais pas encore si c'est moi qui représen-terai le parquet, mais d'ici là je vous souhaite bonne chance, maître.

— Merci.

Quand Zach sortit de la douche, elle lui intima l'ordre de ne pas quitter l'appartement jusqu'au len-demain, quinze heures, quand elle passerait le chercher pour la comparution. Elle ajouta que s'il se mettait encore une fois dans le pétrin, elle le tuerait ! En outre, il devrait se soumettre à une cure de désintoxication s'il voulait avoir une chance d'éviter la prison... Encore faudrait-il que le juge accepte ce compromis. Zach sembla horrifié.

— Une cure ? Tu veux dire pour trente jours, ou quelque chose comme ça ?

— Ce pourrait être aussi bien six mois ou un an, selon ce que décidera le juge. C'est tout de même mieux que trois à cinq ans de prison !

— Je ne pourrai jamais...

— Il fallait y penser avant !

Sur ce, Izzie sortit de la pièce, livide et au bord de la nausée, pour courir à son rendez-vous, tandis que Zach s'allongeait sur le lit et allumait la télé dans un état second. Voilà qu'elle allait faire attendre ses clients, par-dessus le marché ! Alors qu'elle appelait l'ascen-seur, elle pria pour que le juge accepte sa proposition. Et si Zach allait en prison, que dirait sa famille ? En réalité, elle ne le savait que trop bien.

Elle arriva au bureau avec trente minutes de retard, puis travailla toute la journée à ses dossiers courants. Le soir venu, elle s'attendait à ce que Zach fasse pro-fil bas... Au lieu de quoi elle s'aperçut qu'il avait bu toute la journée et ne semblait pas prendre conscience de la gravité de sa faute. Fâchée, elle passa la soirée dans le salon pendant qu'il continuait de squatter la chambre à coucher. Elle attendit qu'il ait sombré dans les bras de Morphée pour venir s'allonger près de lui. Pour sa part, elle ne put fermer l'œil, trop préoccupée par la comparution du lendemain. Il fallait absolument que Zach fasse bonne impression, or les conditions n'étaient pas franchement réunies...

Le lendemain, elle partit sans lui adresser un mot et passa la matinée à chercher des centres de thérapie depuis son ordinateur de bureau au lieu d'avancer dans son propre travail. Il y en avait un très réputé en Arizona, qui avait plutôt l'air d'un élégant country club que d'un centre de sevrage, d'autres dans le Minnesota et le Michigan, un correct dans le New Hampshire, un dans le Connecticut et même un dans le Queens, un peu sordide mais idéalement proche. De toute façon, même dans une institution luxueuse, Zach se sentirait en captivité.

Elle rentra à l'appartement juste à l'heure et fut soulagée de constater que Zach était debout, lavé, rasé et vêtu d'un costume. Il semblait paralysé de terreur. La menace de la prison ferme commençait enfin à lui éclaircir les idées.

Ils rejoignirent le tribunal en taxi. Le substitut du procureur avec qui Izzie était en contact s'était saisi du dossier pour lui rendre service.

La comparution suivit la routine habituelle. Zach plaida non coupable, et Izzie parvint à faire annuler l'accusation de trafic de drogue. On ne reprochait donc plus à Zach que le recel d'une quantité minimale de cocaïne. Mais cela suffisait à invalider son sursis. Il aurait été envoyé immédiatement derrière les barreaux si Izzie n'avait pas alors suggéré une cure de désintoxication et cité l'établissement du Queens, lequel traitait déjà plusieurs patients envoyés par les tribunaux. Elle les avait appelés dans la matinée : ils avaient de la place pour Zach le soir même. Izzie ajouta que le prévenu n'avait jamais manqué un seul rendez-vous avec son agent de probation.

Le substitut du procureur ne s'opposa pas à cette alternative. Zach était convoqué deux mois plus tard, en août, pour le jugement définitif, une date qu'Izzie espérait pouvoir reporter. Puis le juge prit acte de l'acceptation de soins du prévenu et l'assigna à la structure spécialisée du Queens pour une durée minimale de trois mois, renouvelable quatre fois. Izzie sentit une vague de soulagement la submerger tandis que le juge abaissait son marteau d'une main énergique pour appeler l'affaire suivante. Traversant la salle d'audience, elle alla remercier le substitut, avant de revenir pour empoigner son porte-documents et entraîner Zach vers la sortie. Elle ne s'arrêta que sur le perron du tribunal.

— OK, tu peux me traduire ce qui vient de se passer en langage courant ? demanda-t-il, perplexe.

— Tu pars en cure.

— Hein ? Quand ça ?

— Ce soir.

— Pour combien de temps ?

— Trois mois, si tu te tiens à carreau. Sinon, ce sera neuf mois ou un an, lança-t-elle en descendant les marches pour chercher un taxi.

— Mais tu es dingue ? Trois mois enfermé, peut-être un an ? Ça fait quelle différence avec la prison ?

— Ah, génial ! rugit-elle au moment où un taxi s'arrêtait. C'est comme ça que tu me remercies ? Eh bien, tu n'as qu'à retourner là-dedans et réclamer à passer trois ou cinq ans en taule. Mais ce ne sera plus la peine de venir me voir quand tu sortiras. Au cas où tu ne l'aurais pas compris, tu as une chance d'effacer ton ardoise, mais c'est la dernière fois. Je ne recommencerai pas ce cirque tous les quatre matins ! Si tu refuses d'aller en cure, grand bien te fasse : tu n'auras plus qu'à te débrouiller tout seul.

Le taxi s'impatientait... Ils finirent par monter à bord et n'échangèrent plus un mot de tout le trajet. Une fois à l'appartement, elle l'aida à faire ses bagages. S'il ne se présentait pas au centre de désintoxication avant le couvre-feu, il pouvait dire adieu à son sursis.

À vingt et une heures, ils sonnaient à une porte lugubre dans le Queens. Une heure plus tard, ils avaient terminé le processus d'admission et on avait attribué à Zach une place dans une chambre partagée avec trois autres types. Le jeune homme fusillait Izzie du regard. On les informa qu'elle ne pourrait ni le voir ni communiquer avec lui pendant une période de trente jours.

— Vous plaisantez ? s'indigna Zach. C'est mon épouse !

— Ce pourrait aussi bien être la Vierge Marie, ça ne change rien pour moi, répondit calmement l'éducateur.

Ils échangèrent un dernier baiser désespéré, puis Zach disparut derrière une porte, son sac sur l'épaule, et toute la misère du monde peinte sur le visage. Dès qu'elle eut repris place sur la banquette du taxi qui l'attendait dehors, Izzie fondit en larmes. Les dernières quarante-huit heures avaient été un enfer, et les prochains mois s'annonçaient bien solitaires pour elle. Dans un peu plus de quatre semaines, Zach pourrait au moins rentrer de temps à autre. Mais en attendant, elle était seule. Et pour comble d'humiliation, le juge avait placé Zach sous bracelet électronique pour une durée d'un an, comme s'il était dangereux pour qui que ce soit d'autre que lui-même...

Izzie reprit le chemin du travail la mort dans l'âme. Elle s'aperçut toutefois au bout de quelques jours que la sensation de manque se mêlait d'un étrange soulagement : là-bas, au moins, dans ce centre, Zach ne pouvait pas faire de bêtises. Elle déclina à plusieurs reprises les invitations de sa mère à venir la voir, prétextant des dossiers importants au cabinet, afin de n'avoir pas à expliquer l'absence de Zach...

Au bout de trente jours, elle eut enfin droit à une heure de visite au centre de thérapie le dimanche après-midi, en même temps que toutes les autres familles. Zach la serra contre elle comme s'il ne voulait plus jamais la lâcher, se répandit en excuses et lui répéta qu'il l'aimait plus que tout au monde. Il serait autorisé à rentrer chez lui le temps d'un après-midi le week-end suivant. Le mois écoulé avait été rude. Mais elle le crut quand il lui promit de ne jamais recommencer. C'était le prix à payer s'il tenait à elle, et à leur couple.

# 15

Le premier août était le jour du départ de Louise et Frances pour leur grand voyage en Chine. Premier arrêt : Hong Kong. Kate et Julie les accompagnèrent à l'aéroport. Louise était excitée comme une puce, tandis que son amie restait impassible – elle aurait aussi bien pu partir à Boston pour le week-end. Les deux dames firent enregistrer leurs valises et gardèrent un petit sac à dos avec elles. Kate savait que Frances emportait toujours une pharmacie complète, ce que Louise jugeait ridicule. Toutes deux se dirigèrent vers la salle d'embarquement d'un pas alerte après avoir passé le contrôle de sécurité.

— Elle a quand même du cran, notre mamie Lou ! commenta Julie, admirative.

La jeune femme n'imaginait pas voyager si loin à un âge aussi avancé, et Kate non plus. Dans le taxi qui les ramenait en ville, Julie annonça à sa mère que Peter et elle allaient passer le week-end chez un ami à lui qui possédait un voilier sur la côte du Maine. Peter avait déjà réservé l'avion pour Bangor, et elle regrettait qu'ils n'aient pas le temps d'y aller en voiture, car elle aurait voulu en profiter pour passer voir Justin dans le Vermont. Le bébé devait arriver dans moins d'un mois.

— Comment va Shirley ? s'enquit Kate.

— Justin dit qu'elle est énorme et qu'elle a hâte d'accoucher. Apparemment, le bébé est plus costaud que tous ceux qu'elle a eus avant.

— Je ne comprends toujours pas comment une femme peut faire ça... Louer son corps, porter le bébé de quelqu'un d'autre contre de l'argent et le donner à la naissance...

— Je suppose que l'argent qu'elle gagne lui permet d'améliorer le quotidien de ses propres enfants.

Julie elle aussi trouvait que c'était étrange, mais elle était heureuse pour son frère et constatait que tout se passait bien jusqu'à présent. Lors de l'échographie du cinquième mois, les deux hommes avaient appris que c'était une fille et s'étaient lancés à corps perdu dans la décoration de la chambre : Richard avait peint les murs dans trois nuances de rose différentes.

— Et pour Peter, quoi de neuf ?

— Il vient d'avoir une promotion, donc il est content. En pleine forme, toujours très occupé.

Depuis le début de l'été, les deux jeunes gens s'échappaient de la grande ville tous les week-ends. Le changement était perceptible chez Julie : plus ouverte, plus sociable, toujours partante pour de nouvelles activités, elle semblait totalement épanouie dans cette relation.

— Et toi ? Ton ami français ? demanda Julie à sa mère.

Kate ne parlait plus de Bernard depuis des semaines. En juin, il avait annulé son voyage à New York à la dernière minute et depuis, elle avait l'impression qu'il l'évitait : ses messages se faisaient de plus en plus rares. De toute façon, elle aussi avait besoin de prendre ses distances.

— Ça va, répondit-elle. Il est en vacances en Italie avec ses enfants pendant un mois.

— Tu vas aller le voir ? demanda timidement Julie, qui avait bien remarqué que le sujet semblait contrarier sa mère.

— Non, j'ai trop à faire. Vu le succès de la boutique en ligne, je vais devoir la réorganiser avec l'équipe informatique. Et puis, je ne veux pas partir maintenant, alors que le bébé de Justin est sur le point d'arriver.

Le taxi déposa Julie au pied de son immeuble et emmena Kate à la boutique. Le samedi était une journée chargée chez Still Fabulous.

Désormais, Justin et Richard passaient voir Shirley tous les jours. Leur envie de voir leur bébé grandir en elle était trop forte ! Ils en profitaient pour lui apporter des fruits, des légumes ou des œufs frais achetés au marché, parfois des surprises pour les enfants. Ils l'accompagnèrent également à la visite du dernier mois. Ils purent écouter les battements de cœur de leur fille, et Shirley les laissa poser la main sur son ventre pour qu'ils sentent ses coups de pied. C'était un bébé très actif et la jeune femme n'hésitait pas à avouer que la grossesse avait déjà assez duré à son goût : elle était impatiente de se réapproprier son corps. Dans l'espoir d'accélérer le processus, elle faisait de longues promenades l'après-midi. Et ses enfants avaient hâte de retrouver toute l'attention de leur maman.

À plusieurs reprises au cours des derniers jours, elle déclara qu'elle n'était pas sûre de recommencer l'expérience à l'avenir. Deux enfants bien à elle, et deux pour autrui, c'était suffisant. Elle avait fait sa bonne action, et Justin et Richard lui vouaient une reconnaissance éternelle. Certes, ils la rémunéraient, mais ce qu'elle leur offrait n'avait pas de prix. Les deux amoureux se sentaient prêts ; ils avaient déjà mis en place un emploi du temps millimétré, notamment pour savoir qui se lèverait la nuit. Justin s'occuperait du bébé le jour – quand Richard serait au travail – et se consacrerait à l'écriture de son livre le soir.

Un incident survint à deux jours du terme de la grossesse : l'un des fils de Shirley se cassa le bras sur un ponton du lac où il passait la journée avec son centre de loisirs. Sans la rétribution de Justin et Richard, la jeune femme n'aurait pas eu les moyens de leur offrir des activités pendant l'été. Jack étant absent, elle appela Justin pour lui demander de l'emmener à l'hôpital, où l'une des animatrices avait conduit le petit Billy.

Justin et Shirley le trouvèrent en train de pleurer de douleur dans la salle d'attente, mais il fut admis aux urgences quelques minutes après et se sentit beaucoup mieux grâce aux analgésiques qu'on lui donna pendant que le médecin le plâtrait. Dès que ce fut sec, Justin le signa et dessina un smiley dessus. La petite troupe était en train de rejoindre la voiture sur le parking quand une flaque d'eau s'abattit sur le bitume, entre les pieds de Shirley. Elle n'avait rien senti venir !

— Mon Dieu ! s'écria Justin. Que se passe-t-il ? Est-ce que tu vas bien ?

— Hum, on dirait que j'ai perdu les eaux...

Le liquide continuait à dégouliner le long de ses jambes.

— Est-ce que nous devons retourner à l'intérieur ? demanda encore Justin, tandis que Billy gambadait autour d'eux avec son bras en écharpe.

— Non, je préfère me reposer un peu. Mais j'appellerai le médecin dès que nous serons rentrés. Le travail ne commencera probablement que ce soir.

Justin était dubitatif : il lui semblait se souvenir que

la perte des eaux nécessitait de se présenter à la maternité sur-le-champ. Cependant, selon les instructions de Shirley, il étala la serviette de plage qui se trouvait dans son coffre sur le siège passager, puis l'aida à s'asseoir. Ils étaient chez elle cinq minutes plus tard.

Au moment de sortir de la voiture, elle riait et parlait avec animation, regardant Billy la précéder pour montrer son plâtre à son père et son frère. Et tout à coup, Justin la vit empoigner la portière, incapable de marcher.

— Que se passe-t-il ?

— Ta fille est en route ! annonça-t-elle en souriant.

Elle paraissait totalement détendue. Après tout, elle avait déjà vécu trois accouchements ! Tandis que Justin appelait Richard pour l'informer des derniers événements, Shirley était au téléphone avec son obstétricienne, en train de lui expliquer que ses contractions lui « arrachaient les tripes ». La gynécologue confirma qu'elle était à l'hôpital et lui dit qu'elle pouvait passer quand elle voulait pour se faire examiner. Mais Shirley estima que ce n'était pas encore nécessaire.

— Ça commence tout de même beaucoup plus fort que la dernière fois, remarqua Jack.

Justin et Richard souhaitaient assister à la naissance. Shirley avait accepté de bonne grâce, tandis que Jack était d'accord pour rester à la maison et garder ses fils. Ce bébé n'était pas le leur ; il ne souhaitait pas s'impliquer plus que nécessaire.

Shirley annonça qu'elle allait se doucher avant de s'allonger un moment et conseilla à Justin de rentrer chez lui : elle l'appellerait dès qu'elle se sentirait prête à partir pour l'hôpital. Cependant, une fois qu'elle eut monté l'escalier, le futur père hésita…

— Est-ce que je peux rester un peu… juste au cas où ? demanda-t-il à Jack.

Celui-ci accepta volontiers, puis sortit jouer au ballon avec ses deux fils. Justin s'assit donc à la table de cuisine, se demandant quelle serait la suite des événements. Certes, Richard et lui avaient suivi avec Shirley les cours de préparation à la naissance pour savoir comment l'aider le moment venu, mais là, il ne s'agissait plus d'une répétition ! Leur bébé allait vraiment arriver ; d'ici quelques heures, ils pourraient le tenir dans leurs bras !

Le jeune homme était en train de contempler cette idée vertigineuse lorsque Shirley reparut, portant un petit sac en toile, qu'elle avait préparé depuis plusieurs semaines déjà. Son visage était tendu ; elle marchait avec difficulté.

— Ça va vraiment vite, marmonna-t-elle entre deux contractions. J'ai rappelé le médecin ; elle m'a dit de venir tout de suite.

Justin lui prit le sac des mains, puis appela Richard pendant qu'ils rejoignaient la voiture. Les deux gamins embrassèrent leur mère, puis Jack la serra contre lui et l'aida à s'installer sur le siège passager. Elle s'y laissa choir avec une affreuse grimace.

— Tu souffres beaucoup ? s'enquit Justin, compatissant.

Elle parvint à sourire.

— Disons que je souffre comme je suis censée souffrir à ce stade… J'ai l'impression que ta fille est super pressée de te rencontrer !

Sur ce, elle se cramponna à l'accoudoir tandis que Justin conduisait aussi vite que possible pour récupérer Richard, qui les attendait devant la maison. Il sauta sur la banquette arrière.

— Salut, Shirley, comment ça se présente ?

Son anxiété monta d'un cran lorsqu'il la vit grimacer de douleur.

— Dépêchons-nous, souffla-t-elle.

— On y est presque, répondit Justin, qui roulait déjà à la vitesse maximale autorisée.

Bientôt, ils se garèrent sur le parking de l'hôpital, qu'ils avaient quitté moins d'une heure auparavant. Justin aida Shirley à descendre, et Richard courut lui chercher un fauteuil roulant.

— Bonjour, tout le monde ! lança l'infirmière de l'accueil en les voyant arriver. Tiens, mais c'est vous qui étiez là tout à l'heure avec votre fils ! Vous n'aviez pas envie de nous quitter, n'est-ce pas ? Je vous en prie, montez aux urgences obstétriques, j'annonce votre arrivée à mes collègues. Je préviens aussi votre gynécologue ?

Shirley hocha la tête et rappela le nom de son médecin. À l'étage de la maternité, une autre infirmière les accueillit et évalua la situation d'un seul coup d'œil : aussitôt, elle les conduisit à une salle de travail et installa Shirley sur le lit. Puis elle l'aida à troquer sa robe de coton contre la blouse de l'hôpital, ce qui laissa apparaître l'espace d'un instant son énorme ventre. Ensuite, elle la couvrit d'un drap, sous lequel la parturiente se débarrassa de ses sous-vêtements comme elle put, entre deux contractions.

— Souhaitez-vous que ces messieurs sortent ?

— Non, ce sont les pères du bébé. Je veux qu'ils soient là tous les deux, déclara Shirley, la mâchoire serrée.

À cet instant, un médecin entra dans la chambre. Il demanda à Justin et Richard de se placer vers la tête de la jeune femme et l'examina, en attendant l'arrivée de sa gynécologue habituelle. Shirley poussa un cri. Instinctivement, Justin lui prit la main et la laissa serrer la sienne de toutes ses forces. Les contractions s'enchaînaient, de plus en plus violentes.

Le médecin était en train d'annoncer qu'elle allait bientôt devoir pousser lorsque sa consœur entra dans la pièce pour prendre le relais : en s'excusant, elle demanda la permission d'examiner Shirley à son tour. Cette dernière pleura de douleur, mais ne se plaignit pas.

— Désolée, je vous fais mal... C'est que je veux voir où est la tête du bébé, expliqua la gynécologue avec douceur.

La jeune femme hocha vaillamment la tête, broyant toujours la main de Justin.

— J'aurais aimé vous proposer une péridurale, mais c'est allé trop vite, vous en êtes déjà à neuf centimètres. Le bébé s'est un peu déplacé depuis la dernière échographie : il se présente par l'épaule, donc il va d'abord falloir que je l'aide à se repositionner, d'accord ?

Shirley opina : avait-elle vraiment le choix ? Heureusement, la bienveillance du médecin la rassurait. Cette fois, cependant, elle hurla de douleur. Richard se laissa tomber sur un fauteuil, pâle comme un cachet d'aspirine.

— Est-ce que tu veux sortir ? suggéra Justin sans lâcher la main de Shirley.

Son compagnon hocha la tête, mais resta assis.

Le médecin se redressa alors avec un sourire de satisfaction : elle avait réussi la manœuvre, Shirley pouvait pousser. Dès lors, tout le monde fut sur le pied de guerre. La gynécologue observait la progression du bébé, Justin caressait la main de Shirley tout en l'encourageant, et l'infirmière, de l'autre côté du lit, lui indiquait quand souffler.

Soudain, le visage de la jeune femme vira au cramoisi. Elle poussa de toutes ses forces et, enfin, le haut de la tête apparut, puis un petit visage étonné les regarda. Shirley se laissa retomber sur l'oreiller, apaisée et rayonnante, tandis que le médecin réceptionnait le bébé. Quelle magnifique petite fille ! Justin et Richard se mirent à pleurer. La gynécologue coupa le cordon, enveloppa la petite dans une couverture et la tendit à Justin, qui la regarda avec émerveillement avant de se tourner vers Shirley pour la remercier de l'exploit qu'elle venait d'accomplir. L'accouchement avait duré une demi-heure, montre en main, et le bébé était en pleine santé. Richard souriait à travers ses larmes. S'il avait eu quelques doutes au début, quand Justin lui avait soumis son projet, il était maintenant plus que convaincu. Il lui avait suffi de voir sa fille, ce si beau chérubin...

Au bout d'un moment, l'infirmière l'emmena à la nurserie pour la peser et la nettoyer, non sans avoir promis aux deux hommes qu'ils auraient ensuite la possibilité de profiter d'un moment de peau à peau. Justin et Richard remercièrent encore profusément Shirley. À sa demande, ils la couvrirent d'une couverture, car elle s'était mise à grelotter : c'était une réaction normale après l'accouchement.

Puis ils la laissèrent se reposer et se dirigèrent vers la nurserie. Justin eut le privilège de donner son premier biberon à leur fille et de la tenir tout contre lui un long moment. Quelle aventure... Ils avaient tous les deux conscience d'avoir assisté à un véritable miracle. L'accouchement lui-même n'avait pas été aussi effrayant qu'ils l'avaient craint : Shirley était une vraie guerrière !

Justin emmaillota le bébé selon les instructions de l'infirmière. La petite, ainsi contenue et bien au chaud, ne tarda pas à s'endormir. Il la déposa alors dans son berceau : sa carte de bienvenue indiquait qu'elle pesait 4,479 kg. Tout naturellement, ils l'avaient prénommée Milagra, « miracle » en espagnol.

Ils l'admirèrent un long moment tandis qu'elle dormait paisiblement dans sa couverture et son petit bonnet rose. Ils avaient hâte de revenir la chercher le lendemain : la courte période d'observation pendant laquelle les médecins exigeaient de la garder à l'hôpital leur paraissait encore trop longue ! Et ils savaient que Shirley elle aussi était pressée de rentrer chez elle et de retrouver les siens. En remettant Milagra en parfaite santé entre les mains de ses deux papas, la jeune femme avait accompli sa mission.

Justin et Richard retournèrent dans le hall pour passer des appels. Kate les félicita du fond du cœur, et Julie poussa un petit cri de joie en entendant la nouvelle. Même Izzie semblait sincèrement heureuse pour eux. Elle avait cessé de les mettre en garde contre les risques juridiques de la GPA. Et de fait, tout s'était bien déroulé : Shirley devait signer les documents de renoncement à ses droits parentaux le lendemain, et Justin et Richard avaient préparé le chèque pour règlement de son solde.

Enfin, ils appelèrent Willie. Comme il ne répondait pas, ils lui envoyèrent un SMS personnalisé, puis en rédigèrent un autre, plus général, à l'intention de leurs amis. Tous les gens qui comptaient pour eux avaient attendu l'arrivée de Milagra avec impatience. Et voilà qu'elle était enfin entrée dans leurs vies !

Au moment de la naissance de sa nièce, Izzie attendait le retour de Zach, lequel n'avait plus qu'une semaine de cure à suivre avant la fin de sa période de trois mois. Son bon comportement lui avait permis de rentrer fréquemment à la maison le week-end et, même si cela n'avait encore rien donné, il avait prouvé qu'il cherchait activement un emploi, de sorte que son agent de probation, très satisfaite, avait demandé au juge de ne pas prolonger la thérapie.

Pendant ces trois mois, Izzie avait été si inquiète pour son mari que la sensation de nausée ne la quittait plus. À force de ne rien manger et de se noyer dans le travail, elle avait perdu cinq kilos. Au cabinet, ses confrères avaient remarqué sa mauvaise mine. Et Zach aussi, bien sûr. Le jeune homme culpabilisait de l'avoir placée dans cette situation. Il ne rêvait que de rentrer pour s'occuper d'elle.

Quand enfin il réintégra le foyer, les deux amoureux eurent l'impression de vivre une seconde lune de miel. La seule chose qui leur rappelait encore cette triste aventure était le bracelet électronique que Zach devait porter à la cheville pour encore neuf mois. Izzie détestait ce dispositif, qui lui donnait l'air d'un criminel. Zach était confiné aux limites de la ville, et leurs escapades dans la maison de sa grand-mère, à East Hampton, leur manquaient beaucoup.

Cependant, même après le retour de son époux, Izzie s'aperçut que la nausée ne passait pas. Aussi commença-t-elle à se poser des questions. Jusque-là, elle s'était dit que ce malaise permanent était lié au stress, tout comme son retard de règles : son corps était sens dessus dessous depuis l'arrestation de Zach. Mais là, elle se mit à soupçonner autre chose…

Un soir, de retour du travail, elle passa acheter un test à la pharmacie avant de s'enfermer dans la salle de bain. À cette époque de sa vie, elle vivait dans la crainte permanente de deux choses. La première était que Zach aille en prison. La seconde venait de se réaliser : elle était enceinte. Pour elle, c'était un vrai cauchemar. Comment pourrait-elle s'occuper d'un bébé en plus de tout le reste ? Zach était lui-même un enfant.

D'après ses calculs, elle devait approcher des trois mois de grossesse, presque trop tard pour faire quelque chose. Et quand bien même, comment aurait-elle le cœur à avorter d'un enfant conçu avec l'homme qu'elle aimait, qu'elle avait épousé ? C'était au-dessus de ses forces. Elle resta assise un long moment dans la baignoire et ne dit rien à Zach en sortant de la salle de bain. Elle avait besoin de réfléchir. Certes, ils n'avaient pas toujours pris leurs précautions, mais elle n'avait jamais imaginé que cela puisse lui arriver si vite.

Ce soir-là, elle était encore en état de choc lorsque le téléphone sonna. C'était Justin, qui avait besoin de partager son bonheur avec elle. Richard et lui adoraient la paternité ; ils étaient aux anges, et Shirley avait tout signé sans le moindre problème.

— Je suis désolée de t'avoir fait la leçon, s'excusa sa sœur.

Il lui semblait maintenant que son frère avait été bien plus raisonnable qu'elle-même.

— Et moi, je suis navré de ne pas t'avoir accompagnée le jour de ton mariage, répondit Justin. Tu sais, ça me tracasse depuis deux mois : tu me manques. Vivement que tu voies la petite. Elle est adorable, tu sais !

— Oui, j'ai hâte de la rencontrer. Mais je travaille comme une folle depuis que nous sommes rentrés de voyage de noces. Je vais essayer de venir d'ici quelques semaines.

— On a prévu de descendre bientôt pour la présenter à mamie Lou. On en profitera pour se voir à ce moment-là, si tu veux.

Ils raccrochèrent au bout de quelques minutes. Izzie resta songeuse : se réjouirait-elle un jour autant que lui d'avoir un bébé ? Elle avait bien assez de soucis comme ça et ne se sentait pas prête à avoir un enfant. Et pourtant, elle était enceinte...

— C'était qui ? demanda Zach en entrant dans la chambre.

— Justin. Ils sont complètement gagas devant leur bébé, dit-elle sans sourire.

— Tant mieux pour eux ! Pourquoi est-ce que tu fais cette tête ?

Elle leva vers lui des yeux désespérés.

— Parce que moi aussi je vais en avoir un, articula-t-elle d'une voix étranglée.

— Quoi ?

Il était figé sur place. Izzie ne voyait que son bracelet, qui la rappelait en permanence à la réalité, puisque Zach se promenait toujours pieds nus à la maison.

— Tu as bien entendu. Je suis enceinte.

— Mais pourquoi est-ce que tu ne me l'as pas dit ? demanda-t-il en s'asseyant près d'elle pour passer un bras autour de ses épaules.

Il souriait maintenant d'une oreille à l'autre.

— Je l'ai appris il y a moins d'une heure.

— Oh, chérie, c'est fabuleux !

Alors qu'il la serrait contre lui, elle se mit à pleurer. Même s'ils avaient rêvé d'avoir des enfants un jour, celui-ci ne pouvait pas tomber plus mal.

# 16

Le lendemain de la naissance de Milagra, ses deux papas la ramenèrent à la maison, la couchèrent endormie dans son berceau rose et la contemplèrent avec émerveillement. Ils avaient déjà envoyé des dizaines de photos de leur fille à Alana et à leur entourage : tous répondaient qu'ils n'avaient jamais vu plus beau bébé !

Assise à son bureau à quelques centaines de kilomètres de là, Kate admirait l'album que Justin venait de publier, essayant de réaliser qu'elle était désormais grand-mère. Même si elle avait du mal à s'y faire, elle était soulagée de voir que la petite était en pleine forme. Tout à coup, son téléphone sonna. Elle décrocha, mais ne saisit pas un mot de ce qu'on essayait de lui dire. Au bout d'un moment, elle finit par comprendre qu'elle était en ligne avec le concierge d'un hôtel à Pékin et qu'il était question de sa mère. À cet instant, son cœur manqua de s'arrêter.

— Hein ? Quoi ? Je vous demande pardon, je vous entends très mal. Oui, oui, je suis bien la fille de Louise Smith, est-ce qu'elle a un problème ?

Apparemment, Louise avait été admise dans un hôpital. Kate se mit à paniquer franchement.

— Pouvez-vous me passer quelqu'un qui parle anglais ? Oui, pardon, bien sûr… Mais je vous entends très mal. Est-ce qu'elle va bien ?

Kate comprit peu à peu que Louise avait un problème au pied, puis on lui passa une dame maîtrisant un peu mieux la langue de Shakespeare. À ce stade, Kate parlait si fort dans l'appareil que Jessica passa la tête par la porte du bureau pour voir ce qui se passait : les clientes l'entendaient depuis l'entrée du magasin.

— Oui, Louise Smith est ma mère. Où est-elle ? Est-ce que je peux lui parler ? hurla Kate en articulant avec exagération.

Enfin, la dame parvint à lui expliquer que Louise s'était cassé la cheville et qu'elle serait de retour à New York le lendemain par l'avion de seize heures. Mais pourquoi sa mère ne l'avait-elle pas appelée ? Ou Frances ? Dès qu'elle eut raccroché, Kate composa le numéro de portable de Louise. Il ne sonna même pas, et celui de Frances non plus. Tout cela restait encore très mystérieux...

Pendant vingt-quatre heures, Kate se rongea d'inquiétude. Elle prenait conscience que sa mère, en dépit de son indépendance, était tout de même bien vieille et qu'un malheur loin de chez elle serait d'autant plus problématique. Kate ne dit rien à ses enfants. Julie partait voir le bébé dans le Vermont, et Kate prétexta qu'elle devait gérer un problème au magasin et ne pouvait pas s'absenter. Elle irait voir Milagra le week-end suivant : Justin comprendrait.

Le lendemain, Kate arriva à l'aéroport avec trente minutes d'avance. L'attente lui sembla interminable. Au bout d'un moment, elle se dit qu'elles avaient dû rater leur avion, car les passagers du vol récupéraient leurs bagages et passaient le contrôle douanier les uns après les autres, mais Louise et Frances n'en faisaient pas partie. Au comble de la panique, Kate scrutait le tarmac depuis une passerelle, lorsqu'elle les aperçut enfin. Frances avait un bras en écharpe et sa mère marchait avec des béquilles. On aurait dit qu'elles revenaient d'une zone de guerre ! Elles parvinrent à mettre leurs bagages sur un chariot et à se diriger clopin-clopant vers le guichet de la douane et de l'immigration. Elles sortirent alors du champ de vision de Kate, laquelle se précipita dans l'escalator pour rejoindre la porte des arrivées. Les deux dames n'en émergèrent que vingt minutes plus tard, parlant avec animation. Louise parut surprise de la voir.

— Je t'avais bien dit qu'elle serait là ! lança Frances, un grand sourire aux lèvres. Nous avons demandé au concierge de l'hôtel de te prévenir. Malheureusement, personne ne parlait vraiment anglais et ils ne voulaient pas nous laisser passer derrière le comptoir pour prendre l'appareil...

— Seigneur, que vous est-il arrivé ? Maman, veux-tu que j'aille chercher un fauteuil roulant ?

— Certainement pas, je me débrouille très bien ! répliqua Louise. Je me suis juste foulé la cheville dans la Cité interdite, et Frances s'est fracturé le bras en glissant dans la salle de bain. Bon... j'ai aussi cassé mon portable et elle a perdu le sien ! Un mauvais concours de circonstances...

— Dieu soit loué, vous êtes là ! J'étais morte d'inquiétude. Vous faites peur à voir, toutes les deux...

— Merci pour le compliment..., s'indigna Louise, de plus en plus vexée.

— Mais au fait, si vous n'aviez pas vos téléphones, vous n'êtes pas au courant : la petite fille de Justin est née il y a deux jours. Milagra. Elle pèse plus de quatre kilos ! Ça y est, te voilà arrière-grand-mère, maman.

— Oh, merveilleux ! Est-ce qu'elle va bien et est-ce que la mère porteuse a signé tous les papiers ?

209

— Oui, apparemment il n'y a eu aucun problème.

— Ah ! J'ai tellement hâte de la voir ! s'exclama-t-elle, aux anges.

Sautillant sur ses béquilles en direction de la sortie, elle refusa d'être aidée et se mit à raconter leur périple.

— Je ne pense pas retourner à Pékin, dit-elle avec une moue alors qu'elle s'installait dans le taxi. Par contre, j'ai adoré Shanghai et Hong Kong. La culture y est beaucoup plus raffinée.

— Ils ont été très gentils avec nous, à l'hôpital de Pékin, remarqua Frances.

— C'est vrai, mais c'est un détail : on n'avait pas réservé un circuit « spécial Croix-Rouge », rétorqua Louise.

Kate dut se retenir de pouffer.

— Tu es sûre que ta cheville n'est pas cassée, maman ?

— Mais bien sûr, ils m'ont fait une radio, voyons ! Et sinon, comment vont les autres ?

— Je n'ai pas vu Izzie depuis longtemps ; elle travaille beaucoup. Julie est toujours amoureuse de M. Parfait et quant à Willie, j'ai un peu de mal à le suivre, comme d'habitude. Je sais qu'il a profité des week-ends pour se mettre au vert ce mois-ci.

— Très bien. Allez, montre-moi plutôt les photos de ce bébé !

— Oui, c'est vrai. Dommage que tu aies cassé ton téléphone...

— Penses-tu ! J'en rachèterai un demain, voilà tout.

Elles déposèrent Frances, puis Kate ramena sa mère chez elle. Elle l'aurait bien aidée à défaire ses bagages, mais Louise soutint qu'elle n'avait besoin de personne et qu'elle voulait ouvrir son courrier au calme. Kate retourna donc à la boutique. Un mail de Bernard l'y attendait. Sans nouvelles depuis quatre semaines, Kate lui en voulait beaucoup et leur relation s'était effilochée sans qu'aucun des deux n'ait officiellement rompu. Il avait successivement annulé ses visites en juin et juillet, sous prétexte de rendez-vous urgents à Londres. Et elle rageait de savoir qu'il venait de passer plus de trois semaines en Italie avec sa femme et ses enfants.

Elle comprenait maintenant que leur histoire d'amour passionnée n'avait été qu'une triste farce et qu'elle en avait été le dindon... À présent, il réapparaissait, la bouche en cœur, pour lui dire qu'il arrivait en ville ! Dans la mesure où il avait investi dans son commerce, elle ne pouvait pas l'éviter complètement, mais elle n'avait plus aucune envie de participer à cette mascarade. Il ne lui restait plus qu'à le lui signifier...

Elle ne lui répondit que le lendemain, par un bref message dans lequel elle se contentait de lui communiquer le chiffre d'affaires de sa boutique en ligne. Cette fois, c'était fini pour de bon. Elle venait de passer un bien triste été.

Louise appela Kate le lendemain : elle souhaitait se rendre dans le Vermont avec elle. Mais Kate devait mettre sa comptabilité à jour avant la venue de Bernard. Quel que soit l'état de leurs relations à titre privé, elle tenait à ce que leurs rapports professionnels restent bons.

— Je ne suis pas sûre de pouvoir cette semaine, répondit-elle à sa mère. Je vais appeler Justin et lui demander à quel moment il préfère que nous passions.

Quand Justin décrocha, il lui expliqua que Richard était en train de donner le biberon, ce qu'ils faisaient à tour de rôle afin que Milagra s'attache autant à l'un qu'à l'autre. La nuit, elle dormait dans un couffin au milieu de leur lit. Ils avaient certes acheté un baby phone vidéo pour sa chambre... mais tant qu'elle était si petite, ils préféraient la garder tout près d'eux.

— Au fait, comment va mamie Lou ? demanda-t-il.

— Quand elle est descendue de l'avion avec Frances, on aurait dit qu'elles revenaient du pèlerinage de Lourdes ! expliqua Kate en riant. Elle s'est foulé la cheville et marche avec des béquilles. Enfin, tu connais ta grand-mère : rien ne l'arrête. Elle voudrait venir voir la petite, mais pour tout te dire, je suis un peu débordée au magasin.

— Et si vous leviez le pied, mamie et toi ? Je préfère que mamie se repose, plutôt. De toute façon, on pensait vous amener Milagra d'ici quelques semaines. Je t'avoue que, pour l'instant, on est en train de prendre nos marques avec elle. On a besoin d'un peu de temps...

Les deux papas voulaient apprivoiser la parentalité avant d'entreprendre un voyage avec leur fille. Pour le moment, c'est à peine s'ils parvenaient à se doucher et à s'habiller, entre les couches, les biberons, les lessives de draps et de petits vêtements. Sans cesse, ils devaient tenter d'élucider la cause de ses pleurs et se réveillaient deux à trois fois par nuit, car c'était un beau et gros bébé, doté d'un solide appétit. Et dire qu'ils s'étaient imaginé l'habiller comme une poupée, avec de jolies robes de princesse... En réalité, à peine lui avaient-ils passé un pyjama qu'elle régurgitait une partie de son repas ou que sa couche débordait. La machine à laver, comme le stérilisateur, tournait nuit et jour à plein régime.

— Je me demande si c'est plus simple pour les femmes qui allaitent, soupira Richard, armé d'un goupillon devant l'évier rempli de biberons.

— Bof, c'est sûr qu'il y a moins de vaisselle, mais j'ai entendu dire que c'était encore plus compliqué de donner un rythme aux bébés allaités.

Les deux hommes n'auraient jamais imaginé qu'un être si petit puisse donner autant de travail. Malgré tout, ils avaient pris le temps d'appeler Shirley pour prendre de ses nouvelles. La jeune femme était heureuse d'être enfin pleinement disponible pour sa famille, et soulagée d'avoir repris possession de son corps, même si l'inhibiteur de lactation administré à l'hôpital ne fonctionnait pas très bien et que la montée de lait la faisait un peu souffrir. Infiniment reconnaissants, Justin et Richard lui avaient encore fait livrer des fleurs après son retour à la maison.

Justin ne l'avait pas dit à sa mère, mais en fait c'était lui qui tenait à garder Milagra dans leur lit. Son partenaire estimait pour sa part que la place du bébé était dans son berceau, dans la chambre aménagée à son intention.

— Dis-moi, c'est très différent de ce que tu imaginais, non ? chuchota Justin au-dessus de leur fille endormie.

Il avait bien remarqué que Richard était un peu dépassé par les événements, mais après tout Milagra n'avait même pas une semaine...

— J'avoue que c'est dur et que ça demande une sacrée organisation. On n'a plus le temps de rien faire. Tout tourne autour d'elle.

Justin rit.

— Eh bien, oui... Qu'est-ce que tu croyais, que tout tournerait autour de nous ?

— Je n'y avais pas réfléchi, admit Richard. Je devais penser qu'elle serait tout le temps mignonne, propre et rose...

De fait, Justin se débrouillait bien mieux avec les couches ; il ne faisait pas tant de simagrées et de mines dégoûtées au moment de la changer. Au final, c'est lui qui s'acquittait de cette tâche la plupart du temps.

— Ce sera sûrement plus sympa quand elle commencera à parler, ajouta Richard.

— Plus amusant peut-être, mais pas forcément plus reposant. Elle crapahutera partout et il faudra être derrière elle en permanence.

— Comment font les autres parents ? Je n'ai eu le temps de répondre à aucun coup de fil depuis qu'elle est née.

— Moi non plus, reconnut Justin en souriant.

À ce stade, le jeune écrivain appréciait son nouveau statut de père, même s'il se demandait bien quand il pourrait se remettre au travail. D'autant que Richard ne serait plus là pour l'aider quand il reprendrait le chemin du lycée, dans quatre semaines... Il serait obligé d'écrire le soir, rognant encore sur son temps de sommeil, et il ne pourrait probablement pas se remettre à son roman avant plusieurs mois, quand ils auraient enfin réussi à donner un rythme stable aux journées de Milagra.

Alana et Julie leur avaient laissé plusieurs messages pour prendre des nouvelles, mais ils n'avaient pas trouvé un seul moment pour les rappeler. Et la période où ils cuisinaient les légumes du marché semblait révolue. À leur grand dam, ils se nourrissaient depuis une semaine de plats à emporter ou de pizzas surgelées... Quant à s'octroyer une petite séance de sport, ce n'était même pas la peine d'y songer !

— Tu imagines, si on avait eu des jumeaux ? remarqua Justin. Dire que ma mère a eu quatre gamins. Je ne sais pas comment elle a fait...

— Ne m'en parle pas ! Je n'aurais pas survécu deux jours.

Et Richard de frissonner à l'idée qu'ils auraient pu en avoir deux d'un coup...

Début septembre, le lendemain de Labor Day, Kate vit un numéro inconnu s'afficher sur l'écran de son téléphone. Curieuse, elle décrocha. C'était Bernard, qui l'appelait depuis la ligne de l'hôtel où il venait d'arriver. Après trois mois de silence, il marchait sur des œufs.

— Kate, comment vas-tu ? demanda-t-il d'un ton enjoué.

— Très bien, merci. Et toi, tu as passé de bonnes vacances en Sardaigne ?

— Hum, très bonnes, oui... Mais dis-moi plutôt, comment va le commerce en ligne ? Je n'ai pas consulté tes chiffres depuis un moment.

— Les chiffres sont florissants. J'arrive à peine à répondre à la demande.

— Merveilleux. Est-ce que tu seras à la boutique, cet après-midi ?

— Je ne crois pas, non.

— Demain, alors ? À moins que tu préfères ce soir...

— Ce soir ? De quoi avons-nous besoin de parler, au juste, Bernard ? Les chiffres parlent d'eux-mêmes.

— J'ai envie de te voir, Kate, lâcha-t-il, un ton plus bas. Tu m'as terriblement manqué... Est-ce que tu voudrais prendre un verre avec moi ?

L'espace d'un instant, elle faillit se faire avoir une fois de plus, succomber à cette voix chaude et envoûtante, mais elle connaissait maintenant les nombreux masques qu'il portait. Père responsable, homme d'affaires brillant, amant expérimenté, soupirant dévoué...

et mari tenace. Même à son âge, elle s'était laissé berner comme une jeune fille.

— Franchement, je ne vois pas où cela nous mènerait, se ressaisit-elle.

— En souvenir du bon vieux temps ?

— Écoute, Bernard, tu n'as qu'à passer au magasin si tu veux que je te donne les derniers résultats en main propre.

— Bon, d'accord. Mais comment vont tes enfants ? J'imagine qu'il y a eu pas mal de mouvement dans la famille...

— Ils vont bien, merci.

Bernard ne se laissa pas décourager par la froideur de Kate. À seize heures, il se présenta à la porte de Still Fabulous, plus beau que jamais. Kate sentit affleurer les anciennes émotions, mais ne laissa rien transparaître. Et quand il essaya de plaquer un baiser sur sa joue, elle s'esquiva.

— Que se passe-t-il, Kate ? Je t'aime. Je suis désolé si je t'ai blessée d'une façon ou d'une autre.

— Et moi, je suis désolée de ne pas avoir compris plus tôt en quoi consistait ton « arrangement » avec ta femme. Ce n'est pas ce que j'appelle « être séparés » quand on passe ses vacances ou les fêtes de fin d'année ensemble... Et pour ma part, je n'ai pas envie d'être avec un homme qui est tout sauf libre. Je ne suis pas complètement masochiste.

Il haussa un sourcil. Au désespoir de Kate, cela le rendait encore plus séduisant...

— Tu passes donc ta vie à brider tes sentiments, Kate ? Pourquoi est-ce que tu ne les écoutes pas ? Il y a trois mois, nous nous aimions. Ce que nous avons partagé ne peut pas avoir disparu en un instant, ni même en un été.

— Je ne savais pas qui tu étais vraiment. Je m'étais trompée sur ton compte, et il se trouve que nous ne jouons pas selon les mêmes règles, toi et moi. Je ne veux voler le mari de personne, ni même l'emprunter à temps partiel.

— Mais, Kate, je ne suis pas amoureux de ma femme !

— Tu n'es pas libre pour autant, du moins pas selon mes critères.

— Ne fiche pas notre histoire en l'air, tu vas le regretter.

— J'en doute fort. Notre relation commerciale est importante pour toi comme pour moi, et j'aimerais la préserver dans la mesure du possible. Pour le reste, que tu l'aimes ou non, je te rends à ta femme.

Il fut surpris par son regard glacial. Personne n'avait jamais été aussi direct avec lui.

— Tu as le cœur dur, Kate. Je ne m'en étais pas aperçu.

Sur ce, il prit les résultats d'exercice comptable qu'elle avait imprimés à son intention et les rangea dans son porte-documents.

— Si tu as des questions sur les comptes, n'hésite pas, précisa-t-elle en le raccompagnant à la porte.

Bernard se contenta de hocher la tête et sortit de la boutique sans un mot, emportant avec lui une partie du cœur de Kate. Mais il n'en sut rien ; elle parvint à se contenir jusque dans son bureau, où elle referma la porte derrière elle et s'assit sur sa chaise en tremblant, une grosse boule dans la gorge. Quelques minutes plus tard, elle reçut un SMS. *Je t'aime,* écrivait-il en français. Une larme roula le long de la joue de Kate.

— Menteur..., lâcha-t-elle tout haut, le téléphone à la main.

Liam avait vu juste sur toute la ligne.

# 17

Milagra était âgée de trois semaines quand Justin et Richard l'emmenèrent à New York pour la présenter à sa famille. Leur voiture était pleine à ras bord. Kate s'étonna devant une telle accumulation d'articles de puériculture : un lit parapluie, un couffin, un siège-auto muni d'une poignée, un transat, une couverture en patchwork pour la coucher par terre et favoriser sa motricité, des paquets de couches, des boîtes de lait en poudre, des biberons, le fameux stérilisateur, une balancelle pour l'endormir, un matelas à langer et enfin une poussette pliante à six positions. Lorsque les deux papas vidèrent le coffre au prix de plusieurs allers-retours, Kate eut l'impression qu'ils emménageaient chez elle.

— Seigneur, comment cette enfant peut-elle avoir besoin de tout ça ? s'exclama-t-elle. Quand vous étiez petits, il me suffisait de mon sac à main, d'une poussette et d'un sac à langer. Et vous étiez quatre !

— Attends, maman, tu n'as pas tout vu : il y a encore deux valises de vêtements dans le coffre... Elle régurgite beaucoup et use pratiquement un pyjama à l'heure, expliqua Justin.

Kate sentit son cœur fondre lorsqu'ils installèrent la petite encore endormie dans sa balancelle et actionnèrent l'adorable mobile musical. Les deux hommes s'effondrèrent sur le canapé, épuisés. Justin avait des cernes jusqu'au milieu des joues, et ils lui avouèrent qu'ils ne dormaient que trois heures par nuit. Kate se demanda si tous les jeunes parents étaient pareils ou si c'étaient eux qui en faisaient trop, notamment en termes d'équipement. Au bout de dix minutes, ils étaient déjà en train de laver et de stériliser les biberons utilisés en route.

À son arrivée, mamie Lou fut tout aussi impressionnée à la vue de Milagra entourée de sa montagne d'accessoires. La balancelle continuait d'aller et venir avec un doux tic-tac de métronome, tandis que de petites girafes en peluche dansaient au-dessus de sa tête au son d'une berceuse.

— Doux Jésus, qu'elle est belle et potelée ! Un vrai bébé de publicité. Mais dites-moi, vous revenez vous installer à New York ?

— Non, mamie, c'est juste qu'elle a besoin de beaucoup de choses.

— Pour quoi faire, ouvrir un magasin ? Vous devez être épuisés d'avoir trimballé tout ça ! Et vous allez bientôt avoir besoin d'une maison plus grande si vous en avez accumulé autant en trois semaines seulement.

Justin sembla légèrement mortifié par cette critique, mais Richard affirma que tous les bébés modernes étaient aussi bien équipés. Il lui avait déjà acheté quelques jouets éducatifs et avait lu quelque part qu'il devrait pouvoir lui apprendre à lire d'ici son deuxième anniversaire. Le couple avait dévoré tous les derniers livres sur le développement de l'enfant.

Puis ce fut au tour de Julie de faire son apparition et de s'extasier, tandis que Richard énumérait les nombreuses compétences de sa fille. À l'en croire, elle était très précoce, ce qui fit sourire Kate.

Enfin, Izzie et Zach débarquèrent et la famille fut au complet, car Willie était parti pour le week-end. L'aînée de la fratrie portait un jean, une chemise d'homme bleue et une paire de chaussures à talons plats. Elle semblait avoir maigri. Dans son accoutrement de cuir habituel, Zach dit bonjour à chacun, se servit un Coca dans le frigo de Kate et s'assit à côté de son épouse. Cette dernière déclara que Milagra était adorable, ce sur quoi tout le monde s'accorda. Richard prit plusieurs photos de son petit ange, qui dormait en faisant des bulles dans sa brassière en tricot rose, son bonnet assorti et ses minuscules chaussons de danse.

— La seule chose qui lui manque, c'est un petit perfecto, commenta Zach.

Tout en bavardant, le jeune homme étendit les jambes et Izzie s'aperçut qu'il ne portait pas les chaussettes qu'elle lui avait achetées. Au même moment, le regard de sa mère fut attiré par le bracelet électronique à sa cheville gauche. Elle sembla perplexe et le cœur d'Izzie manqua de s'arrêter.

— Qu'est-ce que c'est ? demanda Kate avec curiosité, supposant qu'il s'agissait d'une nouvelle mode ou d'un de ces appareils qui mesurent votre pouls, votre nombre de pas et le nombre de calories consommées.

— Oh, juste un truc qu'on m'a donné, répondit Zach en croisant les jambes pour éluder la question.

Mais Justin avait vu. Il lança un regard inquisiteur en direction de sa sœur. Il avait parfaitement compris.

Quelques minutes plus tard, Izzie se leva pour se servir un verre d'eau et Justin la suivit à la cuisine au prétexte de préparer le prochain biberon.

— Qu'est-ce que c'est, cette histoire ? demanda-t-il à mi-voix. Je sais bien que ça n'a rien à voir avec un podomètre... C'est un bracelet électronique, non ? une alternative à la prison ?

Izzie poussa un profond soupir. Elle était au pied du mur.

— C'est arrivé il y a quelques mois. Rien de grave...

Sur ce, Zach pénétra dans la pièce.

— Tiens, Zach... J'étais justement en train de m'interroger sur ton bracelet. Comment as-tu écopé de ce machin ?

Maintenant que Justin avait découvert le pot aux roses, Zach ne voyait plus l'intérêt de nier. Après tout, il faisait partie de la famille.

— Je me suis fait pincer pour recel de drogue alors que j'étais sous mise à l'épreuve. Du coup, c'était ça ou la taule ; le choix était vite fait, mais j'en ai encore pour neuf mois à le porter.

Sur ce, il se servit un deuxième Coca et retourna dans le salon. Justin se tourna vers sa sœur, stupéfait. Elle avait les yeux rivés sur ses pieds.

— Izzie ?

— Hmm... ?

— Est-ce que ça va ?

— Oui, oui. Il a fait une bêtise, un jour, parce qu'il avait bu. C'est bête... je lui avais dit de mettre des chaussettes aujourd'hui.

Son frère se demanda ce qu'elle pouvait bien lui cacher d'autre.

— Il n'a pas mauvais fond, tu sais, reprit-elle, mais c'est un grand gamin. Parfois, je ne sais pas ce qui lui passe par la tête. Ne va pas t'imaginer que c'est un dealer ou quoi que ce soit dans le genre.

Justin n'insista pas, mais il était irrité que Zach minimise la situation et qu'Izzie prenne ainsi sa défense. Elle méritait tellement mieux !

Lorsqu'ils revinrent au salon, Milagra s'était réveillée. Justin la mit dans les bras de Kate, qui la regarda avec attendrissement pendant que Richard filmait la scène. Puis Justin lui donna le biberon et changea sa couche, constatant avec soulagement qu'elle était seulement mouillée. C'est alors que Zach lâcha, à l'intention de sa femme :

— Regarde, tu ferais mieux de t'entraîner !

— Ah bon, pourquoi faudrait-il que tu t'entraînes à changer les couches ? demanda Kate.

Izzie lança un regard implorant à son mari. Il n'en ratait pas une !

— C'est une blague, grommela-t-elle avant de changer de sujet.

Mais Justin aperçut la minuscule bosse qui pointait sous son ample chemise et ouvrit de grands yeux.

— Oh, mon Dieu, tu es enceinte, Izzie.

Un silence de mort envahit la pièce : ils étaient tous suspendus aux lèvres de la jeune femme.

— Oui, je suis enceinte, finit-elle par confirmer. Le bébé doit arriver au mois de mars. Ce n'était pas prévu, et je ne m'en suis pas aperçue tout de suite.

— Ça va être génial ! lança Zach, qui souriait de toutes ses dents.

Mais Izzie ne faisait absolument pas montre de la jubilation que l'on attend généralement de la part d'une future maman. Et Justin, pour sa part, se disait que cela n'aurait pas grand-chose de « génial » si Zach allait en prison, laissant Izzie seule avec un bébé.

— Ma chérie... Est-ce que tu es heureuse ? s'enquit doucement Kate en la prenant dans ses bras.

Izzie haussa les épaules. Elle ne pouvait pas faire semblant.

— Pas encore, j'avoue. Pour le moment, ça me

semble très abstrait. Mais j'ai plusieurs mois pour m'y faire...

— Oh, ce sera trop mignon, tu verras, avança Julie pour la réconforter. Comme Milagra !

Sur ce, la petite se mit à pleurer et Richard la fit sauter sur ses genoux... ne parvenant qu'à la faire régurgiter. À nouveau, il fallut la changer. Alors qu'il s'appliquait laborieusement à cette tâche, elle remplit sa couche de la grosse commission. Kate courut chercher une serviette à la salle de bain pour protéger son tapis. Elle commençait à se sentir grand-mère...

— On oublie tout le travail que ça donne quand c'est si petit, commenta mamie Lou en regardant Richard se débattre avec les lingettes.

— Bientôt, ce sera notre tour, claironna Zach comme si tout allait pour le mieux.

Izzie le foudroya du regard.

— *Ton* tour, tu veux dire. Je te rappelle que je serai au boulot. C'est plutôt toi qui aurais intérêt à prendre des leçons.

— Ah non, moi je ne change pas de couches !

Kate se contint pour ne pas réagir. Zach était l'homme le plus paresseux et le plus égoïste qu'elle ait jamais rencontré ! Elle préféra demander à Izzie :

— Comment est-ce que tu te sens, ma chérie ? Tu es terriblement mince.

— Oui, j'ai perdu du poids. J'ai eu beaucoup de nausées au début, mais ça va mieux.

Sa mère ne savait comment interpréter son évidente insatisfaction. La conversation s'essouffla rapidement. Peu après, le couple prit congé, et Izzie tomba sur son mari à bras raccourcis dès qu'ils furent dans la rue.

— Mais tu es dingue, ou quoi ?! Tu ne portes pas les chaussettes que je t'ai données pour sauver les apparences, tu racontes tranquillement le motif de ton arrestation à mon frère, et pour finir, tu leur annonces que je suis enceinte alors que je t'ai demandé de ne pas le dire ! Tu le fais exprès ou quoi ? Tu crois que c'est facile pour moi d'imaginer ce qu'ils sont en train de se dire à l'heure actuelle ?!

— Tu ne pouvais pas cacher le bébé éternellement.

— Non, mais je pouvais attendre, me donner un peu de temps pour digérer tout ça. Et toi, tu aurais pu être plus discret à propos de cette saleté de bracelet. Tu étais obligé d'en parler à Justin ?

— Désolé, j'ai parfois du mal à me souvenir de tous les secrets que tu veux que je leur cache...

— Eh bien, le fait que tu te sois fait arrêter pour recel de cocaïne figure en tête de liste !

— Si tu n'es pas contente, tu n'as qu'à m'intenter un procès ! cracha-t-il, avant de se reprendre : Oh, bon, ça va, ne fais pas cette tête, ça m'a échappé.

— Je préfère, marmonna-t-elle.

Pendant ce temps-là, dans l'appartement de Kate, Justin prenait sa mère à part pour lui révéler les tenants et les aboutissants du bracelet à la cheville de Zach. Elle fut horrifiée. Voilà qui expliquait, au moins en partie, pourquoi Izzie semblait si malheureuse de sa grossesse. Kate se demandait maintenant si sa fille avait épousé un monstre ou un imbécile.

En voyant sa mine déconfite, Louise exigea de savoir ce qui se passait.

— Comment a-t-il pu commettre une telle sottise ? se désola-t-elle. Alors qu'il a tout pour lui, y compris une femme qui l'aime et un bébé en route... J'espère qu'il va grandir un peu, sans quoi Izzie va souffrir.

— J'ai l'impression que c'est déjà le cas, remarqua

Justin. Tu as vu comme elle est maigre ? Ça ne doit pas être bon pour le bébé.

— Elle pourrait s'arrêter de travailler, non ? demanda Louise.

— Non, elle n'a pas le choix, répliqua sa fille. Quand je pense que lui ne bouge pas le petit doigt, si ce n'est pour dealer de la drogue.

Toutes les craintes de Kate se vérifiaient... et même pire.

De retour chez eux, Izzie alla s'allonger. Quel horrible après-midi ! Elle était certaine qu'ils étaient en train de parler dans son dos et qu'ils ne pourraient pas se retenir longtemps de lui dire en face tout un tas de choses qu'elle n'avait pas envie d'entendre. Zach la rejoignit.

— Tu es fâchée contre moi ?

— Je ne suis pas fâchée, Zach. J'ai peur. Et je suis malheureuse. Je déteste que ma famille se mêle de mes affaires.

Tout se bousculait dans sa tête : le bébé, la menace de la prison, le fait que les autres soient au courant... Rien ne se passait comme prévu. Zach l'embrassa, la serra contre lui. Elle n'en avait pas vraiment envie, mais comme elle ne voulait pas le blesser, elle le laissa lui faire l'amour. Au bout d'un moment, elle eut la nausée et finit par lui demander d'arrêter.

— Bon Dieu, Izzie, qu'est-ce qui t'arrive ? Tu ne peux pas avoir le mal de mer en permanence !

— Je ne le fais pas exprès, figure-toi.

Il se releva et fit les cent pas dans l'appartement avant de revenir dans la chambre, espérant vaguement qu'elle serait encline à le laisser finir ce qu'il avait commencé. Mais en s'allongeant près d'elle, il s'aperçut qu'elle s'était endormie. Lui non plus, il n'était pas heureux.

C'est Julie qui devait ménager à Kate sa prochaine surprise. Peter et elle étaient devenus inséparables. Tout l'été, ils étaient allés à des matchs de base-ball, au cinéma et au restaurant. Ils étaient partis presque chaque week-end, souvent à la mer, et il avait commencé à lui enseigner les bases de la navigation à voile. La seule chose qui ennuyait Julie, c'est qu'il voulait toujours être seul avec elle ; il refusait presque systématiquement de passer du temps avec sa famille ou ses amis. Il trouvait plus romantique de sortir à deux. Or elle l'aimait – plus qu'elle n'avait jamais aimé aucun autre homme...

Malgré cela, elle ne lui avait rien dit du petit défaut qui la complexait, à savoir sa dyslexie. Même après des années de rééducation, elle avait du mal à lire et ânonnait comme un enfant. Elle ne voulait pas qu'il le sache, de peur de baisser dans son estime.

En octobre, il la prit de court en lui annonçant qu'il était muté à Los Angeles. Pour lui, c'était synonyme de promotion et d'augmentation de salaire. Elle essaya de se réjouir, mais pour elle cela signifiait la fin de leur histoire d'amour. Il devait déménager en janvier, et elle ne croyait pas aux relations à distance : loin des yeux, loin du cœur.

— Ils me l'ont appris cette semaine, dit-il en passant un bras autour de ses épaules tandis qu'elle tentait de ravaler ses larmes.

— Je suis contente pour toi. Mais triste pour nous.

— Julie..., dit-il à mi-voix, je voudrais que tu viennes avec moi.

Sa proposition la laissa interdite. Jamais elle n'avait

envisagé de quitter New York dans un avenir proche : elle avait un boulot de rêve, et sa famille était basée là. New York était sa ville natale. Comment aurait-elle pu déménager à L.A. ? Elle n'eut cependant pas le temps de s'appesantir sur la question. Ce qu'il lui dit ensuite lui coupa le souffle.

— Julie…, veux-tu m'épouser ?

— Quoi ? Tu es sérieux ?

Elle n'avait même jamais pensé se marier un jour.

— Oui, très sérieux. Je veux faire les choses comme il faut. Je ne peux pas te demander un changement aussi important qu'un déménagement sans te passer la bague au doigt.

Ils sortaient ensemble depuis sept mois. D'un côté, c'était bien trop prématuré aux yeux de Julie, mais de l'autre, elle savait qu'elle l'aimait et ne voulait pas le perdre…

— Mais… et mon travail, alors ?

— Tu trouveras un poste de designer à L.A. sans problème.

— Peut-être, mais pas aussi bien payé. Ici, je dirige toute une équipe, et là-bas le secteur de la mode n'est pas aussi développé… Il n'y a que de petites maisons de couture locales.

— Tu n'auras plus besoin de travailler de toute façon, si tu veux. Je gagne assez pour nous faire vivre tous les deux.

— Et mes amis ? Ma famille ?

— Julie, je t'aime. Est-ce que cela ne te suffit pas ? Est-ce que tu veux rester célibataire jusqu'à la fin de tes jours ? Tu n'as pas envie de te marier et d'avoir des enfants ?

— Un jour, peut-être, mais là, tout de suite, je ne me sens pas encore prête pour les enfants.

« Ni pour le mariage », songea-t-elle sans le dire, de peur de le vexer.

— Tu as raison. Pour les enfants, c'est trop tôt. Mais pour moi ? À Los Angeles, on aurait la belle vie ! Je vais être le numéro deux de ma boîte, et un jour, c'est sûrement moi qui dirigerai le bureau de la côte Ouest. Je sais que tout ça va très vite, mais j'aimerais vraiment que tu viennes avec moi.

— Je ne veux pas te perdre, murmura-t-elle.

Et tandis qu'elle se pendait à son cou, il sortit un petit écrin bleu de sa poche et passa une bague à son annulaire. C'était un diamant de chez Tiffany, petit mais très délicat. Elle n'en crut pas ses yeux.

— Je t'en offrirai un plus gros, un jour, promit-il modestement.

Il avait choisi le bijou avec goût : un diamant rond entouré d'un halo de minuscules brillants. Parfait sur la fine main de Julie. Elle le contempla longuement, avant de relever les yeux vers son amoureux. Elle sourit : il avait pensé à tout ! Dans le fond, il avait peut-être raison. Bien qu'elle se sente encore très jeune, à trente et un ans, certaines de ses amies étaient déjà casées et avaient des enfants.

— On pourrait se marier à Noël et partir quelques jours en voyage de noces avant de déménager. Il faut que je sois là-bas pour le premier janvier. Allez, viens, Julie, on se lance ! On commence une nouvelle vie ensemble !

Dans l'ivresse de l'instant, elle opina, et Peter scella ce consentement d'un baiser passionné. Lorsqu'ils reprirent leur souffle, elle le regarda dans les yeux en murmurant : « D'accord. » Cette nuit-là, comme souvent, il dormit chez elle... Et le lendemain matin, ils firent encore une fois l'amour. Après quoi, elle regarda la bague en riant de joie :

— Oh mon Dieu, je suis fiancée !

Il l'embrassa avant de partir travailler. Julie, elle, ne commençait qu'à dix heures et décida de passer voir sa mère à la boutique sur le chemin du bureau. En entendant la nouvelle et en voyant la bague, Kate eut l'impression de recevoir un coup de massue. Comment était-ce possible ? Un autre de ses enfants allait se marier, ce qui faisait deux en un an... Et puis, sans savoir pourquoi, elle avait toujours un pressentiment étrange au sujet de Peter, ce garçon trop lisse. Mais le pire, c'était que sa petite et fragile Julie allait déménager de l'autre côté du continent. Autant dire sur une autre planète.

— Tu es sûre de toi, ma chérie ? Pourquoi Peter est-il si pressé ?

Cela non plus n'était pas fait pour la rassurer. À moins qu'elle ne commence à verser dans la paranoïa avec l'âge... Ses enfants avaient peut-être raison : personne ne serait jamais assez bien à son goût. Objectivement, Peter avait tout pour lui et serait sans doute un père de famille responsable et un mari plein d'égards pour Julie. Que demander de plus ? Et pourtant, elle avait comme l'impression qu'il manquait quelque chose à ce jeune homme...

— En fait, il n'a appris sa mutation que la semaine dernière.

— Et ton travail, alors ?

— Il dit que je ne serai pas obligée de travailler si je n'en ai pas envie.

Dans un sens, c'était la promesse d'une sécurité dont de nombreuses mères auraient rêvé pour leurs filles, surtout dans un pays où les congés maternité étaient pratiquement inexistants et les gardes d'enfant, hors de prix. Mais ce n'était pas le modèle que Kate et Louise défendaient.

— Ah bon ? C'est vraiment ce que tu souhaites ?

— Oui, maman.

Julie souriait comme une petite fille.

— Alors tu as ma bénédiction, ma chérie, lâcha Kate en passant un bras autour de ses épaules.

Elle n'y pouvait rien, de toute façon. C'était à Julie de prendre sa décision. Elles restèrent un moment enlacées, puis Julie déclara qu'elle devait filer. Kate l'accompagna à la porte de la boutique et regarda sa silhouette menue s'éloigner puis se perdre dans la foule de Soho. Encore une qui quittait le nid ! Pourvu que ses ailes soient assez solides, et pourvu que ce Peter ne la fasse jamais souffrir...

# 18

Quelques jours plus tard, Kate dîna avec Liam. Cela faisait bien longtemps qu'ils n'en avaient eu l'occasion... Pour échapper à la chaleur de la Grosse Pomme, Maureen et lui étaient restés tout l'été dans leur maison de campagne de Westport, dans le Connecticut, et Liam faisait une heure de route matin et soir. Puis il avait dû voyager pour affaires en septembre. De son côté, Kate était très occupée par la boutique en ligne, qui l'accaparait davantage que le magasin lui-même, car elle devait sans cesse mettre le site à jour et proposer de nouvelles marchandises. Fatalement, elle devait aussi prospecter davantage. Entre les visites de propriétés et les ventes aux enchères, elle n'arrêtait pas, mais c'était passionnant.

Liam fut heureux d'apprendre que sa boutique en ligne récoltait le succès escompté.

— Et avec Bernard, comment ça va ? demanda-t-il, prudent.

Elle laissa échapper un soupir.

— Je l'ai vu lors de son dernier passage à New York... et tu avais raison. Son « arrangement » avec sa femme ne correspond pas à ce qu'il m'avait laissée entrevoir. À Paris, il semblait libre comme l'air, mais en fait il passe toutes ses vacances d'été avec sa femme.

— Peut-être qu'elle aussi voit d'autres hommes,

suggéra Liam. Si ça se trouve, c'est cet arrangement-là qui leur permet de rester marier.

— Peut-être. Mais ce n'est pas du tout ce qu'il m'avait fait croire, et cela ne m'intéresse pas. Je ne veux pas du mari d'une autre. D'ailleurs, je ne veux pas de mari du tout. Juste un homme qui partage les moments importants avec moi.

Liam sourit.

— Il n'était pas content quand je lui ai expliqué mon point de vue, poursuivit Kate. Il me trouve trop américaine, trop à cheval sur les principes. Mais un arrangement comme le sien ? Non merci !

— Je suis désolé pour toi, Kate… Mais tu as été forte, et tu as eu raison de rester fidèle à tes convictions. Il valait mieux partir plutôt que de risquer de souffrir davantage.

Kate lui donna ensuite les dernières nouvelles de ses enfants : les derniers mois avaient été mouvementés !

— Encore une qui prend son envol ! dit-elle au sujet de sa fille cadette.

— Eh oui, je suppose que les miennes ne vont pas tarder à en faire autant, ajouta Liam, résigné. Je crois qu'Elizabeth s'est attachée pour de bon à son amoureux de Madrid, tandis que Penny veut déménager à Londres quand elle aura fini ses études à Édimbourg. Et dire que c'est moi qui leur ai conseillé de voir le monde… Je n'imaginais pas qu'elles resteraient en Europe. À propos de voyage, comment va ta mère ?

— Elle a du mal à l'admettre parce que c'est la première fois qu'elle a eu un vrai pépin, mais je crois que son accident en Chine l'a obligée à ralentir un peu. Elle commence à se dire qu'il aurait pu lui arriver quelque chose de plus grave et que ce n'est vraiment pas drôle quand on se trouve à l'autre bout du monde.

Malgré tout, elle pense à retourner à Hong Kong et Shanghai pour pratiquer le mandarin. Apparemment, ce sont des villes très modernes, et Frances a adoré les boutiques de vêtements.

Si Louise aimait rapporter des objets artisanaux de ses périples, Frances était adepte du shopping partout dans le monde ; elle comptait parmi les clientes régulières de Still Fabulous.

Puis ils parlèrent de leurs plans respectifs pour la fin de l'année. Julie prévoyait d'organiser chez Kate un dîner de mariage avec sa famille et ses amis proches le soir de Noël. De son côté, Peter n'avait pas eu le temps de nouer des amitiés intimes au cours des deux petites années qu'il avait vécues à New York. Et sa famille aurait du mal à se déplacer en période de fêtes... C'est pourquoi ses parents et ses frères viendraient plutôt les voir à Los Angeles au printemps. Ce serait donc un tout petit mariage.

De retour chez elle, Kate reçut justement un appel de sa fille cadette. Julie voulait lui faire part de ses idées pour la fête. Elle avait repéré un fleuriste dont elle appréciait le style, mais aussi une robe qu'elle souhaitait copier et personnaliser. Elle voulait la redessiner un peu, puis la faire réaliser par les ouvrières de la maison où elle travaillait. Elle avait déjà trouvé un beau satin ivoire, lourd et épais, qui ferait merveille pour ce modèle court, adapté à une cérémonie intime. Il ne lui restait plus que deux mois pour tout mettre au point.

Tout le monde se réunit chez Kate pour Thanksgiving, à l'exception d'Izzie, clouée au lit par une bronchite. Zach souhaitait rester avec son épouse, et sa belle-mère n'insista pas pour qu'il les rejoigne. Justin et Richard firent le déplacement avec Milagra et encore plus de matériel que la dernière fois. À bientôt trois mois, très éveillée et plus mignonne que jamais, la petite faisait la joie de toute la famille ! Kate commençait à s'habituer à son nouveau statut de grand-mère.

Le matin du vingt-quatre décembre, le fleuriste transforma l'appartement de Kate en un véritable jardin d'hiver avec de la mousse, des branches et de petits vases contenant de minuscules orchidées. Kate fut éblouie par le résultat. Julie était une véritable artiste…

Le soir, toute la famille se réunit en l'église de Trinity Grace après l'office de dix-huit heures. La robe de Julie, dessinée par ses soins, rappelait les modèles de Dior des années 1950 : cintrée, courte et à manches longues, avec une large ceinture en satin et un col montant derrière la nuque, mais légèrement décolleté devant. Les talons aiguilles de ses escarpins étaient vertigineux… Kate portait une robe de cocktail en dentelle noire qui lui allait à ravir, bien que de créateur inconnu, tandis que mamie Lou était resplendissante dans sa robe vert émeraude. Et à six mois de grossesse, Izzie avait trouvé une ample robe rouge pour laisser s'épanouir son petit ventre. Elle avait enfin repris du poids et des couleurs. Les hommes, pour leur part, étaient en costume sombre.

Julie et Peter rayonnaient de bonheur. Peter ne pouvait détacher les yeux de sa fiancée, aussi élégante que sexy dans sa jolie robe. Elle était coiffée d'un chignon lâche, entremêlé des mêmes petites orchidées que celles de son bouquet. Après que le pasteur les eut déclarés mari et femme, ils rentrèrent chez Kate pour accueillir les quelques amis qu'ils avaient invités autour d'un buffet de fruits de mer : homard du Maine et petits cakes au crabe. Les collègues de Julie s'étaient mis sur leur trente et un pour faire honneur à la styliste la plus douce et la plus aimable de tout Manhattan. Bien entendu, Liam et Maureen passèrent féliciter les mariés, avant de se rendre à la messe de minuit avec leurs filles. La soirée fut joyeuse et intime, baignée de l'esprit de Noël.

Milagra dormit tout du long dans la chambre de Kate, sous l'œil attentif de ses deux papas, qui passaient la voir toutes les deux minutes bien qu'ils aient installé le baby phone.

Willie, de son côté, restait collé à son portable. Il envoyait encore plus de SMS que d'habitude.

— Lâche un peu ce truc, lui conseilla Justin. Personne ne sort le soir de Noël.

— On ne sait jamais…

Sur ce, le jeune homme glissa l'appareil dans sa poche. Il venait de recevoir une photo sur Instagram, et il n'avait visiblement pas envie que son frère la voie.

— Tu as une nouvelle touche ?

— Possible, fit Willie, évasif, alors qu'ils se resservaient du homard.

À vingt-cinq ans, il semblait avoir beaucoup mûri au cours des derniers mois. Il était pleinement épanoui dans son métier, un domaine si technique que personne dans la famille n'y comprenait rien.

Izzie et Zach semblaient apaisés. Ils étaient assis sur le canapé, et il passait un bras autour de ses épaules ou lui caressait le ventre de temps à autre. Quand elle eut faim, il lui apporta une assiette garnie afin qu'elle n'ait pas à se lever. Dévoué et discret, il avait même consenti à porter des chaussettes. Son costume et sa cravate ne suffisaient pas à dompter complètement son allure de voyou, mais au moins il avait fait un effort. Julie s'entretint un moment avec sa sœur : désormais, cette dernière acceptait pleinement sa grossesse. L'échographie leur avait montré qu'elle attendait un garçon, et Zach était très satisfait de lui-même.

— Je reviendrai le voir dès qu'il sera né, promit Julie. Pas question de rater ça.

La naissance était prévue pour le mois de mars. Richard donna à la future maman moult conseils sur ce qu'elle devait absolument acheter pour le bébé.

— Et un plus grand appartement pour tout caser, souffla Julie, riant sous cape dès qu'il eut tourné le dos. Tu verrais leur maison... On dirait un magasin de puériculture.

Les deux hommes en faisaient trop avec Milagra ! Toute la famille les taquinait à ce sujet.

Julie avait fini ses cartons la veille, et les déménageurs passeraient le lendemain de Noël pour les emporter à Los Angeles.

À une heure du matin, les jeunes mariés prirent congé pour passer la nuit au Plaza, où ils avaient réservé la suite nuptiale. Peter remercia chaleureusement Kate et la serra dans ses bras en déclarant qu'il avait bien de la chance de l'avoir comme belle-mère. « Fayot ! » songea-t-elle d'abord, avant de se gronder intérieurement : pourquoi faisait-elle preuve de tant de cynisme ? D'autant que sa fille, Julie, semblait flotter sur un petit nuage en la quittant, et c'était cela le plus important.

Izzie et Zach ne tardèrent pas à s'éclipser à leur tour ; la jeune femme avait besoin de beaucoup de sommeil en ce moment. En revanche, les deux frères et Richard s'attardèrent dans le salon avec une mamie Lou en très grande forme. Après Noël, elle irait rendre visite à des amis à Santa Fe, au Nouveau-Mexique, « puisqu'elle n'avait rien de prévu ».

Justin avoua qu'il était triste de voir Julie partir si loin. Il aurait préféré qu'elle restât proche de lui et de Milagra. Mais sa sœur affirmait qu'ils seraient sans doute amenés à déménager à nouveau d'ici quelques années, car l'entreprise de Peter ne laissait jamais long-temps ses employés au même poste.

— Enfin, c'est la vie... Elle a l'air si heureuse ! Je suis sûr que Peter est parfait pour elle. Et puis j'ima-gine qu'elle appréciera de faire un break dans son tra-vail, pour profiter de leur temps en amoureux avant d'avoir des enfants.

Richard et lui avaient un peu la nostalgie de cette époque-là. Désormais, c'était Milagra qui dictait leur emploi du temps et, bien que leur joie fût immense, c'en était fini de leur vie sociale. Ils n'avaient pas passé une seule soirée au cinéma ou avec des amis depuis son arrivée. Richard en souffrait davantage que Justin...

Au cours des dernières semaines, ils avaient com-mencé à se demander s'ils aimeraient que Milagra ait un petit frère ou une petite sœur d'ici peu. Justin était d'avis qu'il valait mieux avoir des bébés rapprochés, tant qu'ils étaient encore en plein dans les couches et les biberons, plutôt que d'attendre qu'elle soit plus grande et de tout recommencer depuis le début. Sur le principe, ils voulaient deux enfants, même si ce ne serait pas facile au niveau financier. Shirley n'excluait pas de porter un dernier bébé. À son âge, et après quatre grossesses, elle commençait à fatiguer, mais elle et sa famille avaient bien besoin de ce complément de revenus. De son côté, Alana affirmait qu'elle était prête à refaire un don d'ovocytes, et même à recom-mencer les injections hormonales dès son prochain cycle s'ils le souhaitaient. Résultat : Justin tentait de faire pression sur Richard avant que les deux femmes ne changent d'avis.

Toutefois, ils ne dirent rien de leurs réflexions ce soir-là. Ils étaient suffisamment échaudés par leur première expérience et préféraient prendre la décision seuls, sans que tout le monde y mette son grain de sel.

Le lendemain, après le repas de Noël, toute la tribu suivit Julie et Peter dans la rue pour leur lancer les pétales de roses préparés par le fleuriste tandis qu'ils montaient dans le taxi en direction de l'aéroport. Il commençait tout juste à neiger ; Julie était rayonnante, et Kate savait qu'elle n'oublierait jamais cette scène...

De retour à l'appartement, ils trouvèrent Richard qui tenait Milagra en pleurs dans ses bras. Elle était brûlante, les joues écarlates.

— Je crois qu'elle a de la fièvre, lâcha-t-il avec inquiétude. Nous devrions l'emmener chez le médecin.

— Le jour de Noël ? Tu ne crois pas qu'on peut attendre un peu, voir comment ça évolue ? répondit Justin, pragmatique.

Kate se souvint des années où ses enfants tombaient malades les jours fériés, quand il fallait changer de plan toutes les cinq minutes pour s'adapter à leurs besoins, ou rester à leur chevet pour une otite ou une poussée de fièvre. Toute une époque de sa vie ! Justin et son compagnon n'en étaient qu'au début... Et tandis que Richard commençait à paniquer, Justin gardait un calme olympien : ils n'auraient qu'à prendre la température de la petite quand ils seraient de retour chez leurs amis. Ils remercièrent donc Kate pour le bon repas, et Izzie et Zach les imitèrent peu après. Quant à Willie, il raccompagna sa grand-mère en taxi, avant de donner au chauffeur une adresse au nord de la ville. Il s'installa confortablement sur la banquette arrière et envoya un SMS : *Je suis là dans dix minutes.* Puis il regarda par la fenêtre et sourit en voyant la neige tomber dans la nuit illuminée.

De retour chez elle, Izzie s'allongea sur son lit et ne tarda pas à s'endormir. Les deux derniers jours n'avaient pas été de tout repos, d'autant que le poids du bébé commençait à se faire sentir. Pendant ce temps, Zach alluma la télé pour regarder le football américain dans le salon, puis se servit un verre de vin.

Lorsqu'elle se réveilla, à vingt-deux heures, elle se leva et trouva Zach endormi, affalé sur le canapé, avec une bouteille vide sur la table basse. Elle avait remarqué qu'il buvait trop, ces derniers temps, surtout par ennui, d'autant qu'elle faisait de longues journées au cabinet pour aider ses clients à honorer leurs obligations légales avant la fin de l'année. Elle se promit d'avoir une conversation sérieuse avec lui après les fêtes : l'oisiveté était mère de tous les vices...

Le reste de la semaine, ils purent profiter de quelques jours ensemble, le cabinet étant fermé entre Noël et le jour de l'an. Bien sûr, le bracelet électronique les empêchait de quitter la ville, et leurs escapades à East Hampton leur manquaient beaucoup, mais Izzie ne se plaignait pas : cela valait nettement mieux que la prison.

Pour le réveillon de la Saint-Sylvestre, des amis d'Izzie leur avaient proposé de sortir avec eux, mais Zach les trouvait assommants. Il préférait aller regarder le compte à rebours sur Times Square. La jeune femme craignait d'avoir froid et d'être bousculée par la foule, mais il tenait tant à son caprice qu'elle finit par céder. Il passa l'après-midi chez un copain et rentra d'excellente humeur. De son côté, elle avait préparé un bon dîner. Elle annonça qu'elle allait se doucher, mais une fois dans la salle de bains, elle s'aperçut qu'elle avait oublié de mettre le plat à gratiner. Elle courut au salon, enveloppée de sa serviette. Et alors qu'elle entrait dans la pièce, silencieuse sur ses pieds nus, elle vit qu'il était penché sur quelque chose... Une lamelle de verre à la main, il était en train d'inhaler une ligne de cocaïne !

— Mais qu'est-ce que tu fiches ? lâcha-t-elle d'une voix blanche.

Il sursauta et se tourna vers elle, le nez et la lèvre poudrés.

— Bon Dieu, Izzie, c'est le réveillon, ne sois pas aussi coincée !

— Coincée ? Coincée, moi ? Tu te souviens à qui tu parles ? Je suis l'avocate qui a remué ciel et terre pour t'éviter la prison ferme. J'ai pratiquement léché les bottes du substitut du procureur pour lui demander de maintenir ton sursis... et tu dis que je suis *coincée* ? Tu peux m'expliquer à quoi t'ont servi tes trois mois de « vacances » dans ce centre de désintoxication... si tu te tapes des rails ?!

— Ça va, c'est bon, excuse-moi, répondit-il en s'époussetant.

Ce qui ne l'empêcha pas de poser le morceau de verre avec le plus grand soin sur la table, préservant le reste de sa dose. Elle s'apercevait maintenant qu'il avait bu, par-dessus le marché. Il semblait même monté sur ressorts, comme si la drogue avait commencé à faire effet... À moins qu'il n'en soit pas à sa première prise de la soirée.

— Ah, non, tu te débarrasses de ce truc tout de suite ! S'ils te reprennent, c'en est fini pour toi. Avec ton bracelet, les flics ne t'offriront même pas une audition, et le juge s'occupera de ton cas quand il aura le temps.

— Tu plaisantes ? Pas question de la jeter, c'est de la super came.

— Fais-la disparaître, je te dis ! Je ne veux pas de ça chez moi. Tu risques entre quinze ans et la perpétuité !

Cette seule pensée la fit tressaillir, et elle sentit le bébé bouger, comme s'il suivait leur conversation. Probablement à cause de la poussée d'adrénaline dans les veines d'Izzie.

— Est-ce que tu t'en fous, de ton fils ? lança-t-elle en mettant la main sur son ventre. Je ne veux pas qu'il ait un père en prison !

— Ouais, eh bien moi non plus, cracha Zach, soudain agressif. Mais il n'a pas non plus besoin d'un père qui obéit à bobonne au doigt et à l'œil. Tu ne peux pas passer ton temps à me dire ce que je dois faire ! Trouve du boulot... ramène de la thune... sois responsable... touche pas à la coke... Nom d'un chien, c'est pas moi, ça ! Tu le savais quand tu m'as rencontré. J'aime faire la fête. Je n'ai jamais bossé de ma vie. À quoi est-ce que tu t'attendais ? Que je vende des chaussures chez Macy ?

— Peut-être, si c'est la seule chose à ta portée. Tu ne vas pas rester là à te tourner les pouces jusqu'à la fin de tes jours !

Elle luttait pour ne pas pleurer en voyant ses yeux injectés de sang.

— Et pourquoi pas ? Je me fiche bien de travailler ! Tu gagnes assez pour nous deux.

— Je ne veux pas que tu te drogues, articula-t-elle.

— Personne ne va m'attraper ici. Qu'est-ce que tu vas faire, appeler les flics ?

— Tu l'as bien achetée quelque part. C'est comme ça qu'on se fait pincer.

— Je l'ai eue chez mon ancien dealer. Il est cool, il me connaît. Arrête de me castrer tout le temps ! Peut-être qu'un peu de poudre magique t'aiderait à te détendre. Lâche-moi la grappe, maintenant !

Sur ce, il passa devant Izzie pour attraper sur un meuble les clés du 4 X 4 qu'il venait de louer. Elle eut un mouvement de recul et se mit à pleurer. D'habitude, il ne lui parlait jamais sur ce ton. Elle savait que c'était l'effet de la drogue.

— Où est-ce que tu vas ?

— Ça me regarde. J'en ai marre d'être enchaîné avec ce fichu bracelet. C'est le nouvel an, j'ai bien le droit d'aller où je veux.

— Mais non, tu ne peux pas... Je t'en supplie, Zach. Les policiers vont le voir en deux minutes sur leur écran !

— Qu'ils aillent se faire foutre, et toi aussi !

Il se dirigea vers la porte d'entrée et la claqua derrière lui. Lorsqu'elle la rouvrit, il n'était plus sur le palier. Elle l'entendit descendre l'escalier en trombe dans ses bottes motardes. Il n'avait même pas pris la peine de mettre une veste malgré le froid, et la dose entamée était restée sur la table, ce qui laissait penser à Izzie qu'il avait des réserves sur lui. Que faire ? Elle n'allait tout de même pas appeler la police !

Elle rentra dans l'appartement en sanglotant, s'assit le temps de se calmer un peu, puis se releva pour prendre la lamelle de verre et jeter le reste de cocaïne dans l'évier. Elle tremblait tellement qu'elle cogna le verre contre le robinet et se fit une entaille à la main.

Elle la banda avec un torchon, éteignit le four, mit le plat au frigo puis essaya d'appeler Zach. Pas de réponse. Elle lui envoya un SMS lui disant qu'elle l'aimait et le suppliant de rentrer, mais elle s'aperçut alors qu'il était parti sans son téléphone. Il s'était évaporé dans la nature et avait bien l'intention de faire ce qu'il voulait, sniffer de la coke, boire de l'alcool... et Dieu seul savait quoi encore. S'il ne revenait pas rapidement à la raison, tout cela finirait mal.

Elle retourna dans la chambre et enfila son jean de grossesse sous une chemise de bûcheron, avec une paire de pantoufles. Quel sinistre réveillon... Tout ce qui lui importait, c'était que Zach rentre à la maison sain et sauf. Ensuite, ils verraient bien. Il faudrait absolument qu'il retourne en cure. Prenait-il de la cocaïne depuis longtemps ? Il lui semblait qu'elle s'en serait aperçue, mais rien n'était moins sûr. Pour le moment, il était défoncé et elle devait l'arrêter de toute urgence avant qu'il commette une bêtise. Mais comment faire ? Elle n'avait le numéro d'aucun de ses amis et ne connaissait pas son mot de passe pour accéder à son répertoire. Ses amis... une bande de paumés et de junkies. Zach les voyait toujours seul. Izzie ne connaissait même pas le nom complet d'un seul d'entre eux.

Elle resta assise sur le canapé pendant plusieurs heures, en état de choc, incapable de réfléchir, de manger, ou même de pleurer. Tout ce qu'elle voulait, c'était qu'il rentre à la maison et qu'il lui dise : « Oh, bébé, je suis désolé », comme il le faisait après chaque dérapage... Elle entendait sa voix d'ici.

Il était deux heures du matin quand elle sortit de son état de prostration et pensa à regarder la pendule. S'il se dirigeait vers East Hampton, il aurait dû être

243

arrivé depuis longtemps. Elle appela la maison, sans
succès. Finalement, c'est peu avant cinq heures, le
matin du jour de l'an, qu'elle parvint à fermer les
yeux et à s'endormir sur le canapé. Elle n'avait aucune
nouvelle de lui, mais au moins n'avait-elle pas reçu
d'appel de la police...

## 19

Le soleil hivernal brillait par la fenêtre lorsque le téléphone sonna, réveillant Izzie en sursaut. Il était neuf heures passées de quelques minutes. Elle s'empara de l'écouteur, fébrile... C'était la police. La jeune femme sentit son cœur se serrer en entendant un certain lieutenant Kelley se présenter. Ses craintes étaient en train de se réaliser. Zach avait été arrêté.

— C'est à propos de mon mari ? demanda-t-elle dans un souffle.

— Je... Oui, madame, c'est exact.

— Il est en prison ?!

— Non, madame.

Elle sentit pointer une lueur d'espoir.

— Où est-il ? Est-ce que je peux lui parler ?

— Eh bien, je... Il a eu un accident sur la voie rapide de Long Island hier soir, juste avant la sortie de East Hampton. La route était verglacée.

Izzie l'interrompit. Pourquoi diable cet agent se perdait-il en détails ? Elle se doutait bien des conditions météo !

— Il va bien ?

— Non, madame.

Le lieutenant Kelley détestait passer ce genre d'appels, mais c'était sa responsabilité.

— Il roulait à 160 km/h. Il a franchi la ligne blanche

et a percuté un poids lourd. Il a été tué sur le coup. Je suis sincèrement désolé, madame...

Izzie resta coite pendant une bonne minute, le téléphone à la main.

— Quoi ? Vous êtes sûr ? finit-elle par articuler.

C'était comme si elle se dissolvait dans l'espace, jusqu'à disparaître à son tour. Zach était mort ? Son mari, le père de son enfant à naître ? Comment était-ce possible ? Le lieutenant devait se tromper...

— Où... où est-il, maintenant ?

— Nous l'avons emmené à l'hôpital de Long Island, où ils sont en train d'effectuer des analyses toxicologiques. Nous avons besoin de savoir s'il était sous l'influence de produits. Le chauffeur du poids lourd a été tué lui aussi, et deux autres véhicules sont impliqués dans l'accident. Nous le transférerons à New York dans l'après-midi et vous pourrez venir identifier le corps à la morgue à partir de dix-huit heures. Je suis sincèrement navré.

Izzie raccrocha. Elle tremblait de la tête aux pieds. Sa première pensée fut pour le bébé, qui avait cessé de bouger, comme s'il avait compris que son père venait de mourir. Tel un automate, elle composa le numéro de sa mère.

Kate avait passé une soirée tranquille chez elle et était de bonne humeur. Elle avait ignoré le SMS de bonne année de Bernard et s'apprêtait à inviter Louise et Frances au restaurant. Elle sourit en voyant le nom de sa fille s'afficher sur son écran.

— Bonjour, ma chérie ! Bonne année !

— Oh, maman... Zach est mort ! Il a été tué dans un accident de voiture cette nuit...

Le sang de Kate se glaça dans ses veines tandis qu'Izzie éclatait en sanglots convulsifs.

— Izzie ? Tu es blessée ? Tu étais avec lui dans la voiture ? Et le bébé ?

— Non. Il est parti tout seul... On s'était disputés...

— Et alors ? Ce n'est pas la question. Je ne sais pas ce qui s'est passé, mais tu n'y es pour rien. C'est lui qui conduisait.

— Je l'avais contrarié...

— Ma chérie, ne bouge pas, je suis chez toi dans cinq minutes.

Kate sortit de chez elle en courant, héla un taxi et tendit un billet de vingt dollars au chauffeur. Le trajet n'était pas long, et elle eut tout juste le temps de prévenir ses fils. Elle demanda à Justin d'annuler de sa part le déjeuner avec mamie Lou, mais sans expliquer à la vieille dame pourquoi. Elle tenait à le lui dire en personne.

— Tu sais comment c'est arrivé, maman ? s'enquit Justin.

— Non, elle dit qu'ils se sont disputés.

— Mon Dieu... Peut-être qu'il avait bu.

— Je te rappelle plus tard, mon grand.

Arrivée devant l'immeuble d'Izzie, elle sauta du taxi et appuya furieusement sur le bouton de l'interphone. Puis, plutôt que d'attendre l'ascenseur, elle monta l'escalier quatre à quatre et pénétra chez Izzie à bout de souffle. Sa fille se laissa tomber dans ses bras, son gros ventre entre elles. À son grand soulagement, Kate sentit les coups de pied du bébé. Elle conduisit Izzie jusqu'au canapé, où celle-ci lui livra une version décousue – et d'abord édulcorée – des événements. Puis elle finit par lui parler de la cocaïne. De toute façon, cela n'avait plus aucune importance. Aussi irresponsable qu'ait été Zach, elle l'aimait, et maintenant il était mort. Mariée depuis huit mois jour pour jour, elle se retrouvait veuve, et son fils ne connaîtrait jamais son papa.

La jeune femme pleura longtemps dans les bras de sa mère. Willie vint leur apporter à manger et fut ébranlé par l'état dans lequel il trouva sa sœur. Kate réussit à la mettre au lit et resta près d'elle jusqu'à ce qu'elle s'endorme d'épuisement, puis elle rejoignit son benjamin au salon.

— Qu'est-ce qu'on fait maintenant ? murmura-t-il.

— Il faut que quelqu'un identifie le corps à la morgue à dix-huit heures.

— Bon, je m'en charge, déclara-t-il d'un air sombre.

Il n'avait encore jamais vu de cadavre en vrai, mais c'était le moins qu'il puisse faire. Ils parlèrent un moment à voix basse, puis Justin rappela Kate pour lui annoncer qu'il était en route pour New York. Il emmenait Milagra avec lui, car Richard devait retourner au travail dès le lendemain. À bord de l'avion qui la ramenait de sa lune de miel, Julie restait injoignable pour le moment. Ils ne doutaient pas qu'elle ferait elle aussi le voyage pour soutenir sa sœur.

Izzie dormit deux heures et se réveilla en pleurant. Il fallait déjà penser aux funérailles… Kate appela l'entreprise de pompes funèbres et leur donna rendez-vous à la morgue. Son prochain coup de fil fut pour Liam, qui lui fit part de son émotion et se déclara prêt à leur donner un coup de main s'ils avaient besoin de quoi que ce soit. Mais à part être là pour Izzie, il n'y avait pas grand-chose à faire.

Il fallait également prévenir la famille de Zach. Izzie pensa en premier lieu à sa grand-mère, la seule personne dont il fût proche. Mais la vieille dame venait de subir un nouvel AVC et souffrait maintenant de démence, de sorte qu'Izzie jugea préférable de ne pas l'appeler. En revanche, elle devait avertir son père, qu'elle n'avait jamais rencontré. Elle le joignit sur son portable : il était en Australie, en train de faire de la voile dans la baie de Sydney. Il parut attristé, mais guère surpris de la nouvelle. À vrai dire, il se demandait plutôt comment son fils avait réussi à atteindre l'âge de trente-six ans avec la vie qu'il avait menée... Il présenta ses condoléances à Izzie comme si on lui parlait du fils d'un autre. Puis il ajouta :

— J'ai le regret de vous apprendre que si votre bébé était déjà né, les parts du fonds fiduciaire de Zach lui seraient revenues automatiquement. Dans le cas d'un enfant à naître, elles vont être redistribuées aux autres bénéficiaires.

Izzie resta éberluée.

— Je... Comment pouvez-vous ? s'étrangla-t-elle. Je ne vous appelais pas pour ça. J'ai juste pensé que vous voudriez au moins assister aux obsèques...

L'homme bredouilla des excuses et promit de prévenir la mère de Zach.

Sur le chemin de la morgue, accompagnée de Kate et de Willie, Izzie n'arrivait toujours pas à y croire. Une partie d'elle-même espérait vaguement que tout cela n'était qu'une erreur. Une fois sur place, ils passèrent une heure de pur cauchemar. Les deux employés de l'entreprise de pompes funèbres étaient déjà là. Willie identifia le corps tandis qu'Izzie, au bord de l'évanouissement, sanglotait dans les bras de sa mère sous le regard compatissant des agents de police. L'un d'entre eux souffla à Kate qu'ils avaient fait disparaître le bracelet électronique pour permettre à la famille de l'enterrer dignement, ce dont elle les remercia.

Ils se rendirent ensuite à l'appartement de Kate.

Cette dernière borda Izzie dans son propre lit et lui apporta un bol de soupe, que sa fille refusa, avant de sombrer dans un mauvais sommeil. Justin arriva à vingt et une heures avec Milagra.

— Comment elle va ? s'enquit-il, rongé d'inquiétude.

S'il se doutait depuis le début que sa sœur avait mal choisi son époux, il n'aurait jamais imaginé que les choses finiraient ainsi.

— Comme on peut s'y attendre dans un moment pareil, répondit sa mère.

Louise appela dans la soirée pour demander si on avait besoin d'elle, et comme sa fille répondait par la négative, elle ne chercha pas à s'imposer. Après le départ de Willie, Justin et Kate s'assirent au salon en attendant l'heure de contacter Julie. Elle atterrissait à vingt heures à Los Angeles et serait probablement chez elle à vingt et une heures – soit minuit à New York avec le décalage horaire. Ils ne savaient pas encore quand aurait lieu l'enterrement, mais une chose était sûre : elle voudrait être là pour sa sœur.

Pour Peter et Julie, la lune de miel à Hawaï avait été idyllique. Ils avaient d'abord passé trois jours dans un hôtel animé de l'île de Maui, qui proposait des activités plus amusantes les unes que les autres. Puis quatre jours dans un lodge incroyablement romantique sur l'île de Lanai. Peter avait pensé à tout. Farniente sur la plage, snorkeling et dîner gastronomique étaient au programme tous les jours. Un véritable rêve ! La jeune femme était plus convaincue que jamais d'avoir épousé l'homme idéal... Après cette lune de miel extraordinaire, le retour à la vie quotidienne s'annonçait difficile ! Peter était à la fois impatient et un peu anxieux de prendre son nouveau poste le lendemain.

Julie ne prit pas la peine de rallumer son téléphone dans le taxi. Elle n'y songea que bien plus tard, après avoir fait le tour de l'appartement meublé mis à leur disposition par l'employeur de Peter en attendant l'arrivée de leurs propres affaires et leur emménagement dans l'appartement de standing trouvé par Peter sur les hauteurs de West Hollywood. Julie avait vu quelques photos sur Internet. Elle avait hâte d'explorer la résidence et le quartier. Leurs meubles arriveraient de New York d'ici deux semaines, un peu plus tard si les routes du Midwest étaient enneigées. En attendant, le logement de fonction lui parut très agréable.

Elle brancha son téléphone et l'alluma. Il sonna aussitôt ; c'était Justin. Son épouse restant silencieuse, Peter se tourna vers elle et découvrit sa mine défaite. Quelque chose de grave avait dû arriver.

— Zach est mort dans un accident de voiture hier soir, annonça-t-elle après avoir raccroché.

— Quoi ! Pauvre Izzie, avec ce bébé en route...

Julie opina, à la fois pleine de compassion pour sa sœur et soulagée qu'elle soit indemne. Elle réfléchit tout haut :

— Je vais devoir reporter les rendez-vous administratifs que j'avais pris cette semaine pour notre installation, mais tant pis, il faut que je rentre dès demain.

— Rentrer ? Je te signale que c'est ici que tu habites maintenant, dit-il sur un drôle de ton, presque autoritaire.

— Bien sûr, mon chéri, admit-elle en l'embrassant. Mais je dois rentrer à New York pour m'occuper de ma sœur.

— Je ne crois pas, non. Tu dois rester avec moi.

Izzie a tes frères, ta mère et ta grand-mère. Cela devrait lui suffire.

Elle pensa d'abord qu'il plaisantait. Une façon de lui dire qu'il aurait voulu prolonger la lune de miel... Mais elle lut dans ses yeux qu'il était sérieux.

— Enfin Peter, ce n'est pas la même chose. Entre sœurs, on doit se serrer les coudes. Je sais que ce n'est pas comme ça dans ta famille, mais elle est enceinte, son mari vient de mourir... Mon devoir est d'être auprès d'elle.

— Ta famille, c'est moi maintenant ; et c'est auprès de moi que tu dois être. Je prends un nouveau poste demain, j'ai besoin que tu sois là.

— Écoute, on ne va quand même pas se disputer pour ça... Mais il n'est pas question que je reste ici pendant que ma sœur enterre son mari. Tu as déjà changé de poste. Elle, c'est la première fois qu'elle est veuve.

— De toute façon, elle n'aurait jamais dû l'épouser. C'était un connard de première et je ne suis pas surpris qu'il ait fini comme ça. Je parie qu'il avait bu ou qu'il était drogué.

— Peut-être, mais ça ne change rien au fait que ma sœur est sous le choc. D'après Justin, elle ne tient pas debout.

— Elle se portera mieux sans ce type, je te le garantis. Et qui sait comment le gamin va tourner... Il vaudrait mieux qu'elle le perde aussi.

Julie fut horrifiée par la violence de ces paroles. De tels propos ne ressemblaient en rien au Peter qu'elle connaissait. Que lui arrivait-il tout à coup ? La jeune femme s'enferma dans la salle de bain avec son téléphone et réserva un billet d'avion pour neuf heures du matin. Elle devrait quitter l'appartement à sept heures

252

et atterrirait à New York à dix-sept heures. Avec le décalage horaire, elle perdrait la journée à voyager, mais elle ne pouvait pas faire autrement.

Peter ne lui adressa plus la parole pendant qu'ils défaisaient leurs valises et que Julie emplissait un petit sac de vêtements chauds pour New York. Une fois couché, il se tourna vers elle.

— Tu n'as pas vraiment l'intention d'y aller, n'est-ce pas ?

— Bien sûr que si.

— Si tu fais ça, je ne te le pardonnerai jamais, asséna-t-il d'un ton glacial.

Elle en eut les larmes aux yeux.

— Enfin, Peter, arrête, sois raisonnable !

— Pour moi, ce sera fini, je n'aurai plus confiance.

Elle se glissa entre les draps avec la sensation inquiétante d'être rentrée de voyage de noces avec un inconnu.

— Dis-moi au moins pourquoi ça te met si en colère... Je ne resterai pas absente longtemps.

— Ce n'est pas une question de temps. À partir du moment où tu franchiras le seuil demain matin, je saurai à qui tu tiens, et visiblement ce n'est pas à moi.

— Bien sûr que si, je peux aimer ma famille et t'aimer en même temps.

— Ça ne fonctionne pas comme ça. Tu dois m'être loyale, en tout lieu et en tout temps. Désormais, je passe avant le reste.

Ces paroles étaient si insensées que Julie n'eut même pas envie de discuter. Elle se demanda si un traumatisme d'enfance pouvait expliquer une telle attitude. Et dire qu'il n'avait jamais eu de problème avec le clan Madison depuis qu'ils se connaissaient, bien au contraire... Elle n'y comprenait plus rien.

Il la traita comme une étrangère le lendemain matin. Alors qu'elle passait les bras autour de son cou pour l'embrasser, il la repoussa et se leva sans un regard. Il ne lui parla pas jusqu'à ce qu'il la voie tout habillée et prête à partir.

— Ne t'étonne pas si tes clés ne fonctionnent plus à ton retour, prévint-il.

— Peter, je ne sais pas ce qui se passe, mais je t'aime et j'aime ma famille. Je reviens bientôt. J'espère que ta première journée va bien se dérouler et je t'appellerai quand j'aurai atterri.

— Ta place est ici, Julie. Inutile de m'appeler. Je ne veux plus entendre parler de toi jusqu'à ce que tu reviennes dans cet appartement. C'est la première et la dernière fois. J'espère que c'est clair.

— J'ai signé pour être ta femme, pas ton esclave, lâcha-t-elle… sans ajouter qu'elle aussi espérait que « c'était clair ».

Inutile de jeter de l'huile sur le feu… Dans le taxi qui l'emmenait à l'aéroport, elle ne cessa de ruminer cette situation hallucinante. Le comportement de Peter était totalement aberrant, mais, dans le fond, il valait sans doute mieux que cela se produise dès le début. Il devait comprendre qu'elle n'abandonnerait jamais sa famille. Il y avait assez de place pour lui et elle dans son cœur, et ce voyage à New York le lui prouverait.

Dans l'avion, elle se sentit mieux. Peut-être n'était-ce qu'une crise, liée au stress de son nouveau travail ? Peut-être se sentait-il momentanément fragilisé, menacé dans sa virilité parce qu'il devait faire ses preuves ? À son retour, tout rentrerait dans l'ordre, elle en était certaine. Pour le moment, elle ne souhaitait qu'une chose : retrouver sa famille. Dire qu'elle ne les avait quittés qu'une semaine plus tôt... Qui aurait pu imaginer une chose pareille ?

Quand Julie débarqua dans l'appartement de Kate, Izzie venait de s'absenter pour récupérer des vêtements propres chez elle. Depuis le drame, elle dormait chez sa mère, dans leur ancienne chambre. Justin campait sur le canapé, et Milagra dans son lit parapluie. Seul Willie rentrait chez lui tous les soirs. Ils étaient un peu serrés, mais cela leur rappelait leur enfance.

Kate avait récupéré des tenues sombres pour Julie et elle à la boutique, et elle avait envoyé Jessica acheter une robe de maternité noire pour Izzie en ville. Une veillée funèbre était prévue le lendemain, et l'enterrement aurait lieu le surlendemain. Ensuite, ce serait terminé ; Izzie devrait passer le restant de ses jours sans lui. Bien que la jeune femme ait fini par révéler à sa mère toute l'histoire – les circonstances de sa rencontre avec Zach, ses arrestations, sa toxicomanie, et le soir de l'accident –, personne ne fit de commentaire sur le caractère inopportun de ce mariage. Kate se contentait de lui répéter que ce n'était pas sa faute, car Izzie se débattait avec un sentiment de culpabilité tenace.

Justin sentit son cœur s'alléger dès l'instant où sa sœur jumelle entra dans la pièce. Il la prit dans ses bras et la serra longuement. Puis il lui demanda comment s'était passé son voyage de noces, ce à quoi elle répondit que cela avait été un véritable rêve. Elle ne souffla mot de l'étrange comportement de Peter avant son départ. C'était si inhabituel de sa part...

Le soir venu, c'est mamie Lou qui pourvut au ravitaillement sous forme de plats à emporter achetés dans le quartier. La famille était au complet.

Hélas, le lendemain, personne ne vint présenter ses condoléances à Izzie à la maison funéraire, hormis Liam, qui les serra tous chaleureusement dans ses bras. Ils écourtèrent donc cette sinistre veillée et finirent la soirée dans un restaurant chinois. Le bon repas leur apporta un peu de réconfort. Par ses taquineries habituelles, Willie parvint même à arracher un sourire à Izzie. Et alors que Kate tenait le bébé sur ses genoux, Justin leur annonça d'un ton calme :

— Elle va bientôt avoir un petit frère ou une petite sœur.

— Tu parles de qui, là ? demanda Julie, curieuse.

— De Milagra, bien sûr ! Nous avons dû prendre la décision rapidement à cause du cycle d'Alana. Elle a accepté de faire un nouveau don d'ovocytes, mais elle va bientôt déménager à Londres pour quelque temps et nous voulions profiter de la fenêtre de tir. Ce ne sera sans doute pas facile, on le sait bien. On va devoir jongler entre nos emplois du temps, mais Richard et moi aimons l'idée d'avoir des enfants rapprochés. Et Shirley a elle aussi accepté de renouveler l'aventure. Elle se fera implanter les embryons d'ici quelques jours, et si ça marche, le bébé arrivera en septembre. Les petits n'auront que treize mois d'écart. Tout le monde en couches en même temps, ça me paraît plus simple.

Cette fois-ci, personne n'émit la moindre critique. La roue avait tourné, et Milagra faisait la joie de la famille.

— Vous comptez en avoir beaucoup, comme ça ? s'enquit Willie sans malice.

— Non, on s'arrêtera là ! Nous ne voulions pas que Milagra reste enfant unique, mais deux, c'est le bon nombre.

Tout le monde opina, comme si cette décision était tout ce qu'il y a de plus raisonnable. Or, à moins que le roman de Justin rencontre le succès, la petite famille aurait du mal à joindre les deux bouts ! Kate savait en outre que son fils n'avait pas eu le temps de retravailler son texte depuis la naissance de la petite au mois d'août.

— Donc Richard est d'accord ? demanda-t-elle. C'est un sacrifice pour lui aussi...

Justin hocha la tête sans rien dire. Izzie vint à l'aide de son frère en changeant de sujet.

— Quand est-ce que tu repars, Julie, au fait ?

— Quand tu n'auras plus besoin de moi, répondit cette dernière en pressant sa main dans la sienne.

Izzie se pencha au-dessus de la table pour déposer un baiser sur son front.

— Merci d'être venue. Cela me fait tant de bien que tu sois là.

Et, lisant l'émotion dans les yeux de sa sœur, Julie sut qu'elle avait pris la bonne décision. La colère de Peter était absurde, ses menaces semblaient démesurées et peu crédibles. Puisqu'elle n'avait pas d'obligations professionnelles, Julie décida qu'elle resterait aussi longtemps qu'il le faudrait. Elle aimait passionnément Peter, mais sa famille passait d'abord.

L'enterrement fut sinistre. Comme Izzie n'avait donné la raison de son absence qu'à son chef, seuls quelques-uns de ses collègues étaient venus après avoir lu l'annonce dans le journal. Sans surprise, le père de Zach ne fit pas le déplacement, et, qu'il ait ou non prévenu sa mère comme il s'y était engagé, Izzie n'eut jamais aucune nouvelle de celle-ci. Richard descendit du Vermont pour la journée, Frances vint avec mamie Lou, et Maureen avec Liam.

Ce petit groupe disparate s'engouffra dans deux limousines qui les menèrent au cimetière. Après la brève cérémonie, Izzie jeta une rose blanche sur le cercueil. Elle était secouée de sanglots ; ses deux frères la soutinrent pour l'aider à remonter en voiture. De toute sa vie, Kate n'avait jamais rien vu d'aussi triste que sa fille enceinte pleurant son mari, aussi peu recommandable ait-il été de son vivant. Ils se retrouvèrent ensuite chez Kate dans un état second. La cafetière tournait à plein, mais presque personne ne toucha aux bagels au saumon apportés par Liam.

Justin et Richard se remirent en route le soir même. Ils tenaient à être présents au moment de l'intervention de Shirley. Izzie se força à retourner au cabinet le lundi suivant. Elle avait une mine épouvantable, mais affirmait qu'elle avait besoin de se changer les idées. Estimant alors que sa sœur était sur la bonne voie, Julie réserva son billet de retour pour la Californie. Elle avait passé exactement six jours à New York, au cours desquels elle avait envoyé de nombreux SMS à Peter. Il n'avait pas répondu. Elle le savait : c'était sa façon de la punir pour avoir agi d'une façon qui ne lui plaisait pas.

Son vol atterrit à quatorze heures à Los Angeles. L'espace d'un instant, elle se demanda si Peter avait mis sa menace à exécution et changé les serrures, mais ses clés ouvrirent sans problème la porte de l'appartement provisoire. Après avoir rangé ses bagages, elle fit les courses sur un marché tout proche. Vêtue d'un tablier sur son jean et son pull, elle était en train de préparer un bon dîner quand Peter rentra. Dans un premier temps, il ne dit rien et resta figé sur le seuil de la cuisine.

— C'était comment ? s'enquit-il enfin d'un air fermé et sans manifester le moindre remords.

— Très triste. Izzie est dans un sale état ; je suis contente d'y être allée. Mais tu m'as manqué.

— C'est vrai, ça ?

Il s'avança alors vers elle et elle eut un pincement au creux de l'estomac. Lisait-elle une menace au fond de ses yeux ? Mais non, qu'allait-elle imaginer !

— Oui, tu m'as même beaucoup manqué, répondit-elle en souriant.

Il l'attira vivement contre lui pour l'embrasser et l'emporta dans ses bras jusque dans la chambre à coucher, où il la laissa tomber sur le lit.

— Déshabille-toi, ordonna-t-il. Je veux te faire l'amour.

Elle aussi en avait envie, mais son attitude brutale et autoritaire n'avait rien de romantique... C'était la première fois qu'il se comportait ainsi. Elle obéit néanmoins, et alors qu'elle ouvrait les bras vers lui, il la plaqua sur le dos, la saisit par les cheveux et entra en elle sans préavis. Son regard était froid.

— Hé, doucement ! cria-t-elle.

— Ne t'avise plus *jamais* de me laisser comme ça quand je te dis de rester. C'est compris ?

Les larmes jaillirent dans les yeux de Julie. Au même instant, Peter sembla fondre pour redevenir l'homme qu'elle connaissait. Il la couvrit de caresses et de baisers, puis la tint longtemps dans ses bras quand ce fut terminé. Mister Hyde avait disparu, mais elle savait désormais que cette autre partie de lui-même existait...

Ce soir-là, ils partagèrent un dîner aux chandelles

et il la complimenta pour ses talents de cordon-bleu. Après quoi ils ne tardèrent pas à se retrouver au lit. Sans se montrer tout à fait aussi brutal que précédemment, il n'était cependant plus le Peter qu'elle avait connu. En se mariant avec lui, était-elle donc devenue sa chose ?

# 20

Dans les jours qui suivirent l'enterrement, Izzie ne reçut aucune nouvelle des parents de Zach, aucun courrier à son nom. C'était comme si elle avait épousé une étoile filante, passée brièvement dans sa vie avant de disparaître. Peut-être est-ce pour cela qu'elle ne trouva pas le cœur à se débarrasser de ses vêtements. Sa mère avait bien essayé de la prévenir, avant son mariage : on ne pouvait pas déjouer le destin... Izzie comprenait maintenant qu'elle n'aurait jamais réussi à le changer. Zach avait brûlé sa vie par les deux bouts. Toutefois, cela n'enlevait rien à la force de son amour pour lui. Et il lui avait laissé un souvenir très concret, car leur enfant croissait en elle, jour après jour.

Pour chasser les idées noires, Izzie décida de travailler jusqu'à l'accouchement et de ne s'octroyer qu'un mois de congé ensuite.

Elle était en pleine audience lorsqu'elle ressentit les premières contractions. Elle parvint à terminer sa plaidoirie sans rien laisser paraître. Elle prévint ensuite son assistante qu'elle ne reviendrait pas au bureau. Puis elle appela son médecin, qui lui conseilla de se reposer un peu avant de venir, puisque les contractions n'étaient pas encore très rapprochées et que c'était son premier bébé. Elle rentra donc chez elle pour prendre une douche et téléphoner à Kate.

— Je crois que c'est pour aujourd'hui, maman, mais ne te presse pas, je suis encore à la maison, expliqua-t-elle d'un ton factuel, de peur de se laisser terrasser par l'émotion.

La simple idée que son fils ne connaîtrait jamais Zach la faisait fondre en larmes systématiquement. Ce n'était pas le moment de flancher.

On était précisément le jour du terme, et Kate ne fut guère surprise : son Isabelle avait toujours tout fait en temps et en heure... Elle arriva chez sa fille trente minutes plus tard, après avoir troqué ses vêtements de travail contre un jean et une paire de chaussures plates et s'être munie d'un petit sac avec quelques affaires pour la maternité. Et dès cet instant, comme si le bébé avait poliment attendu l'arrivée de sa grand-mère, les douleurs se firent plus intenses.

— Oh, misère, ça fait plus mal que ce que je craignais, souffla Izzie.

Elle eut encore la force de bavarder un peu au téléphone avec Julie avant de rappeler la gynécologue, laquelle lui conseilla de venir à l'hôpital tout de suite.

Dans le taxi qui se faufilait dans la circulation à l'heure de pointe, les contractions se rapprochèrent.

— Est-ce que je peux avoir une péridurale ? demanda Izzie en arrivant à l'hôpital, levant un regard désespéré vers l'infirmière qui la prenait en charge.

— Il faut d'abord qu'un médecin vous examine. Mais ça tombe bien, je crois que votre gynécologue est déjà là.

— Je me fiche de qui est là ou pas ! Faites-moi une péridurale, je vous en prie !

— Calmez-vous, madame, cela ne dépend pas de moi. Est-ce que nous attendons le papa ? s'enquit l'infirmière.

— Non, le papa est mort, et je veux cette fichue piqûre *tout de suite*, nom d'un chien !

Kate dissimula un sourire, mais Izzie n'avait pas fini de se rebeller :

— Enlevez-moi ce truc-là, ça me serre ! s'écria-t-elle quand l'infirmière essaya de lui placer la sangle de monitoring sur le ventre.

Sur ces entrefaites, le médecin arriva et lui expliqua calmement que l'appareil était nécessaire pour mesurer les contractions et surveiller les battements de cœur du bébé, puis elle examina Izzie, qui hurla de douleur.

— La bonne nouvelle, c'est que vous en êtes déjà à sept centimètres de dilatation...

Au vu du comportement de sa fille, Kate s'en serait doutée... L'avocate impassible, capable d'affronter toutes les situations dans le cadre de son travail, était en train de se laisser gagner par la panique.

— La mauvaise nouvelle, c'est qu'il est peut-être trop tard pour la péridurale. Nous allons essayer, mais c'est allé très vite depuis que vous m'avez appelée. Et je suis sûre que vous allez très bien y arriver sans, si nous ne pouvons pas faire autrement.

Izzie fondit en larmes.

— Non, je ne pourrai pas...

Pas sans Zach, pas après tout ce qui était arrivé...

Un anesthésiste arriva dix minutes plus tard.

— On en est à neuf centimètres de dilatation, lui indiqua l'infirmière. Premier bébé.

Le travail était fulgurant, la douleur d'autant plus forte.

— Je vais essayer, mais j'ai bien peur que ce ne soit trop tard, dit doucement l'anesthésiste. Madame, est-ce que vous pensez pouvoir vous tourner sur le côté pendant que je vous pose le cathéter ? Ça ne vous fera pas plus mal qu'une piqûre d'abeille.

— Ne causez pas tant, faites-le ! cria Izzie en broyant pratiquement la main de Kate dans la sienne.

Un instant plus tard, le cathéter était en place, mais le soulagement ne venait pas. Soudain, Izzie leva un regard affolé vers sa mère et l'infirmière. Quelque chose était en train de se passer – elle était traversée par une force inconnue et irrépressible. Et alors que l'infirmière retournait chercher le médecin, Kate ne cessait de parler à sa fille pour la rassurer. L'anesthésiste augmenta la dose et l'instant d'après le médecin revint. Cette fois, l'examen fut moins douloureux, le produit commençait à agir.

— Très bien, Izzie, vous en êtes à dix centimètres, vous pouvez pousser.

Elle lui expliqua la marche à suivre, tandis que l'infirmière lui tenait une jambe, et Kate l'autre. Le moniteur indiquait que le cœur du bébé était régulier. Au bout d'une demi-heure d'intenses efforts, Izzie se laissa retomber sur l'oreiller, épuisée et ivre de douleur. Le médecin l'exhorta à ne pas lâcher.

— Je vois la tête du bébé, annonça-t-elle une minute plus tard.

Sous les encouragements de l'équipe médicale et de sa mère, Izzie poussa de toutes ses forces. Elle n'avait jamais rien fait de plus physique de toute sa vie ! Lentement, la tête du bébé émergea et il émit un petit pleur. Le médecin le dégagea entièrement et le posa sur le ventre de sa maman, qui le regarda en souriant entre ses larmes. Il était magnifique... le portrait craché de son père. L'infirmière coupa le cordon, nettoya le bébé et le plaça sur la poitrine d'Izzie. Tandis qu'il levait vers elle des yeux étonnés, Kate

fondit en larmes. Un miracle venait de se produire...
Izzie, maintenant totalement apaisée, avait l'air d'une
madone.

— Merci d'être là, maman, murmura-t-elle.

Un peu plus tard, la jeune femme appela chacun de
ses frères et sœur pour leur annoncer la naissance du
petit Thomas Zachary. Kate était très touchée qu'elle
ait choisi d'honorer la mémoire de Tom en plus de
celle de Zach.

Il était minuit à New York et vingt et une heures en
Californie lorsque le téléphone de Julie sonna. Entre-
temps, le jeune couple avait récupéré ses meubles et
emménagé dans un grand appartement, où ils dis-
posaient chacun de leur propre salle de bain. Il était
situé en rez-de-chaussée d'une superbe résidence ; les
portes-fenêtres coulissantes donnaient sur un joli jardin
et ils avaient accès à une piscine commune. Julie fut
ravie d'entendre de la joie dans la voix de sa sœur. Elle
savait que ce bébé l'aiderait à surmonter ses épreuves.

De son côté, Peter avait écouté la conversation. Il
lança à son épouse un regard menaçant.

— Ne songe même pas à retourner là-bas...

— Tu plaisantes ? Bien sûr que je vais y aller,
rétorqua-t-elle d'un ton aussi assuré que possible.

Pas question de lui montrer sa peur. Mais depuis
leur retour de Hawaï, elle savait qu'il pouvait devenir
méchant quand les choses ne se passaient pas comme
il l'entendait. Ses sautes d'humeur étaient incompré-
hensibles. Un jour, il était menaçant, voire cruel. Le
lendemain, il redevenait prévenant et attentionné. Il
avait deux personnalités, l'une qu'elle aimait, et l'autre
qui la terrifiait.

Au cours des dernières semaines, en outre, il s'était
mis à se moquer de son orthographe, ajoutant qu'elle

avait une écriture de gamine de cinq ans. C'est pendant leur voyage de noces qu'elle lui avait révélé sa dyslexie, et la honte qu'elle en éprouvait. Sur le moment, il lui avait affirmé qu'elle n'avait pas à être gênée et que cela ne saurait affecter l'amour qu'il lui portait. Mais désormais, il ne ratait pas une occasion de retourner le couteau dans la plaie. Et la pauvre jeune femme revivait le harcèlement infligé par ses camarades quand elle était petite.

— Enfin, Peter, ma sœur vient d'avoir un bébé, je veux les voir. C'est un moment important pour elle...

Il la saisit alors violemment par le bras, à lui faire mal. Julie savait que cela laisserait des marques. Ce n'était pas la première fois. Puis il lui cracha au visage :

— Pas question. Tu as des devoirs envers moi.

Ainsi se résumait sa vision archaïque du mariage. Lorsqu'elle avait évoqué la possibilité de chercher un emploi de styliste à L.A., il avait répliqué que la place d'une bonne épouse était à la maison, pour servir son mari. Au début, elle pensait sincèrement qu'il plaisantait et avait tenté de discuter, mais elle avait appris à ses dépens qu'il était plus que sérieux...

— Tu n'as pas besoin de voir le gosse de ta sœur. De toute façon, tous les bébés se ressemblent.

— Là n'est pas la question. Je veux voir ma sœur. C'est un moment important pour elle, surtout en l'absence de Zach...

— Je te l'ai déjà dit : elle se porte mieux sans lui, et c'est dommage pour elle que le gosse n'y soit pas passé aussi !

Julie resta bouche bée. Le manque de compassion de Peter était purement sidérant. Il n'y en avait que pour lui, il aurait voulu que le monde entier se consacre à la satisfaction de ses besoins personnels, Julie la première. Comme s'il attendait d'elle qu'elle compense le manque d'affection dont il avait souffert. Et il était obsédé par le sexe. Il était maintenant capable de la réveiller plusieurs fois dans la nuit pour lui faire l'amour. C'était souvent si acrobatique, si mécanique, qu'elle redoutait ces moments pendant lesquels il ne se souciait ni de son consentement ni de ses désirs. Et puis tout à coup, il redevenait tendre et respectueux.

Julie attendit qu'il soit au travail le lendemain pour réserver un vol à destination de New York la semaine suivante. Elle imprima le billet, puis le rangea dans un tiroir de sa salle de bain, se disant qu'elle attendrait le moment propice pour lui en parler.

Un soir, alors qu'elle était en train de lire sur le canapé du salon, il entra en trombe dans la pièce.

— Qu'est-ce que c'est que ça ? demanda-t-il en agitant le morceau de papier sous son nez.

— Mon billet pour New York, fit-elle d'une petite voix.

— Que comptais-tu faire ? Filer en douce, sans rien me dire ?!

Il était blême, les yeux injectés de sang. Ces derniers temps, même son visage avait changé. Elle ne le reconnaissait plus.

— Bien sûr que non. J'allais t'en parler.

Tremblant de rage, il lui asséna une énorme gifle. Elle fut si choquée qu'elle ne sut comment réagir. Un filet de sang coula au coin de sa bouche.

— Annule cette réservation. Tu restes ici.

Sans répondre, elle alla se coucher, recroquevillée dans son coin du lit. Quand il vint la rejoindre, il lui fit l'amour, moins brutalement, certes, mais sans un mot d'excuse. Julie n'annula pas sa réservation. Elle était plus déterminée que jamais, et ce n'était pas en la frappant que Peter l'empêcherait de voir sa famille. La veille de son départ, elle lui annonça que sa valise était prête. Le gros bleu sur sa joue commençait seulement à s'estomper. Même si elle le camouflait avec du maquillage, elle savait qu'il était là.

— Je ne m'en vais que quelques jours, ajouta-t-elle calmement.

Il ne dit rien. Mais il la prit avec tant de violence ce soir-là qu'elle saigna. Elle dut se coucher avec un pack de glace entre les jambes. Dès lors, la peur ne la quitta plus.

Elle ne se détendit qu'une fois arrivée à New York, chez Izzie. Enveloppée de la chaleur de sa famille, elle fut tout de suite gaga de son petit neveu. À sa propre surprise, Izzie s'épanouissait pleinement dans son rôle de mère, et les deux sœurs passèrent des heures à bavarder en s'occupant du bébé. Mais Julie ne mentionna pas les accès de rage de Peter. Que dire ? Par où commencer ? Tout était si confus... Elle n'aurait su mettre un nom sur le changement subit de son mari et elle continuait d'espérer qu'il redeviendrait comme avant. Et puis, elle avait honte. Peter lui répétait sans cesse qu'elle était responsable de ses colères, et elle avait fini par le croire. Elle ne demandait qu'à devenir une meilleure épouse.

Lorsque Justin descendit du Vermont pour faire la connaissance de son neveu, il remarqua tout de suite que quelque chose clochait.

— Tout va bien pour toi, Julie ? C'est comment, la Californie ?

— Génial ! J'adore la ville, on a un appartement splendide, dit-elle avec un enthousiasme factice qui ne réussit pas à le convaincre. Bon, on ne s'est pas encore fait beaucoup d'amis, mais ça va venir.

Son radar de jumeau était en alerte rouge.

— Si ce n'était pas si génial que ça..., tu me le dirais, n'est-ce pas ? Tu n'es pas comme d'habitude...

— Mais si ! C'est juste que je suis un peu fatiguée. Trois jours sous le même toit qu'un nouveau-né... Pas besoin de te faire un dessin !

Julie ne voulait pas que son frère pense du mal de son mari, car, à de nombreux égards, elle savait que c'était un homme bien... Elle s'imprégna donc de l'amour des siens et repartit pour L.A. moins d'une semaine après.

Justin, cependant, fit part de ses inquiétudes à Kate.

— J'ai trouvé Julie bizarre, et terriblement silencieuse... Pas toi, maman ? Elle a toujours été discrète, mais là elle était carrément... effacée.

Ces derniers jours, Kate avait consacré toute son attention à Izzie et au bébé ; l'attitude inhabituelle de sa fille cadette lui avait échappé.

— Peut-être qu'elle a le mal du pays, répondit-elle. La première année de mariage, ce n'est pas si facile, surtout qu'elle n'a pas encore de travail.

À L.A., Julie eut la surprise à son retour de trouver Peter qui l'attendait en plein après-midi.

— Regardez qui voilà, railla-t-il. Alors, c'était comment, ce petit séjour chez maman ?

— C'était bien, le bébé est très mignon, répondit-elle d'un ton aussi neutre que possible.

— Tu vois, aujourd'hui je suis resté à la maison pour t'accueillir comme il se doit.

À cet instant, tout bascula dans l'horreur... Il se jeta sur elle, la plaqua au sol, arracha ses vêtements et la viola en lui cognant la tête contre le carrelage de la cuisine. Quand il s'arrêta enfin, elle avait pratiquement perdu connaissance.

— Je te répète que tu ne dois pas te réfugier toutes les cinq minutes dans les jupes de ta mère, mais tu ne veux pas m'écouter ! cracha-t-il alors qu'elle tentait de se relever.

Elle n'aurait jamais cru que les choses dégénéreraient à ce point... Elle avait épousé un véritable monstre ! Tant bien que mal, elle se traîna jusqu'à sa salle de bain, mais il la rejoignit avant qu'elle ait pu fermer à clé.

— Et si nous prenions un bain tous les deux ? dit-il d'une voix doucereuse en ouvrant le robinet. Tu sais que j'adore ça.

— Je... J'allais prendre une douche, bredouilla-t-elle en ravalant ses larmes.

— Non. On prend un bain, c'est mieux.

Quand la baignoire fut pleine, il se déshabilla et entra dans l'eau tiède avant de lui tendre la main. Julie avait bien trop peur pour refuser. Elle s'assit, tâchant de contrôler son tremblement. C'est alors qu'il la saisit violemment par la nuque pour lui maintenir la tête sous l'eau ! Au comble de la panique, elle se débattit et le griffa tant qu'elle put. Elle croyait sa dernière heure arrivée lorsque, enfin, il la releva en la tirant par les cheveux.

— Tu as retenu la leçon, maintenant ? Tu vas m'écouter quand je te dis de ne pas aller quelque part ? Et si tu retournes cafter à ta famille, je te tue.

Il la relâcha, s'enveloppa dans une serviette et la laissa là, sanglotant et essayant de reprendre son souffle. Cette fois, elle avait compris : il était fou à lier.

Justin était au volant de sa voiture, en route pour le Vermont. Il avait le cœur rempli de joie en songeant qu'un second bébé viendrait bientôt agrandir sa petite famille. En attendant, il avait hâte de retrouver Milagra. Il avait d'ailleurs quitté New York quelques heures plus tôt que prévu pour pouvoir jouer avec elle avant de la mettre au lit. À sept mois, c'était une enfant très éveillée, qui crapahutait partout à la vitesse de l'éclair. Cache-prises, verrouillage des placards de cuisine... Richard et lui avaient sécurisé toute la maison. Il y avait des protections aux coins des meubles, des systèmes anti-pince-doigts sur les tiroirs, et même un loquet sur l'abattant des toilettes, car ils avaient lu des histoires terrifiantes de bambins qui s'étaient noyés après être tombés la tête la première dans la cuvette.

Il était dix-huit heures quand Justin se gara dans l'allée. Toutes les lumières de la maison étaient éteintes. Il n'y avait pas de raison que Richard s'absente à cette heure-là, mais il est vrai que Justin ne l'avait pas prévenu qu'il rentrerait plus tôt : il voulait lui faire la surprise. Il alluma en entrant dans la cuisine et monta à l'étage pour y poser son sac, lorsqu'il lui sembla entendre Milagra. En effet, elle venait de faire une sieste et le gratifia de grands sourires en babillant gaiement tandis qu'il la prenait dans son berceau. La petite sur le bras, il entra dans sa propre chambre et appuya sur l'interrupteur...

Autant dire que le choc fut intense : Richard était au lit avec un autre homme ! Dans un premier temps, Justin resta muet de stupeur. Richard se tourna vers lui, puis ferma les yeux. L'autre homme se leva d'un bond et Justin le reconnut tout de suite : c'était l'un des assistants d'éducation du lycée. Il devait avoir vingt-cinq ou vingt-six ans.

— Qu'est-ce que ça veut dire ? articula enfin Justin, tandis que le type enfilait son pantalon, l'air affolé, avant de déguerpir.

— Je suis désolé, bredouilla Richard.

— Et tu fais ça pendant que Milagra dort dans la pièce d'à côté ! Mais qu'est-ce qui te passe par la tête ? Ça fait longtemps que ça dure, ce petit jeu ?

— Quelques mois, c'est tout… Depuis Noël. Écoute, Justin, ça ne veut rien dire pour moi, c'est juste un petit jeune…

— Et toi, tu es juste un beau salaud. Comment est-ce que tu as pu accepter de mettre en route un deuxième bébé alors que tu couches avec un autre mec ?

— Je te l'ai dit, qu'on ferait mieux d'attendre, gémit Richard en s'asseyant sur le lit.

— Pourquoi ? Au cas où tu préférerais avoir des enfants avec lui ? Tu es amoureux ?!

— Mais non, je t'assure. J'avais juste besoin de m'amuser un peu. Entre nous, tout est devenu terriblement sérieux ! Il faut toujours penser à Milagra, compter le moindre sou… J'ai l'impression qu'on n'a plus de vie.

Il leva un regard coupable vers sa fille, laquelle le scrutait d'un air étonné.

— Et maintenant, tu en veux un deuxième en plus, poursuivit-il. Mais moi, je ne suis pas prêt à tout sacrifier pour les enfants. J'ai l'impression qu'on n'existe plus en tant que couple, seulement en tant que parents.

Justin le dévisageait, atterré.

— Mais pourquoi est-ce que tu n'as rien dit… avant de coucher avec d'autres types ?!

— Je te jure que c'est le seul. Je suis désolé. Je me suis senti dépassé. J'en ai marre d'être fauché et de ne plus avoir une minute à moi.

Milagra commençait à s'agiter. Avec un soupir, Justin proposa de continuer la conversation au rez-de-chaussée pour la laisser jouer dans son parc.

Richard s'étant rhabillé, les deux hommes s'assirent au salon et échangèrent un regard désespéré.

— Et maintenant, qu'est-ce qu'on fait ? lâcha Justin. On ne peut pas la rendre à Shirley… De toute façon, je ne le ferais pour rien au monde.

— Moi non plus, voyons. C'est juste qu'il n'y a jamais de pause…

— C'est la vie, on ne peut pas être parent à temps partiel. Et nous n'avons pas les moyens de payer une nounou.

— Nous aurions mieux fait d'attendre avant de lancer le deuxième.

— Tu étais d'accord…

Levant les yeux vers son compagnon, Justin se demanda si tout était fini entre eux. Il était encore sous le choc de la scène qu'il venait de surprendre. Tout un tas d'émotions se bousculaient en lui. Incrédulité, tristesse, humiliation, dégoût, colère… Mais, de fait, leur deuxième bébé était en route et Richard se sentait déjà débordé par Milagra. Cela n'augurait rien de bon pour leur avenir commun.

— C'était ton idée plus que la mienne, remarqua Richard sur un ton accusateur.

— J'imagine que je ne voulais pas le voir… Qu'est-ce qu'on va faire ? On ne va tout de même pas demander à Shirley d'avorter ! Moi, j'en ai envie, de ce deuxième bébé, plus que jamais. Mais tu sais quoi ? Tu n'es pas obligé de rester si ça ne te convient pas.

— Je pense qu'on a besoin d'une pause, acquiesça calmement Richard. Je vais préparer mon sac.

Ce soir-là, Justin coucha par terre dans la chambre de Milagra. Il entendit Richard rassembler ses affaires jusque tard dans la nuit, et ni l'un ni l'autre ne dormit beaucoup. Comment s'en sortirait-il, seul avec deux enfants ? Certains mois, quand ses articles se vendaient bien, il gagnait davantage que Richard, mais ses revenus étaient terriblement irréguliers... Il devait boucler son roman au plus vite.

Le lendemain matin, Richard descendit à la dernière minute pour partir travailler, portant un sac de voyage en plus de son cartable. Sa culpabilité se mêlait de soulagement tandis que Justin préparait le biberon de Milagra. Pendant quelque temps, au moins, il serait affranchi de ces contraintes...

— Je suis désolé, lâcha-t-il.

— Pas autant que moi, répondit Justin sans un regard.

Le jeune homme doutait de pouvoir éprouver à nouveau les mêmes sentiments pour lui. Quelque chose s'était brisé, peut-être de façon irrémédiable. Dès que Richard eut franchi le seuil, les larmes se mirent à couler le long de ses joues. Dans un état second, Justin fit un peu de rangement et attendit qu'il soit une heure correcte pour pouvoir appeler Julie sur la côte Ouest.

Peter venait de partir au travail lorsque la jeune femme décrocha. Encore sous le choc, Justin lui raconta ce qui lui arrivait... Il ne remarqua pas qu'elle aussi avait pleuré, supposant simplement qu'elle était enrhumée.

— Oh, je suis sûre qu'il t'aime encore répondit-elle, compatissante. Il s'est juste dégonflé face à ses responsabilités.

— Oui, sans doute... Mais j'aurais préféré qu'il m'en parle avant qu'on en arrive là. Le deuxième bébé est en route.

— Tu veux toujours aller jusqu'au bout ?

— Bien sûr, je n'ai jamais pris cette décision à la légère.

Le frère et la sœur parlèrent encore quelques minutes, mais Justin dut raccrocher, car Milagra se réveillait.

Shirley, quant à elle, comprit la situation sans qu'il ait besoin de rien expliquer : il passait en effet régulièrement la voir, mais toujours seul. Sans Richard... Au bout de trois semaines, il lui confirma que leur relation n'était pas au beau fixe.

— Tu es toujours sûr de toi ? demanda Shirley en désignant son ventre arrondi.

— À cent pour cent. Ma rupture avec Richard ne change rien à ce niveau.

— Ouf, tant mieux. Mais tout de même, quelle tristesse ! Je ne sais pas quoi dire... C'est fini pour de bon ?

— Je crois que ni lui ni moi ne le savons encore. Pour le moment, on fait une pause.

Richard passait voir Milagra une fois par semaine et semblait s'en satisfaire. Justin avait demandé à Julie de ne rien dire aux autres membres de la famille. Ils avaient toujours partagé tous leurs secrets.

Du moins... jusque-là. Car pour la première fois depuis leur enfance, Julie ne disait pas tout à son frère jumeau...

Le déclic vint de leur mère. On était au début du mois de mai et Kate s'occupait moins souvent du petit Tommy depuis qu'Izzie avait repris le travail et engagé une nounou.

— Est-ce que Julie t'a raconté quelque chose de spécial ? demanda-t-elle à sa fille aînée un soir.

— Non, pourquoi ?

— Je ne sais pas... Elle ne m'appelle presque plus jamais depuis le déménagement. L'autre jour, je lui ai trouvé une voix bizarre, et la façon dont elle m'a dit que tout allait bien ne m'a pas rassurée. C'est dingue, tout à coup, ça m'a ramenée à l'époque où elle était victime de harcèlement scolaire ! Ses camarades se sont moqués d'elle pendant des semaines avant que je découvre la vérité. Je n'ai aucune idée de ce qui se passe, mais ça m'inquiète.

— Tu en as parlé à Justin ?

— En fait, c'est lui qui m'avait alertée le premier, mais je n'y avais pas fait attention. Tu as raison, je vais lui demander d'essayer de lui tirer les vers du nez.

Quand ses petits étaient près d'elle, il suffisait à Kate de les regarder pour savoir comment ils allaient. L'absence de Julie lui pesait terriblement.

Le lendemain, sur les conseils de sa mère, Justin appela sa sœur jumelle. Cette fois, l'excuse du rhume ou de l'allergie ne tenait plus, il était certain qu'elle avait pleuré. Comme elle persistait à affirmer que tout allait bien, il joua la carte de l'humour.

— Tu ne mentirais pas à ton frère aîné, quand même ?

— Tu n'as que cinq minutes de plus que moi, idiot ! lança-t-elle en séchant ses larmes.

Peter l'avait battue avant de partir au bureau... Elle en avait encore les oreilles qui sifflaient. La veille, de retour du travail, il l'avait trouvée en train de nager dans la piscine de la résidence en bikini. À partir de là, il l'avait accusée de vouloir aguicher le voisin du premier. Ainsi donc, elle profitait de son absence pour coucher avec n'importe qui ?! Ce n'était évidemment qu'une vue de l'esprit dérangé de son époux...

Au bout de quatre mois de mariage seulement, Julie ne le reconnaissait plus. Peter était un véritable monstre. Et désormais, les violences psychologiques la blessaient autant que les coups. Tous les jours, il l'obligeait à lire à voix haute un article de journal ou un extrait de roman. Dès qu'elle butait sur un mot, il éclatait de rire et lui répétait qu'elle était stupide.

La vie de Julie était devenue un enfer, mais elle avait peur de partir : il avait juré que, s'il la retrouvait, il la tuerait. Et elle avait de bonnes raisons de le croire...

Après avoir parlé avec son frère, la jeune femme sentit néanmoins poindre en elle l'envie de se battre. Elle ouvrit le moteur de recherche de son ordinateur. Il devait bien y avoir quelque chose, quelque part... En moins d'une minute, elle avait trouvé. Elle composa un numéro de téléphone, expliqua brièvement la raison de son appel et nota une adresse sur un morceau de papier. Puis elle sortit de la résidence et monta dans un taxi. Vingt minutes plus tard, il la déposait devant une église, dans un quartier déshérité de Hollywood. Elle poussa la porte et descendit un escalier. Dans une salle du sous-sol, plusieurs femmes attendaient le début de la réunion : il s'agissait d'un groupe anonyme pour femmes victimes de violences.

# 21

Semaine après semaine, Julie comprit les rouages du piège dans lequel elle était tombée. Les femmes présentes aux réunions avaient des histoires similaires à la sienne : au début, leurs compagnons avaient été aussi aimants que Peter, avant de dévoiler leur véritable visage. Et pour mieux les contrôler, ils avaient commencé par les isoler.

Des slogans étaient affichés aux murs : « L'abus est une maladie de l'isolement », ou encore « J'ai besoin des autres ». Plusieurs participantes avaient déjà quitté leur bourreau par le passé, avant de revenir. Heureusement, quelques-unes, qui s'en étaient sorties pour de bon, participaient aux réunions pour offrir leur soutien et leur écoute bienveillante. Le plus souvent, les femmes avaient honte de leur situation, mais étaient assurées qu'au sein du groupe on ne leur demanderait jamais pourquoi elles ne partaient pas. Comme si les choses étaient aussi simples ! La peur les paralysait et elles ne savaient pas toujours où aller, surtout quand elles avaient des enfants. Et par ses constantes humiliations, l'abuseur réussissait souvent à persuader sa compagne que c'était elle la coupable.

Beaucoup, comme Julie, pensaient que si elles serraient les dents, la situation finirait par revenir à la normale. Le plus dur était d'accepter que cet espoir était vain. Julie ne comprenait pas comment quelqu'un pouvait changer de façon aussi radicale du jour au lendemain. Ce monstre ne pouvait pas être le vrai Peter ! Et pourtant, dans cette ville inconnue, loin de ses amis et de sa famille, sans collègues de travail, elle était totalement à sa merci.

Les autres femmes lui apprirent que les prédateurs de l'acabit de Peter jetaient à dessein leur dévolu sur des personnes douces et peu sûres d'elles. Et elles la mirent en garde : soixante-quinze pour cent des abuseurs, hommes ou femmes, qui menaçaient de tuer leur partenaire finissaient par passer à l'acte. En effet : une fois de plus, Peter avait failli la noyer en lui maintenant la tête sous l'eau de la piscine. Il lui assénait des gifles chaque fois que ce qu'elle disait ne lui convenait pas. Bien sûr, ses « punitions » étaient pires quand elle se rebellait. Et il se débrouillait toujours pour que ses coups ne laissent pas de marque, hormis quelques bleus à des endroits que personne ne pouvait voir. Il répétait que si elle se plaignait, que ce soit à sa famille ou à la police, il le saurait immédiatement… et la tuerait. Elle craignait d'ailleurs qu'il n'ait mis son téléphone sur écoute.

Intérieurement, Julie avait l'impression d'être morte. L'époque où il lui faisait l'amour pour se faire pardonner était révolue : il ne la prenait plus que par la force, et perdait l'envie dès qu'elle faisait mine de consentir.

Si les réunions aidaient la jeune femme à supporter son calvaire, elle avait encore bien trop peur pour s'enfuir. Chez qui aller ? D'autant que Peter lui avait confisqué ses cartes de crédit et lui octroyait tout juste de quoi faire les courses chaque semaine. Par ailleurs, elle ne se sentait pas prête à passer la porte d'un foyer pour femmes battues, car elle n'en était pas encore là, n'est-ce pas ? Et de toute façon, Peter la retrouverait bien trop facilement dans ce genre d'endroit...

Les humiliations avaient fini par invalider ses capacités cognitives : dans l'état d'anxiété permanent où elle se trouvait, sa dyslexie était devenue telle qu'elle arrivait à peine à lire les noms des rues. Elle n'osait presque plus sortir de chez elle. S'il ne lui avait pas pris son téléphone portable, c'était seulement pour mieux la contrôler et savoir où elle était à tout instant.

Au mois de juin, alors qu'elle désherbait leur petit bout de jardin en short et tee-shirt, il rentra sans prévenir à l'heure du déjeuner et la traîna à l'intérieur de l'appartement en l'insultant. Il l'accusait une fois de plus de vouloir séduire le voisin, lequel avait l'âge d'être son père et était marié à une petite dame charmante. Là, il la battit encore plus fort que d'habitude, la viola avec une telle brutalité qu'elle fut tout juste capable de se traîner à la salle de bain pour se laver, tandis qu'il remontait tranquillement son pantalon avant de repartir au bureau.

En se regardant dans le miroir, elle s'aperçut qu'elle n'était plus que l'ombre d'elle-même. Les histoires des autres femmes du groupe résonnèrent dans sa mémoire. La semaine précédente, l'une d'entre elles avait fini dans le coma sous les coups de son mari. Une autre avait été blessée à l'arme blanche. Son ex-compagnon était en prison, et elle avait survécu, mais comment se relever d'une telle expérience ? En un éclair, Julie comprit qu'il n'y avait qu'une seule issue si elle ne partait pas : Peter finirait par la battre à mort.

Sans réfléchir, elle se rinça le visage à l'eau froide, enfila un jean, un tee-shirt propre et une paire de baskets. Puis elle empoigna son sac à main et courut hors de la maison aussi vite que ses jambes pouvaient la porter.

Elle sauta dans un taxi pour l'aéroport : elle avait tout juste de quoi se payer la course. Une fois sur place, elle respira à fond pour tenter de se calmer. Enfin, elle réussit à déchiffrer la liste des départs. Il y avait un vol pour New York d'ici une demi-heure.

Justin répondit à la deuxième sonnerie. Elle entendit Milagra gazouiller derrière lui...

— Salut, Julie ! Attends, je vais mettre la petite dans son parc. Comme ça, on pourra parler tranquillement.

— J'ai des ennuis, lui dit-elle dès qu'il reprit l'appareil.

— Des ennuis ? Comment ça ?

Aussi loin qu'il se souvienne, sa sœur jumelle ne lui avait jamais rien dit de tel.

— Il est cinglé... Il va me tuer... Je suis allée dans un groupe pour les femmes sous emprise et j'ai compris... Il me bat, il a essayé de me noyer, il a pris mes cartes de crédit... Justin, j'ai peur.

Son frère se mit à pleurer en même temps qu'elle. Sur le coup, il n'avait qu'une envie : tuer Peter.

— Je n'ai pas d'argent, poursuivit Julie. Il y a un vol pour New York dans vingt minutes. Si tu m'achètes un billet, je te rembourserai plus tard.

— Donne-moi le numéro du vol, dit-il en attrapant un stylo. Prends cet avion, Julie ! Tire-toi de là. Est-ce qu'il sait où tu es ?

— Non, il est rentré à midi pour me frapper et me violer avant de retourner au bureau. C'est presque devenu une habitude pour lui.

Justin en eut la nausée.

— Va récupérer ta carte d'embarquement et saute dans l'avion. Je viens te chercher à New York.

— Ne dis rien à maman ! lança Julie.

— D'accord.

Après cet achat, il n'avait plus un sou sur son compte courant, mais il n'aurait pas hésité à dépenser toutes ses maigres économies pour secourir sa sœur.

Julie attendit dix minutes que sa réservation soit enregistrée dans le serveur de l'hôtesse au sol. Elle récupéra son billet pour la dernière place disponible en classe économique et courut vers le contrôle de sécurité. Une fois assise dans l'avion, elle retint son souffle jusqu'à ce que les portes se referment. Sauvée ! Jusqu'à la dernière minute, elle avait craint que Peter ne surgisse. Il l'avait appelée plusieurs fois depuis son départ de la maison.

Au même moment, dans le Vermont, Justin rassemblait en toute hâte ce dont il aurait besoin pour le voyage. En voiture, il arriverait à New York en même temps que sa sœur. Vingt minutes plus tard, il roulait aussi vite que possible en direction du sud, tandis qu'à l'arrière Milagra dormait à poings fermés. Sans quitter la route des yeux, il pleurait à chaudes larmes. Le fait d'avoir pressenti la détresse de sa sœur n'était qu'une maigre consolation. Il ne voulait même pas imaginer ce qu'elle avait vécu au cours des derniers mois. Dieu merci, elle avait eu le courage de s'enfuir et de l'appeler. Que serait-il devenu si Peter avait tué Julie ?

Il arriva à l'aéroport JFK trente minutes avant l'atterrissage de son avion, ce qui lui laissa le temps de passer aux toilettes, puis d'avaler un café et un donut. Milagra était toujours endormie dans son cosy.

Dès qu'elle franchit la porte de sortie, Julie se jeta dans ses bras et s'accrocha à lui comme à sa planche de salut. Justin remarqua tout de suite qu'elle avait des marques sur le visage et dans le cou : la veille, Peter l'avait presque étranglée. Son frère en eut le vertige.

— Merci pour le billet d'avion, dit-elle tandis qu'ils se dirigeaient vers le parking.

Elle ne pouvait s'empêcher de regarder à droite et à gauche. Et s'il l'avait suivie ?

— Il fallait que je m'en aille, poursuivit-elle. Je ne sais pas ce qui s'est passé, mais tout a changé après le mariage. Comme si ça l'avait rendu dingue.

— Il a toujours été dingue, à mon avis, sauf qu'avant il le cachait. Comment ça a commencé ?

— Déjà, il n'a pas aimé que je revienne ici pour l'enterrement de Zach. Après, ça n'a fait qu'empirer. Il ne voulait pas que je vous voie. Et il répétait constamment que si je vous racontais quoi que ce soit, ou si j'appelais la police, il me tuerait.

— Oh, Julie, heureusement que tu as eu le courage de partir, s'étrangla Justin. Écoute, est-ce que tu as dormi dans l'avion ?

Ils étaient arrivés devant la voiture.

— Un peu. J'étais comme assommée. Pourquoi ?

— Est-ce que tu es en état de conduire d'ici deux-trois heures ?

— Bien sûr, pas de problème.

Justin était sur les nerfs : la colère le tenait éveillé et il voulait essayer de comprendre ce que sa sœur avait subi. Il attacha Milagra dans son cosy sur la banquette arrière avant de prendre le volant, tandis que Julie rallumait son téléphone. Il sonna aussitôt : c'était Peter. La jeune femme sursauta et son frère lut la panique dans ses yeux.

— Surtout, ne réponds pas. Il va mettre un moment avant de comprendre où tu es...

Elle acquiesça et le téléphone se remit à vibrer

quelques minutes plus tard. D'ici quelques heures, en ne la voyant pas rentrer, Peter finirait par se douter de quelque chose. Mais pour le moment elle était en lieu sûr, hors de sa portée.

Frère et sœur parlèrent à bâtons rompus pendant tout le trajet. À nouveau, Julie lui demanda de ne rien dire à leur mère pour le moment. Elle avait besoin de temps pour tenter de comprendre. Comment avait-elle pu se laisser berner à ce point ? Pourquoi ne l'avait-elle pas quitté à la première alerte ? C'était comme s'il l'avait paralysée.

— Je ne devrais pas te dire ça maintenant, lui révéla Justin, mais maman n'arrêtait pas de répéter que Peter était trop parfait pour être honnête. Nous, on la traitait de parano...

— Vraiment ? C'est fou, maman a presque toujours raison, mais on ne veut pas l'admettre... Izzie m'a avoué qu'elle savait très bien que son histoire avec Zach finirait mal.

— Ouais, soupira Justin. Pareil pour moi. Maman a bien senti que nous n'étions pas complètement prêts pour avoir un bébé avec Richard, que notre relation n'était pas aussi solide que je voulais le croire.

— Et alors, vous en êtes où, tous les deux ?

— On se croise quand il passe pour emmener Milagra au parc, mais depuis trois mois, on n'a même pas bu un café ensemble. Officiellement, on fait une pause, mais je crois qu'en réalité c'est déjà fini pour lui.

— Et pour toi ? s'enquit Julie d'une voix douce.

— Je ne sais pas. Ça a été un tel choc... Je ne suis pas sûr de pouvoir oublier, ni d'avoir envie de lui pardonner. Il a l'air sérieux, comme ça, mais en fait, c'est un grand gamin qui ne pense qu'à s'amuser. En tout cas, il n'était pas prêt à avoir un deuxième bébé.

— Tu penses que tu vas y arriver tout seul ?

— Moi ? J'ai vraiment hâte ! Milagra m'émerveille tous les jours, et je sais que ça sera génial pour elle aussi quand son petit frère ou sa petite sœur sera là ! C'est dingue, j'ai l'impression d'être né pour être papa.

Le soleil se levait sur les collines du Vermont. Au bout de six heures de route, ils arrivèrent enfin à destination. Une superbe journée s'annonçait. Ils étaient épuisés mais heureux d'être ensemble. Peter n'appelait plus, mais il avait envoyé une dizaine de messages, qu'elle avait arrêté de lire au bout du troisième. Il pouvait bien s'excuser et la supplier de rentrer tant qu'il voudrait...

Milagra se réveilla pile au moment où ils entraient dans la maison.

— Oh non, moi qui espérais avoir droit à une petite heure de sommeil, gémit son père.

— Ne t'inquiète pas, je m'occupe d'elle. J'irai me coucher après.

Justin accepta avec gratitude et monta l'escalier comme un somnambule. C'était tellement plus facile à deux ! Julie détacha Milagra de son cosy, la changea et lui prépara son biberon matinal. Quand son frère redescendit pour prendre la relève, la jeune femme était à moitié endormie sur une chaise de la cuisine et finissait de donner son déjeuner à sa nièce. Alors qu'elle se levait pour aller se reposer, Justin perçut la sonnerie d'un SMS sur son portable.

— Qu'est-ce qu'il dit ? voulut-il savoir.

— Il essaie de me faire revenir en alternant les menaces et les excuses.

— Tu lui as répondu ?

Julie secoua la tête. Pour sa sécurité, elle avait tout intérêt à garder le silence. Il comprendrait bien assez tôt qu'elle l'avait quitté pour de bon.

Le soir venu, après avoir couché Milagra, le frère et la sœur abordèrent la suite des événements.

— Tu as pensé à porter plainte ?

— Au début, ça me paraissait insensé, et maintenant je veux juste oublier. Et puis, comment prouver que c'est moi qui dis la vérité ?

— Tu n'as pas de photos de tes blessures ?

— Non, j'avais trop peur qu'il me batte encore plus s'il les trouvait. Il contrôlait mon téléphone en permanence.

— Quelle horreur... Dans tous les cas, tu ne peux pas rester mariée à ce monstre !

— Non, c'est vrai. Même si je préférerais ne plus jamais avoir à le croiser, il va bien falloir que je divorce. Je suis partie avec ce que j'avais sur le dos et j'ai laissé toutes mes affaires à L.A. Si ça se trouve, il ne voudra même pas me les rendre...

— Tu es là, toi, et c'est le principal. Quand vas-tu dire à maman que tu es ici ?

— J'ai d'abord besoin de souffler avant de pouvoir affronter les autres. Maman, Izzie, Willie, mamie Lou... ils vont tous se faire une sacrée opinion de moi...

— J'en ai une, moi aussi, mais de lui seulement : ce type est un sociopathe dont la place est derrière les barreaux.

— Peut-être... Je vais y réfléchir. En attendant, est-ce que je peux rester un peu chez toi ? J'ai quelques économies, je t'aiderai pour les courses et les factures. Oh, mais j'y pense, Peter a toujours mes cartes de crédit ; il faut que je les bloque immédiatement ! Une chance que j'aie gardé tous mes comptes à mon propre nom...

— Oui, tu les feras transférer ici, mais ne t'inquiète pas pour l'argent, tu es chez toi dans ma maison. Et si tu restais tout l'été ? Tu pourrais rentrer à New York en septembre, peut-être même reprendre ton ancien boulot.

— Je ne crois pas. Ils m'ont remplacée par une styliste parisienne plutôt douée.

— Alors tu trouveras autre chose...

Ce soir-là, elle reçut encore vingt messages furieux de la part de Peter, qui l'accusait de tout et n'importe quoi, notamment d'être partie avec un autre. Quoique bouleversé par ce qu'elle avait vécu, Justin était réconforté à l'idée que sa sœur allait passer quelques mois près de lui.

La fine équipe était réunie !

Le vendredi suivant, Shirley étant d'accord, il invita Julie à assister à l'échographie du cinquième mois.

— À son cabinet, notre gynéco n'a qu'une vieille machine où tout est flou, on a l'impression de regarder une carte météo du Vermont... Mais à l'hôpital, ils ont un super échographe en 3D, tu vas voir. C'est vraiment cool. Et en plus, ils nous donnent les photos après.

Julie accepta avec joie. Comme la vie pouvait changer, en l'espace de quelques jours seulement !

Dans l'après-midi, ils rejoignirent donc Shirley à l'hôpital, et Julie trouva la jeune femme très sympathique. Après qu'elle eut bu trois verres d'eau et attendu trente minutes, tous les trois entrèrent dans la salle d'examen. Shirley s'installa sur le lit et souleva son tee-shirt : son ventre avait l'air d'une montagne tandis que la dame lui appliquait du gel avant de poser la sonde.

— Est-ce que vous souhaitez connaître le sexe ? demanda-t-elle.

Justin répondit par l'affirmative. Julie, elle, scrutait l'écran avec intensité. Elle n'avait jamais assisté à un tel spectacle. L'échographiste vérifia que le placenta était normal, et tout à coup elle haussa des sourcils étonnés. Elle tourna l'écran vers elle – Julie, Justin et Shirley ne voyaient plus rien –, puis elle s'enquit de la date de la dernière échographie, avant de s'excuser et de quitter la pièce...

La dame revint quelques instants plus tard, accompagnée d'une gynécologue. Justin commençait à paniquer, mais n'osait pas poser de questions, de peur d'effrayer davantage Shirley, pas rassurée non plus.

— Eh bien ! lança le médecin en souriant. Nous avons une image intéressante à vous montrer. Je suppose que le cabinet où vous avez pratiqué votre dernière échographie est équipé d'un matériel un peu ancien ? En début de grossesse, il arrive parfois qu'un embryon en cache un autre et que les battements de cœur soient à l'unisson.

Elle tourna alors l'écran : en 3D et en couleurs, on voyait clairement deux bébés. Nul doute possible...

— Félicitations, vous allez avoir des jumelles !

Les trois autres restèrent cois pendant un instant, puis Justin serra sa sœur dans ses bras et la souleva de terre, avant de déposer un baiser sur le front de Shirley.

— Tu te rends compte, Shirley ? Des jumelles !

Si elle se rendait compte ? Sans doute mieux que lui... Voilà qui expliquait qu'elle soit encore plus grosse que pour Milagra ! Justin était sur un petit nuage et Julie souriait jusqu'aux oreilles.

Le jour même, ils durent emmener Shirley chez sa gynécologue pour des examens complémentaires : le médecin mesura à nouveau la taille de son utérus et recalcula la date prévue du terme. En l'occurrence, cette date n'avait pas changé, mais, comme pour la plupart des jumeaux, le risque de prématurité était plus élevé. En cas de contractions, Shirley devrait la rappeler immédiatement. Et la probabilité était assez forte qu'elle doive rester alitée un mois ou deux. Shirley leva les yeux au ciel. Elle avait juré que ce serait sa dernière gestation pour autrui, mais là, c'était le bouquet final !

Le jeune père, pour sa part, semblait sur le point d'éclater de fierté. La première personne qu'il eut envie de prévenir fut Alana : ses ovocytes avaient « décroché le jackpot ». Dès qu'il eut écrit ces mots, toutefois, il leva un regard paniqué vers sa sœur.

— Mince, il va falloir que je nourrisse trois enfants au lieu de deux.

— Ton roman est presque prêt, dépêche-toi d'apporter les dernières corrections et envoie-le aux éditeurs, lui répondit Julie. Tu auras encore moins le temps d'écrire quand les jumelles seront là.

Kate fut fort surprise en apprenant la nouvelle. Elle félicita son fils, puis lui demanda si elle pouvait venir passer le week-end du 4 juillet chez lui avec mamie Lou et Izzie, sans oublier le petit Tommy. Ils iraient dans le petit hôtel de quartier qu'ils connaissaient bien...

Le téléphone était sur haut-parleur, et Julie entendait tout. Ne sachant que répondre, Justin lui adressa de grands gestes interrogateurs. Enfin, elle acquiesça. Elle ne pourrait pas cacher sa situation éternellement, et, en plus, elle se réjouissait à l'idée de ce week-end en famille : sa mère lui manquait.

— Bien sûr, maman, excellente idée !

Après avoir raccroché, Justin se demanda s'il devait prévenir Richard, mais choisit de ne pas le faire. C'était son problème à lui – ou plutôt sa chance. Dans la mesure où Richard était sorti de sa vie après la naissance de leur premier enfant, cela ne le regardait plus.

Au cours des semaines suivantes, Peter continua de bombarder Julie d'appels et de messages, jusqu'au jour où elle prit son courage à deux mains et décrocha. Il alterna les cajoleries et les menaces les plus disparates : si elle ne rentrait pas bientôt, il détruirait toutes les affaires qu'elle avait laissées. De toute façon, il la trouverait et la ramènerait de force.

— Je ne t'appartiens pas, Peter. Je ne t'ai jamais appartenu. Je t'ai aimé, ce qui vaut bien mieux, mais tu ne le méritais pas. Si tu veux, tu peux envoyer mes affaires chez ma mère ; je les récupérerai plus tard, quand j'irai à New York. Je ne suis pas pressée.

— Oh, bébé, je t'en supplie, dis-moi où tu es !

— Aussi loin de toi que possible. Et si tu m'approches, j'appelle la police. Je ne veux plus entendre parler de toi. Jamais.

Le soir même, elle rangea son alliance et sa bague dans une petite boîte, en se disant qu'elle les lui renverrait plus tard. Dès qu'elle serait de retour à New York, elle appellerait un avocat pour demander le divorce. Pour elle, Peter White appartenait au passé.

Quand sa famille arriva, le week-end du 4 juillet, Julie sortit de la maison à pas lents, sa nièce dans les bras. Dès l'instant où sa mère l'aperçut, elle comprit. Julie n'avait pas besoin de parler : Kate savait que

M. Trop Parfait avait dérapé. Gravement, comme elle l'avait pressenti. Elle effleura la joue de sa fille et scruta son regard.

— Ma chérie, est-ce que tu vas mieux ? demanda-t-elle en tremblant.

Julie opina. Le cauchemar était derrière elle.

Pour sa part, Izzie se montra à la fois surprise et enchantée de voir sa sœur.

— Ça alors, Julie ! Qu'est-ce que tu fais là ? Tu es venue avec Peter ?

Sans un mot, la jeune femme secoua la tête et échangea un regard avec son frère avant de répondre :

— Je suis ici depuis quelques semaines et jusqu'à la fin de l'été. Ensuite, je rentre à New York.

Inutile d'en dire davantage.

— Oh, mince, se rembrunit Izzie. Mais si tu veux, tu pourras venir habiter avec Tommy et moi...

# 22

Fin août, Julie se sentait prête à revenir à New York, chercher du travail et commencer une nouvelle vie. Et elle avait hâte de divorcer. Peter lui envoyait encore des messages de temps à autre, mais ses menaces tombaient à plat. Il avait perdu contre Julie.

À l'exception de rares cauchemars qui la réveillaient au milieu de la nuit, elle avait presque complètement surmonté son traumatisme. Elle ne sursautait plus au moindre bruit, avait repris du poids et des couleurs. Et si elle ne voulait plus entendre parler des hommes, elle avait recouvré sa santé mentale et physique. Le reste n'avait pas d'importance. Peter lui avait écrit qu'il avait mis tous ses vêtements à la benne et qu'il ne lui enverrait jamais ses meubles, mais cela lui était bien égal. C'était pour elle l'occasion d'un nouveau départ. Pour prendre le temps de se retourner, elle avait accepté l'invitation d'Izzie avec joie. Les deux sœurs étaient ravies à l'idée de vivre en colocation.

Willie vint à son tour passer un week-end dans le Vermont. Lui aussi était heureux de savoir que Julie se relevait de ses épreuves et qu'elle serait bientôt de retour à New York.

Pendant tout l'été, Justin et elle avaient suivi de près la grossesse de Shirley, devenue si volumineuse qu'elle ne pouvait presque plus marcher. Selon les mots de son médecin, elle était prête pour le décollage ! Et quel décollage... Les deux bébés étaient si costauds qu'une césarienne était envisagée. L'évolution des dernières semaines serait décisive.

Kate avait offert à Justin de l'aider financièrement. Ce filet de sécurité le rassurait, bien sûr, mais il tenait à se débrouiller seul. Grâce à Julie, qui s'occupait beaucoup de Milagra, il avait travaillé d'arrache-pied à son roman et recherchait activement un agent littéraire qui l'aiderait à le proposer aux éditeurs.

Ses relations avec son ex-compagnon étaient moins glaciales ; ils avaient même dîné ensemble deux ou trois fois pour faire le point. Justin avait fini par lui révéler la surprise que réservait la grossesse de Shirley, et la situation était très claire : Richard pouvait naturellement avoir sa place dans la vie de Milagra s'il le souhaitait, mais lui, Justin, assumerait seul l'éducation des jumelles, aidé d'une jeune fille qui viendrait s'occuper des petites cinq après-midis par semaine. Âgée de dix-huit ans, elle était l'aînée de dix enfants, dont des jumeaux. Autant dire que la perspective de trois bambins ne l'effrayait pas ! Son salaire demanderait de nouveaux sacrifices à Justin, mais il n'avait pas vraiment le choix.

C'est début septembre, après le week-end de Labor Day, que Justin accompagna Julie à New York. Son livre enfin terminé, il avait rendez-vous avec un agent littéraire ! Il avait toutefois prévu de ne passer qu'une seule nuit à New York, car il ne voulait pas s'éloigner de Shirley trop longtemps : on n'était plus qu'à trois semaines du terme.

Alors qu'ils entraient dans la ville, il reçut un appel de Richard. Justin décrocha juste le temps de lui dire qu'il était au volant et qu'il le rappellerait plus tard. Il déposa Julie chez Izzie avec Milagra, et fila à son rendez-vous.

Dans l'après-midi, Julie alla voir sa mère chez Still Fabulous. Kate avait entrepris quelques réaménagements à la boutique au cours de l'été, et le résultat était spectaculaire. Elle serra longuement sa fille dans ses bras, infiniment soulagée qu'elle ait survécu à son psychopathe de mari, mais aussi très fière qu'elle ait trouvé en elle les ressources nécessaires.

— Ma chérie, tu n'imagines pas comme je suis heureuse que tu sois revenue... Allons dans mon bureau, tu veux une tasse de thé ?

— Carrément !

— Écoute, reprit Kate lorsqu'elles furent assises. J'ai une proposition à te faire. J'y ai beaucoup réfléchi... Voilà : voudrais-tu devenir responsable de ma boutique en ligne ? Jessica et moi n'arrivons plus à tout gérer. J'ai besoin de quelqu'un pour tenir à jour les contenus et la présentation du site, mais surtout pour sélectionner les articles les plus appropriés à la vente à distance. Ce n'est pas du tout la même clientèle.

Julie resta pensive. Elle était dessinatrice de mode et n'avait aucune expérience dans le marketing. Le commerce, c'était le domaine de sa mère. Mais en dépit de sa dyslexie, Julie se débrouillait plutôt bien en informatique. Et quand elle était fatiguée, un logiciel de lecture vocale lui facilitait la vie.

— Hum, tu me laisses y réfléchir, maman ?

— Bien sûr, ma chérie. En tout cas, je suis certaine que tu te débrouillerais à merveille ! Tu as grandi dans le magasin, tu le connais comme ta poche, et puis tu as toutes les compétences requises.

Elle lui dévoila le montant du salaire associé au poste, et Julie ouvrit de grands yeux : c'était plus que pour son ancien job ! Certes, Kate voulait restaurer la confiance de sa fille, profondément ébranlée par les humiliations de Peter, mais elle avait aussi réellement besoin d'aide pour gérer son e-boutique. D'autant que, à terme, elle voulait se passer des services de Bernard. Cet habile homme d'affaires lui avait donné un sacré coup de pouce, cependant elle n'avait plus la moindre envie de travailler avec lui depuis la fin de leur relation.

Après avoir récupéré Milagra chez Izzie, Justin rejoignit sa mère et sa sœur à la boutique. Son rendez-vous s'était bien déroulé : le courant était passé entre lui et l'agent littéraire, lequel lisait régulièrement ses publications dans la presse et appréciait son style. Pour fêter l'événement, ils décidèrent de s'offrir des pâtisseries dans un café du quartier et laissèrent Milagra sous la bonne garde de Jessica : lorsqu'ils se mirent en route, la jeune vendeuse faisait rire la petite fille aux éclats en jouant à « coucou-caché » derrière une grande capeline de chez Dior !

Milagra venait tout juste d'avoir un an. Deux semaines plus tôt, Justin avait invité Richard à dîner pour fêter ce premier anniversaire, et les deux hommes avaient bavardé jusque tard dans la nuit, tandis que Julie se retirait dans la chambre de sa nièce pour les laisser seuls.

Le lendemain, Justin repartit pour le Vermont. Julie avait déjà pris ses quartiers chez Izzie, et elle adorait jouer avec Tommy. Pour le moment, elle ne demandait pas mieux que de remplir son rôle de super tata ! À part ça, elle n'avait qu'un objectif : retrouver du travail. Elle passa la soirée à parler avec Izzie de la proposition de sa mère, puis cette idée lui trotta dans la tête toute la nuit. Dès la première heure, elle appela Kate sur son portable.

— C'est d'accord, dit-elle de but en blanc.

— Euh, d'accord pour quoi, chérie ?

— Pour ton offre d'emploi !

— Waouh, génial ! J'avais tellement peur que tu refuses !

— Je commence quand ?

— Dès demain, si tu veux.

Toute la journée, Julie se projeta dans son nouveau job. Elle était confiante ; elle savait que ses talents et ceux de Kate étaient complémentaires. Le soir, Izzie rentra du cabinet fort souriante.

— Qu'est-ce qu'on prépare pour le dîner ? lui demanda Julie.

Elle ne s'attendait pas à la réponse de sa sœur :

— Euh, justement, j'allais te demander si tu voulais bien garder Tommy. Figure-toi que j'ai un rendez-vous. Enfin, pas vraiment un rendez-vous... C'est juste un collègue qui m'a invitée à dîner. Je lui ai bien dit que je n'étais pas encore prête à fréquenter quelqu'un, mais, après tout, ça me ferait du bien d'avoir un ami, tu ne crois pas ? Un peu comme maman et Liam...

— Un ami ? Mais oui, bien sûr..., la taquina Julie, ravie de voir que, huit mois après le décès de Zach, elle commençait à revivre.

Le lendemain, Kate attendait Julie à la boutique pour son premier jour de travail. Dans le cadre du réaménagement du magasin, elle lui avait libéré un espace. Elle lui confia une tâche pour la matinée, avant de retourner à son propre bureau. Restée seule, Julie prit un instant pour contempler en souriant les murs nus, repeints de frais, et la table où rien ne traînait. Tout était neuf et plein de promesses... à l'image de sa vie.

Kate venait de s'asseoir devant une pile de factures, lorsqu'elle reçut un appel de son meilleur ami.

— Salut, Liam, figure-toi que Julie vient de...

Il l'interrompit.

— Oh, Kate..., lâcha-t-il d'une voix tremblante qu'elle reconnut à peine.

— Est-ce que ça va ? demanda-t-elle.

— Non... Maureen et moi sommes sortis dîner hier soir. Elle s'est fait renverser par un chauffard ivre sur un passage piéton.

Il se mit alors à sangloter et le cœur de Kate se serra : en plus de trente ans, jamais elle ne l'avait vu pleurer.

— Kate, c'était horrible. J'ai passé toute la nuit près d'elle à l'hôpital. Elle n'a pas repris connaissance. Elle est morte il y a une heure.

— Oh mon Dieu, c'est affreux, Liam. Ne bouge pas, j'arrive.

— Non, il faut d'abord que je prévienne les filles, ct que j'aille aux pompes funèbres.

— J'irai avec toi, déclara Kate.

Elle aussi était passée par là, et il l'avait accompagnée à chaque instant. Le moins qu'elle puisse faire était de lui rendre la pareille.

— D'accord, je te tiens au courant, dit-il en essayant de reprendre contenance.

Kate expliqua la situation à Julie. Une heure plus tard, Liam rappelait.

— Tu veux bien venir avec moi, alors ? Je n'y arriverai pas tout seul.

— Je suis là dans dix minutes.

— Merci, souffla-t-il.

Kate prévint Julie qu'elle partait.

— Pauvre Liam, embrasse-le de ma part. Tu ne veux pas que je t'accompagne ?

— Non, reste ici, je t'appellerai. Tu gardes la boutique en mon absence ?

Elle déposa un rapide baiser sur son front.

— Je suis contente que tu sois là, ma chérie.

— Merci, maman. Moi aussi, je trouve ça cool.

Et Kate de descendre l'escalier en courant. Elle sauta dans un taxi et donna l'adresse de Liam au chauffeur. Lorsque ce dernier s'assit près d'elle sur la banquette arrière, il avait l'air d'avoir reçu un coup de massue sur la tête.

— On va chez l'entrepreneur qui a tout géré pour mes parents, lâcha-t-il. Je ne savais pas qui appeler d'autre...

Kate le serra dans ses bras et il s'accrocha à elle comme s'il avait peur de se noyer.

— Je suis sûre qu'ils sont très bien ; d'ailleurs, ça n'a aucune importance. Tu as réussi à joindre les filles ? demanda-t-elle.

— Oui... Je crois qu'elles ne réalisent pas plus que moi ce qui vient de se passer. Penny arrivera tard dans la soirée et Elizabeth n'a pas pu avoir de vol avant demain. Il faut que je décide de la date de l'enterrement. Le père de Maureen ne va pas s'en remettre...

Le vieil homme, âgé de plus de quatre-vingt-dix ans et de santé fragile, avait déjà perdu sa femme récemment.

Avec l'aide de Kate, Liam fit tous les choix nécessaires. La seule fois où ils en avaient discuté, Maureen avait indiqué à son mari qu'elle préférait être incinérée. Comme il y avait un caveau de famille, cette partie-là au moins était réglée. Un peu plus tard, il avait rendez-vous avec un prêtre de leur paroisse. Kate mit au point avec lui le déroulement de la cérémonie et l'aida à choisir les musiques ainsi qu'une photo de Maureen, qui serait imprimée sur le programme.

En sortant de l'église, ils s'arrêtèrent dans un café et Kate le força à manger quelque chose, avant de le déposer chez son beau-père. Bien qu'elle n'ait jamais été proche de Maureen, elle était profondément triste et compatissait pour leurs deux filles, encore si jeunes... Elle n'avait jamais vu son meilleur ami dans un si triste état : Maureen et lui étaient mariés depuis vingt-cinq ans, presque la moitié de leur vie.

De retour à la boutique dans l'après-midi, Kate commanda de la part de toute la famille une grande composition florale en forme de croix. Les obsèques auraient lieu trois jours plus tard. Puis elle passa voir comment Julie se débrouillait. Sa fille était très absorbée dans son travail et semblait y prendre beaucoup de plaisir.

— Comment va Liam ?

— Il est sous le choc. Il est chez le père de Maureen en ce moment. Tu as prévenu tes frères et sœur ?

— Oui, ils sont tous tristes...

Maureen était une figure familière pour eux depuis toujours. Liam l'avait épousée à l'époque où Tom était mort, ce qui expliquait que leurs deux filles soient plus jeunes que les enfants de Kate. Penny et Elizabeth allaient-elles décider de finir leurs études aux États-Unis pour se rapprocher de leur père ? Il y avait tant de décisions à prendre...

Liam rappela Kate en sortant de chez son beau-père. Il pleurait à chaudes larmes.

— C'était horrible. J'ai eu l'impression de le poignarder. Déjà qu'il a perdu sa femme, maintenant sa fille unique...

— Et si tu allais t'allonger un peu chez toi, tranquillement ? suggéra Kate.

— Il faut encore que je rédige l'annonce pour le journal.

— Tu as jusqu'à demain matin pour l'envoyer et tu vas avoir besoin de force pour accueillir les filles. Repose-toi un peu, c'est important.

— Peut-être...

Il semblait confus et désorienté, ce qui était inédit chez lui. Depuis que Kate le connaissait, il avait toujours été un pilier de force et de sagesse.

— Tu veux que je passe chez toi après le travail ? lui proposa-t-elle.

Il accepta avec gratitude. Kate vint l'aider pour la rédaction de l'annonce, puis resta avec lui jusqu'à ce qu'il aille chercher Penny à l'aéroport. De retour chez elle, Kate parla un moment avec sa mère au téléphone, puis s'aperçut qu'elle était trop fatiguée pour avoir envie de dîner. Elle hésita à prendre encore des nouvelles de Liam dans la soirée, mais décida de ne pas le déranger pendant qu'il était avec Penny. En l'occurrence, c'est lui qui la rappela, après que sa fille se fut endormie.

— Seigneur, Kate, c'est un véritable cauchemar. Tout le monde pleure, je ne sais pas quoi faire...

Si Liam était un homme solide et équilibré, il n'était pas très doué pour gérer l'émotivité des autres. C'est en partie pour cela qu'il s'entendait si bien avec Maureen, elle-même tout en retenue. Il avait toujours pu compter sur sa présence discrète, et voilà qu'elle l'avait quitté…

— Je sais exactement ce que tu ressens, lui dit Kate. Mais je te jure que tu vas y arriver. Les prochains jours seront les plus difficiles. Malheureusement, il faut en passer par là.

— Et ensuite ? Je vais devoir me débrouiller sans elle jusqu'à la fin de mes jours, lâcha-t-il en se remettant à pleurer.

— Est-ce que tu as envoyé l'annonce ? demanda doucement Kate pour le ramener à quelque chose de concret.

— À l'instant. Et il faut que j'aille chercher Elizabeth demain matin. Elle n'a pas pu prendre un vol direct ; elle avait un changement à Francfort.

— Je suis sûre que ça s'est bien passé, le rassura Kate. Ensuite, vous serez réunis tous les trois.

— Penny voulait voir sa mère, mais ce n'est pas possible. Si tu savais comme ce chauffard l'a abîmée…

— Essaie de ne pas y penser, Liam. Il faut que tu te reposes, maintenant. Même si tu ne dors pas, va te coucher. Appelle-moi quand tu veux, même au milieu de la nuit.

— Merci, Kate. Je ne sais pas ce que je ferais sans toi. Je suis complètement paumé.

— C'est la moindre des choses… Tu as été là pour moi quand il le fallait, il y a bien longtemps.

À ceci près que la maladie de Tom avait laissé à Kate la possibilité d'anticiper. Et Tom avait tant souffert qu'une partie d'elle-même avait été presque soulagée de le voir partir. Liam, pour sa part, avait l'impression d'être emporté par un tsunami.

Épuisée, Kate s'allongea tout habillée sur son lit,

se disant qu'elle irait se démaquiller d'ici un instant. Lorsqu'elle rouvrit les yeux, c'était le matin ; le soleil était levé. Elle se remémora instantanément le décès de Maureen. Au même moment, Liam se réveillait en fondant en larmes.

# 23

Justin passa voir Shirley le lendemain de son retour de New York. Elle était vraiment énorme, mais arrivait toutefois à en rire.

— Je crois que tes filles ont organisé une boum là-dedans : elles n'arrêtent pas de danser !

Leur père jugea que c'était bon signe et sourit à la jeune femme, tout en lui rappelant de ne pas hésiter à l'appeler si elle avait besoin de quoi que ce soit. Au passage, il se demanda où les petites trouvaient de l'espace pour bouger, car elles devaient tout de même être bien à l'étroit, à deux dans le ventre de Shirley.

Dans l'après-midi, il travaillait au canevas d'un nouveau roman, lorsque Richard lui téléphona pour lui demander s'il pouvait passer en sortant du lycée. Après une brève hésitation, Justin accepta. D'habitude, son ex venait plutôt voir Milagra le week-end, mais pourquoi pas, après tout...?

Il débarqua alors que Justin finissait de donner son goûter à la petite et que la baby-sitter venait d'arriver. Il embrassa Milagra, laquelle lui fit la fête, puis il salua Justin, visiblement embarrassé.

— Je peux te parler... seul ? demanda-t-il.

— Bien sûr. Viens, on passe au salon.

Richard sursauta en s'asseyant sur le canapé. Il venait

d'écraser un jouet ; la maison en était pleine ! Justin posa deux tasses de café sur la table basse.

— Ça me manque, lâcha Richard.

— Quoi ? T'asseoir sur des Duplo ? Passe quand tu veux, on en a plein... Et quelque chose me dit que le bazar ne va pas tarder à s'accumuler...

— Précisément, c'est pour ça que je suis là...

Richard leva un regard timide vers Justin.

— Je m'en veux tellement, si tu savais. J'ai été complètement stupide... J'ai fait un caca nerveux, une attaque de panique ou une crise de la quarantaine. Appelle ça comme tu voudras. Je me suis senti dépassé par la parentalité... Et je crois aussi que j'étais jaloux. À la fois envieux que tu t'en sortes tellement mieux que moi, et jaloux de toute l'attention que tu consacrais à Milagra. Je me suis senti mis à l'écart.

Justin fut touché par l'honnêteté de son ex.

— Oui, elle prend de la place, c'est vrai. Mais je ne t'aimais pas moins pour autant.

— Tu es une mère parfaite ; pas moi.

— Une chance que je ne sois pas hétéro – j'aurais pu mal le prendre, ironisa Justin.

— Tu vois très bien ce que je veux dire.

— Oui, mais tu es une meilleure mère que tu ne le penses, Richard, et en tout cas un très bon père. Peut-être qu'on ne peut pas tenir les deux rôles à la fois... et que, comme père, je suis moi-même assez nul. Chacun fait de son mieux, voilà tout.

— J'ai mis six mois – et trente-sept ans – à le comprendre. J'ai fait une bêtise, mais je t'aime, Justin. Si tu veux bien, j'ai envie de réessayer. Je veux revenir vivre avec toi.

Il lui avait fallu beaucoup de courage pour formuler cette humble demande, mais il ne pouvait pas faire autrement – et ce, même si la probabilité que Justin le repousse était élevée. Sinon, il l'aurait regretté toute sa vie.

Justin le regarda d'un air incrédule.

— Maintenant ? Tu veux revenir *maintenant* ? Tu planes à cent mille, non ? Tu as paniqué avec un seul gosse, et tu me proposes de « réessayer » alors que je vais avoir des jumelles d'un jour à l'autre ? Laisse-moi rire !

— Alors que *nous* allons avoir des jumelles.

— C'est très discutable, ça. Je te rappelle que j'ai décidé de les avoir tout seul quand tu m'as quitté.

— Techniquement, personne ne sait si ce sont plutôt tes filles ou les miennes, objecta Richard. Et pour tout te dire, je m'en fiche : je voudrais que ce soient les nôtres.

— Est-ce que tu as conscience de la galère que ça va être ? Trois filles... J'ai une sœur jumelle, j'ai grandi dans une famille nombreuse, alors je sais de quoi je parle. Tu ne tiendras pas deux jours.

— Je te parie le contraire. Mais tu sais quoi ? Ça ne marchera que si nous acceptons de payer une baby-sitter de temps à autre. Je ne te demande pas de partir aux Bahamas... Juste une nuit dans un motel, dans le coin, disons une fois par mois. On a besoin de se retrouver tous les deux.

— Ouais, avec un peu de chance, ce sera possible... dans vingt ans, quand elles seront à la fac. Richard, il s'agit d'élever une famille nombreuse. C'est une sacrée responsabilité. Un engagement.

— Je suis partant, si tu veux bien de moi.

— Pourquoi ? demanda Justin après une pause.

— Parce que je t'aime. J'y réfléchis depuis des mois, en long, en large et en travers, et je reviens toujours à cette conclusion. C'est vrai que j'en ai eu marre, des couches et des biberons... et j'ai bien conscience que ça risque d'être trois fois pire. Mais je t'aime, et ça, je ne peux pas en faire abstraction. Acceptes-tu de me donner une seconde chance ?

— Qu'est-ce qu'on fait si tu pètes encore un plomb ? J'ai mis un petit bout de temps à me remettre de ton départ, tu sais.

— Tu m'aimes encore ?

Justin hésita un long moment, avant d'opiner.

— Oui, mais l'amour ne suffit pas toujours pour qu'un couple fonctionne.

— Moi, je sais que ça peut marcher, et ça *va* marcher, déclara Richard. Parce que j'ai grandi.

Justin s'approcha de lui et se pencha pour l'embrasser. Puis il le regarda dans les yeux et dit à voix basse :

— Si jamais l'envie de partir te reprend, fais-le proprement. Inutile de me servir le même coup que la dernière fois.

Richard hocha la tête.

— Je te jure que je ne partirai plus, murmura-t-il.

Justin l'embrassa à nouveau, puis demanda, un sourire aux lèvres :

— Quand veux-tu emménager ?

Par son honnêteté, Richard l'avait convaincu de tenter ce pari un peu fou. C'était la meilleure décision possible. Six ans de vie commune et trois enfants les réunissaient. Il aurait été trop bête de jeter tout cela aux orties.

— J'ai un sac dans le coffre de ma voiture, avoua timidement Richard.

Son compagnon éclata de rire.

— Allez, viens. Il faut profiter des derniers jours de calme avant la tempête. Alors, comme ça, tu trouvais que Milagra nous donnait trop de travail ? Attends de voir quand elles se mettront à pleurer toutes en même temps !

— Au fait, elles vont dormir où, les petites ?

— Avec nous dans un premier temps, puis dans la chambre de Milagra. Quand elles seront assez grandes, on pourra acheter un lit à trois étages… ou un logement plus grand, si mes livres se vendent bien ! J'ai le droit de rêver, non ? En attendant, on devra se serrer à cinq dans cette maison de poupée.

— Même pas peur, lança Richard.

Et tous deux d'éclater de rire.

Justin appela sa mère pour lui dire qu'il était navré, mais qu'il ne pouvait absolument pas s'absenter pour assister à l'enterrement de Maureen. Il ne voulait pas risquer de manquer l'accouchement de Shirley. Kate lui assura que Liam comprendrait. Mère et fils parlèrent un moment du drame, puis Justin lui annonça tranquillement que Richard était de retour.

— Ah oui ? C'est vraiment ce que tu souhaites ?

— Oui. On a beaucoup réfléchi, beaucoup discuté, surtout. Je me suis aperçu qu'on ne se parlait pas assez, avant. Je suis très heureux.

— Super. Et moi, très contente pour toi. Embrasse Richard de ma part.

Cet après-midi-là, les deux amoureux rendirent visite à Shirley, laquelle se montra ravie de les accueillir ensemble. Richard n'avait jamais vu de ventre aussi énorme. À croire que chacun des bébés pesait cinq kilos ! La jeune femme n'arrivait presque plus à sortir sur le perron de sa maison sans assistance. Et pourtant, à trois semaines du terme, il ne se passait toujours rien.

Dans la soirée, à New York, il y eut une veillée

funèbre en mémoire de Maureen. Ses filles s'étaient voilées de mantilles de dentelle noire qu'Elizabeth avait rapportées d'Espagne. À leurs côtés, Liam, lui aussi tout de noir vêtu, était très digne dans le chagrin. Kate lui avait acheté une cravate chez Hermès, car il ne portait d'habitude que des couleurs vives.

Kate et trois de ses enfants – Julie, Willie et Izzie – les soutinrent du mieux qu'ils purent, accueillant les nombreuses personnes venues leur présenter leurs condoléances et signer le livre d'or. Le père de Maureen était absent : plus fragilisé que jamais, il devait économiser ses forces pour les obsèques, le lendemain.

Celles-ci furent sobres et classiques, à l'image de Maureen. La musique était très émouvante, entre les morceaux instrumentaux choisis par Liam et les psaumes chantés par la chorale. Une soliste à la voix cristalline sublima l'Ave Maria, et un joueur de cornemuse suivit le cercueil contenant l'urne. L'église était pleine à craquer d'amis et de collègues de Liam. Grâce à Kate, qui avait tout organisé en coulisse, chaque détail était conforme à ce que Maureen aurait souhaité.

Après l'inhumation dans le caveau familial, une centaine d'amis du couple et de leurs filles se réunirent chez eux. Kate avait commandé un buffet auprès de l'un des meilleurs traiteurs de la ville.

Trois jours plus tard, Penny et Elizabeth repartirent pour l'Europe – là-bas, l'année académique venait à peine de commencer. Liam se retrouva seul chez lui. Quand Kate l'emmena dîner, le lendemain, il avait une mine épouvantable ; elle savait qu'il lui faudrait beaucoup de temps avant de pouvoir reprendre une vie normale.

Au cours des semaines qui suivirent, Kate l'appela tous les jours et l'emmena manger dehors chaque fois qu'il y consentait. Il s'accrochait à elle comme à un radeau dans la tempête : les nombreuses attentions de son amie lui apportaient la chaleur humaine dont il avait tant besoin.

Il faut dire que Kate lui consacrait une grande partie de son temps. En conséquence, elle se félicitait à chaque instant d'avoir embauché sa fille. Julie faisait des heures supplémentaires tous les soirs, mais elle s'amusait comme une petite folle. À sa propre surprise, le dessin de mode ne lui manquait pas. Dans la mesure où sa mère lui laissait les coudées franches, c'était un métier encore plus créatif.

Un soir, elle venait de quitter la boutique, vers vingt-deux heures, lorsqu'elle aperçut son frère Willie à la sortie d'un restaurant de Soho, accompagné d'une femme à la beauté renversante, et visiblement plus âgée que lui. Ils marchaient enlacés, tellement absorbés par leur joyeuse conversation que Willie ne remarqua pas sa sœur. Afin qu'il ne se sente pas obligé de lui parler, Julie les laissa prendre de l'avance. Elle n'en était pas moins intriguée : cette femme était-elle sa maîtresse, ou bien une simple amie ?

De retour chez Izzie, Julie fit part de sa découverte à sa sœur : elle était amusée, elle avait eu l'impression d'épier les faits et gestes de son jeune frère, comme quand ils étaient petits. Willie était très discret sur sa vie amoureuse ; il se vantait facilement du nombre de ses conquêtes, mais il ne révélait jamais leur identité...

— À croire qu'il saute sur tout ce qui porte une jupe entre dix-huit et quatre-vingt-dix ans ! commenta Izzie. Elle avait à peu près quel âge, selon toi ?

— Un peu plus que nous... Je dirais entre trente-huit et quarante ans. Mais elle était vraiment magnifique et ils avaient l'air de bien s'entendre.

— Tant mieux pour lui !

La conversation glissa ensuite sur les retrouvailles de Richard et Justin, puis Izzie reconnut que le collègue qui l'avait invitée à dîner ne lui déplaisait pas. Julie sourit... Quel bonheur de pouvoir échanger des ragots entre filles comme au bon vieux temps !

Dans l'attente de la naissance des jumelles, Richard et Justin bénéficièrent de plusieurs jours pour se réhabituer l'un à l'autre. Ils s'octroyèrent des moments de calme et de loisirs rien que pour eux – restaurant et cinéma notamment. Ils retournèrent également au marché, et Richard eut plaisir à se mettre aux fourneaux. Justin, toutefois, ne manquait pas d'ouvrage : un magazine de portée nationale lui avait commandé une série d'articles de société sur les médicaments. Avec la terrible crise des opiacés qui ravageait les États-Unis, c'était un sujet brûlant.

Un samedi, alors qu'ils prenaient un petit déjeuner tardif pendant la sieste matinale de Milagra, Justin reçut un appel de Shirley. On n'était plus qu'à une semaine du terme.

— Salut, Shirley, quoi de neuf ?

— Oh, rien de spécial... si ce n'est que les filles sont en train d'arriver, répondit-elle en riant. Le travail a commencé dans la nuit, puis je n'ai plus rien senti pendant un moment. Là par contre, je n'ai plus trop de doute. Je vais de ce pas à l'hôpital. C'est l'heure !

Richard appela la baby-sitter pendant que Justin débarrassait la table et préparait quelques en-cas pour la maternité. Shirley semblant très calme, ils ne se sentaient pas pressés. La baby-sitter arriva vingt minutes plus tard, et ils se mirent tranquillement en route pour l'hôpital. Shirley était déjà sur le lit de la salle de travail. On aurait dit une baleine… L'interne venait de l'examiner et sa propre gynécologue serait là d'une minute à l'autre. La jeune femme leur sourit dès que la douleur liée à la contraction qui la traversait se dissipa.

— Je n'en suis qu'à cinq centimètres, mais ils ne veulent pas me laisser rentrer à la maison, au cas où les choses se précipiteraient comme la dernière fois.

— Ils ont bien raison ! s'exclama Justin. La dernière fois, tout a été si vite que j'ai failli t'accoucher moi-même. Comment te sens-tu ?

— Ça va, ça va…

Au bout d'une heure, comme la situation n'évoluait pas, le médecin perça la poche des eaux. Quelques minutes plus tard, Shirley fut secouée par une rafale de contractions. Elle avait demandé une péridurale, mais l'anesthésiste était mobilisé par une césarienne d'urgence. Cette fois, c'était beaucoup plus intense que pour Milagra, et Shirley broyait littéralement la main de Justin dans la sienne.

— Vous ne pouvez vraiment rien faire pour elle ? demanda-t-il à l'infirmière.

Richard dut quitter la pièce, ne supportant plus de voir la jeune femme souffrir. Shirley était en train de hurler de douleur lorsque le médecin revint.

— Dix centimètres. Vous allez pouvoir pousser, maintenant, annonça-t-elle d'une voix ferme. Il faut me sortir ces bébés de là !

Justin eut l'impression d'entendre un changement dans les sons du monitoring. Et tout à coup, l'équipe médicale fut en état d'alerte. Justin n'y comprenait rien, pas plus que Richard, qui était revenu entre-temps. La gynécologue restait penchée sur Shirley, laquelle ne cessait plus de crier, dans un long hurlement, déchirant et ininterrompu.

— Et la péridurale ? demanda une nouvelle fois Justin.

— Pas le temps, monsieur...

Deux infirmières empoignèrent alors les jambes de Shirley pour aider la gynécologue, et un second docteur fit son entrée dans la salle, le visage grave.

— Il y a un problème ? voulut savoir Justin.

Mais personne ne lui répondit ; toute l'équipe était bien trop occupée à encourager Shirley à pousser. Les deux hommes se mirent à paniquer. Alors que pour la naissance de Milagra, la situation leur avait semblé sous contrôle d'un bout à l'autre, ils sentaient bien que quelque chose clochait. Ils avaient remarqué que l'un des deux battements de cœur retransmis par le monitoring ne cessait de ralentir. Et les professionnels échangeaient des regards inquiets au-dessus de leurs masques...

La gynécologue se saisit des forceps à l'instant où l'anesthésiste arrivait enfin, beaucoup trop tard pour une péridurale. Le docteur lui demanda cependant de rester, au cas où il lui faudrait pratiquer une césarienne. Soudain, alors que Shirley produisait un effort surhumain, la tête du premier bébé apparut. Lentement, très lentement. Puis le médecin dégagea ses épaules, le reste suivit et l'interne prit le nouveau-né entre ses mains pour aspirer le mucus qui lui obstruait le nez. La petite se mit à pleurer. Elle était toute ronde et magnifique !

Cependant, le médecin avait encore fort à faire avec sa sœur jumelle, dont le cœur faiblissait à chaque contraction. Alors que Shirley avait cessé de crier en voyant la première, les douleurs reprirent de plus belle, d'autant que la gynécologue tentait de repositionner manuellement le second bébé. Justin eut l'impression qu'une éternité se passa avant son arrivée. Elle était encore plus potelée que la première et les regardait avec un air étonné, comme si elle ne s'attendait pas à les voir tous réunis autour d'elle. Pendant un instant, elle ne cria pas. Justin et Richard voyaient bien que sa couleur n'était pas naturelle, presque bleue, mais la gynécologue lui donna une tape dans le dos tandis que son confrère aspirait le mucus. Alors, tel un miracle, un cri puissant résonna dans la pièce, à la satisfaction de toute l'équipe. Justin fondit en larmes.

— Est-ce qu'elle va bien ? demandèrent les deux hommes à l'unisson.

— Oui, tout va pour le mieux. Comme vous avez pu vous en rendre compte, son cœur avait commencé à ralentir. C'est parce que le cordon était enroulé autour de son cou, mais nous avons réussi à le dégager.

Quel soulagement ! Si la gynécologue avait été moins habile, le dénouement aurait pu être tragique.

— Bravo, Shirley, tu es une championne ! Désolé que cela ait été si dur, lui dit Justin, le regard empreint d'affection et de reconnaissance.

— Ça en valait la peine, répondit-elle d'une voix faible.

La gynécologue suggéra aux deux hommes de suivre les infirmières à la nursery pour assister aux premiers soins des bébés pendant qu'elle s'occupait de Shirley. La jeune femme était si éprouvée qu'elle avait besoin d'un masque à oxygène.

Après être tombés dans les bras l'un de l'autre sous le coup de l'émotion, les deux papas purent chacun tenir un bébé tout contre soi. D'après le pédiatre, les deux petites se portaient à merveille.

— Tu vois, ton instinct maternel s'est développé, plaisanta Justin.

Ils restèrent un long moment en peau à peau, émerveillés par la beauté des deux bébés, puis ils les emmaillotèrent avant de retourner voir Shirley. Elle s'était endormie sous l'effet de la fatigue et des analgésiques qu'on lui avait injectés après l'accouchement. Une infirmière lui massait l'abdomen pour limiter le risque d'hémorragie. Jack venait d'arriver. C'est avec un sourire sincère qu'il félicita les heureux papas, même s'il était extrêmement soulagé que tout fût terminé pour Shirley. Ils pourraient enfin reprendre une vie normale.

Encore incrédules, les deux hommes annoncèrent à leur entourage la naissance de Camilla et Charlotte. Ils avaient maintenant trois enfants ! Charlotte pesait trois kilos six cents, et Camilla quatre kilos tout rond, ce qui était plutôt spectaculaire pour des jumelles. Et elles étaient parfaites ! Quelles que soient les épreuves qui les attendaient, les deux hommes se sentaient plus prêts que jamais à les surmonter. Leur amour les porterait.

— Pas de doute, on forme une vraie famille, maintenant, murmura Richard.

— Bienvenue au bercail, répondit Justin.

# 24

Shirley et les jumelles passèrent trois jours en observation à l'hôpital, puis ce fut le retour à la maison pour tout le monde. Pendant les premières semaines, Justin et Richard ne firent que donner des biberons jour et nuit, chacun à tour de rôle. Heureusement qu'une baby-sitter était là pour s'occuper de Milagra...

Les jumelles étaient tout juste âgées d'un mois lorsque Justin reçut un appel de l'agent littéraire. L'homme acceptait de représenter son livre, qu'il avait trouvé magistral. Il avait même un éditeur en tête... Justin était ravi et croisa les doigts : un éventuel succès de librairie leur permettrait de respirer sur le plan financier.

Une semaine plus tard, alors que Richard trouvait enfin le temps d'ouvrir le quotidien auquel il était abonné, son visage se décomposa. Peter White, qui était encore l'époux de Julie sur le papier, était à la une. Inculpé pour le meurtre d'une femme qu'il avait fréquentée en Californie. Apparemment, il l'avait tuée à coups de brique après l'avoir torturée pendant plusieurs jours : elle portait des marques de strangulation et de plaies par perforation.

À la lecture de l'article, le cœur de Justin se souleva. Si sa sœur ne s'était pas sauvée sans se retourner, elle aurait probablement connu le même sort. Il appela aussitôt Kate. Toute la famille était au courant, Julie y compris. Elle était sous le choc, traversée par une tempête d'émotions. Si cette tragédie réactivait son propre traumatisme, elle mesurait par ailleurs la chance qu'elle avait eue de survivre à ce monstre. Kate dit aussi à Justin que la police avait contacté sa sœur jumelle dans la matinée. C'était une maigre consolation, mais le témoignage de Julie finirait certainement d'accabler son bourreau face à la justice.

— Heureusement qu'elle est près de toi ; tu as pu la soutenir tout de suite, remarqua Justin. Je l'appellerai un peu plus tard, c'est le moment où jamais de se serrer les coudes. À propos, maman, tu es sûre que tu veux de nous pour Thanksgiving ? On est un peu envahissants...

Tout en parlant, Justin faisait les cent pas avec Milagra sur la hanche, tandis que Richard posait un bébé dans son couffin avant de prendre l'autre.

— Bien sûr, je compte sur vous, mes trésors ! se récria Kate. Je vous attends de pied ferme.

— Toi, alors, tu n'as pas froid aux yeux...

Et en effet, un joyeux et bruyant désordre régna dans l'appartement de Kate le jour de Thanksgiving. Liam était là, lui aussi, un peu sonné : comme ses filles ne pouvaient pas rentrer d'Europe, Kate avait insisté pour qu'il vienne. Richard et Justin confiaient leurs trois grâces à tous les bras qui acceptaient de les porter. Izzie avait bien sûr amené son petit Tommy, qui était un bébé de huit mois facile et sociable. Il aimait particulièrement sa tata Julie. Et Louise, complètement remise de ses mésaventures en Chine, parlait déjà de son prochain voyage en Thaïlande au printemps. Mais c'est Willie qui rafla la vedette en annonçant qu'il fréquentait quelqu'un. Il avait décidé de tout leur déballer d'un coup, même s'il s'attendait à une avalanche de critiques. Sa compagne était plus âgée que lui, divorcée et mère de deux enfants. Psychologue de formation, elle avait un poste de directrice des ressources humaines dans une grande entreprise. Leur relation était sérieuse ; ils se voyaient depuis six mois maintenant.

Pendant une minute, le silence régna dans la pièce : même les bébés restèrent cois.

— Plus âgée... de combien ? voulut savoir Kate d'un air faussement détaché.

Sans se démonter, Willie déclara tout d'abord qu'il aimerait l'inviter au réveillon de Noël, sans quoi il ne viendrait pas, car il ne voulait pas passer les fêtes sans elle.

— Elle a trente-huit ans, répondit-il enfin. Et ses enfants ont six et huit ans ; ils sont super mignons. Je pense qu'elle va vous plaire.

Un brouhaha général s'éleva rapidement dans la pièce, tandis que chacun interrogeait Willie pour avoir plus de détails sur cette grande nouvelle familiale.

— Voilà que ça recommence, souffla Kate à Liam. Ils pensent qu'ils peuvent lutter contre le destin en se fourrant dans des situations difficiles, avec des gens impossibles... L'un de mes enfants ne pourrait-il pas choisir la facilité, pour une fois ?

— Tu ne leur as pas franchement montré l'exemple ! lui rappela Liam, un sourire aux lèvres. Et leur histoire n'est pas encore écrite. Zach est parti, mais Izzie l'aurait quitté de toute façon. Ta petite Julie a trouvé en elle le courage d'échapper à Peter. Les garçons se sont remis ensemble. Et regarde-moi tous ces adorables bambins ! Personne ne sait de quoi leur avenir sera fait... C'est le rôle des enfants que de donner des cheveux blancs à leurs parents. Si on prend un peu de recul, on s'aperçoit que l'histoire se répète à chaque génération. Je suis certain que ta mère s'est fait un sang d'encre quand tu as épousé Tom avant la fin de vos études. Et pourtant, tu as été très heureuse. Donc tu vois bien que l'amour gagne parfois contre le destin. Donne-leur juste un peu de temps. Avec la maturité, ils se compliqueront de moins en moins la vie.

— Je l'espère, soupira Kate.

Sur ce, ils rejoignirent les autres au salon pour jouer avec les bébés, pendant que mamie Lou détaillait le programme de son voyage à Bangkok.

Liam avait raison. Tout finirait certainement par s'arranger. En attendant, Kate avait hâte de rencontrer l'amie de Willie – cette femme qui était parvenue à assagir son don Juan de fils.

Peu avant Noël, il l'appela pour vérifier qu'il pouvait bien inviter sa chère Zoé ainsi que ses deux enfants le soir du réveillon.

— Est-ce que c'est vraiment sérieux pour toi, Willie ?

— Très sérieux, maman. Mais il n'est pas question de mariage, si c'est ce qui t'inquiète. Nous sommes juste heureux ensemble. Et je n'imagine pas la laisser seule le soir de Noël.

— Très bien, qu'ils viennent !

Kate devait au moins reconnaître que son fils était loyal envers celle qu'il aimait. Et puis, après tout, la maison déborderait déjà de monde pour les fêtes... En tout, ils seraient douze adultes et six enfants, et Kate devrait installer une table supplémentaire. Liam viendrait avec ses deux filles, Willie avec sa petite troupe, Justin avec sa nombreuse famille, et Izzie avec Jeff, son collègue avocat. Pour ce dernier, Kate avait accepté avec plaisir, ravie de voir que sa fille aînée avait choisi cette fois quelqu'un de civilisé. Seules Julie et Louise ne seraient pas accompagnées.

Le soir venu, tout le monde admira l'appartement, transformé en palais de Noël par Kate, qui portait un pantalon en velours rouge, un chemisier en satin blanc et une paire de mules dorées. Le tout signé Chanel et en provenance de Still Fabulous.

Un ange passa lorsque Willie et sa compagne firent leur apparition. Zoé était vêtue d'un tailleur noir – de chez Chanel également – et d'escarpins à talons aiguilles. On aurait dit une amie de Kate plutôt que de son fils, mais au moins tombait-elle pile dans le code vestimentaire de la soirée. Lily, sa fille de dix ans, portait une robe en velours noir avec des collants blancs et des chaussures vernies, tandis que le petit Louis, remarquablement poli du haut de ses huit ans, était à croquer dans son pantalon en flanelle gris, sous un blazer en velours bleu marine.

Zoé remercia la maîtresse de maison de les recevoir si spontanément, et Kate dut admettre qu'il était vraiment très difficile de résister à cette femme... Elle était splendide, intelligente, et diplômée de Vassar et de Harvard, ce qui ne gâtait rien. Kate n'avait qu'un reproche à lui faire : pourquoi fréquentait-elle un gamin comme Willie ?

Louise, pour sa part, se dit conquise, tandis que Liam eut avec Zoé une conversation animée sur les politiques de recrutement des grandes entreprises. Par ailleurs, elle prodiguait une éducation exemplaire à ses enfants et fondait de tendresse devant les quatre bébés qui peuplaient l'appartement de Kate. Zoé était vive, chaleureuse... et visiblement très amoureuse de Willie.

Pour couronner le tout, elle fit preuve d'une grande

franchise à l'égard de Kate, lui avouant en aparté qu'elle se mettait à sa place et comprenait qu'elle puisse avoir de la réticence : elle-même n'en revenait toujours pas. Mais Willie n'était pas une tocade pour elle ; c'était un vrai gentleman, qu'elle respectait profondément. Kate songea soudain que son fils semblait beaucoup plus mûr en sa compagnie. Il dévoilait des facettes de sa personnalité qu'elle ne soupçonnait pas.

Lorsque l'on passa à table, Justin demanda l'attention de l'assistance pour annoncer qu'il venait de vendre son roman à une grande maison d'édition. Tout le monde le félicita, et il s'inclina sous les applaudissements. Mais la famille n'était pas au bout de ses surprises... Dans la foulée, il révéla que Richard et lui avaient décidé de se marier ! Les cris de joie redoublèrent.

— Je pensais que vous étiez opposés au mariage gay, les taquina Willie.

— C'était le cas. Mais après tout, nous aussi, on veut avoir le droit de payer des pensions alimentaires, répondit Richard, pince-sans-rire.

— C'est pour quand ? voulut savoir Izzie.

Et où, et comment ? Elle était ravie pour son frère, car elle avait toujours adoré Richard.

— On va aller à fond dans le kitsch et la guimauve, commença Justin, un peu gêné. En fait, c'est une idée de Richard, mais je ne peux rien lui refuser... Donc, on veut faire ça le jour de la Saint-Valentin. Mais j'ai tout de même posé une condition : que la fête ait lieu ici... si maman est d'accord, bien sûr.

— Avec joie, mon chéri, approuva Kate, un grand sourire aux lèvres.

— En tout cas, ce n'est pas trop tôt ! lança Louise comme un cri du cœur, suscitant un éclat de rire général.

Kate, elle aussi, attendait ce moment depuis long-temps. Elle songea que leur couple semblait plus fort depuis qu'il avait traversé des turbulences... Puis elle se reprit intérieurement : qu'en savait-elle, après tout ? N'était-il pas pratiquement impossible de prédire la longévité d'une relation ?

Pour sa part, Julie affirma que chaque famille avait besoin d'une tata célibataire et qu'elle n'avait pas d'autre ambition dans la vie. Mamie Lou n'en crut pas un mot. Encore profondément traumatisée, la jeune femme n'imaginait pas se remettre un jour avec un homme. Cependant, elle n'était âgée que de trente-deux ans ; elle avait la vie devant elle.

Izzie ajouta qu'elle non plus ne souhaitait pas se remarier. Par contre, elle aimerait bien avoir d'autres enfants un jour. Son nouveau partenaire, qui lui correspondait en tout point, était très apprécié de la famille. C'était exactement le genre d'homme qu'il lui fallait. À ces mots, Willie adressa un coup d'œil éloquent à Zoé, assise en face de lui, mais s'abstint de tout commentaire.

Puis Justin entreprit d'exposer leurs idées pour la fête. Richard et lui souhaitaient une cérémonie privée, réservée à la famille et présidée par un juge. Ensuite, un cocktail chez Kate – rien de trop formel ni de trop compliqué. Rassurée, sa mère trouva que c'était parfaitement de bon goût, contrairement à ce qu'il avait annoncé. Pour leur lune de miel, ils passeraient un week-end à Miami, en laissant les filles à la garde de la baby-sitter, ce que Kate applaudit des deux mains. S'ils voulaient que leur union dure, ils avaient besoin de passer du temps ensemble, sans les enfants. Kate proposa de payer pour la réception et le voyage de noces, mais Justin ne voulait pas abuser de sa générosité et tenait à utiliser les premiers revenus de son livre : l'éditeur lui avait versé un à-valoir important.

Quelle merveilleuse veillée de Noël ! se dit Kate, épuisée mais heureuse, lorsqu'ils furent tous repartis. Il y avait tant de mouvement dans leurs vies ! Même si elle avait un peu de mal à le reconnaître, elle appréciait beaucoup Zoé. Willie affirmait qu'ils ne souhaitaient pas se marier, mais Kate avait lu dans leurs regards qu'ils souhaitaient avoir des enfants un jour. Et étant donné l'âge de Zoé, ils n'avaient pas de temps à perdre...

Un beau matin de la semaine suivante, dans son bureau chez Still Fabulous, Julie se concentrait pour finir quelques tâches importantes avant l'heure de son rendez-vous avec un nouveau web designer dont on lui avait vanté les mérites. En effet, elle voulait alléger l'aspect du site créé par l'équipe de Bernard, lui donner un look plus moderne. Lorsque le jeune homme entra dans la boutique, toutes les têtes se tournèrent. Grand, blond et fin, il était d'une beauté saisissante. Mais au moment de frapper à la porte du bureau de Julie, il se révéla d'une timidité presque maladive. Le stéréotype de l'informaticien renfermé sur lui-même !

Le lendemain, il revint proposer plusieurs idées en fonction des souhaits qu'elle avait exprimés. Il était aussi doué qu'on le lui avait dit, et elle fut très satisfaite du résultat. Avant de prendre congé, c'est en rougissant jusqu'aux oreilles qu'il lui proposa de dîner avec lui un soir. La jeune femme en fut horrifiée.

— Pas si c'est un rancard ! répondit-elle tout de go. Pourtant, jusque-là, il lui plaisait bien...

— Je suis en plein divorce, je ne veux jamais me remarier ni avoir d'enfants, poursuivit-elle comme un bulldozer. Vous voyez, je ne rentre pas dans les critères de la plupart des hommes de mon âge, et ça me va très bien ! Et au cas où ça vous poserait problème : je suis nulle en orthographe.

— Pas... pas du tout, bégaya-t-il. Moi aussi, je suis nul en orthographe, mais ce n'est pas grave : j'utilise le correcteur... Mon truc, c'est plutôt l'informatique. Et je ne pensais pas vraiment à me marier ou avoir des enfants... Par contre, vous mangez... peut-être ?

Il se prénommait Oliver, aurait pu être mannequin, mais pour ce qui était des compétences sociales, il était aussi perdu qu'elle.

— Est-ce que je mange ? Oui, quand c'est bon. Mais évitons la cuisine thaïe ou quoi que ce soit de pimenté : je n'aime pas ça du tout.

On aurait dit deux porcs-épics qui se lançaient leurs piquants à la tête. S'ils parvenaient à dépasser cette première prise de contact un peu rude, ils se retrouveraient sur un pied d'égalité.

— Pourquoi pas demain soir ?

Julie réfléchit une fraction de seconde.

— D'accord. Mais pas de chichis, hein ! Moi, ce que j'aime, c'est les vrais *delis* new-yorkais.

— Ah, génial, moi aussi..., lâcha-t-il avec un soulagement non dissimulé.

— Il y en a un bon juste au bout de la rue, si tu veux. Tu aimes le cheesecake ? demanda Julie, qui était passée au tutoiement sans s'en rendre compte.

— Ouais, à fond !

— Pareil.

Le lendemain soir, ils se régalèrent donc de *delicatessen* inspirés de la cuisine juive d'Europe de l'Est dans une petite échoppe qui ne payait pas de mine, mais où les bagels au pastrami étaient succulents. Et tout en mangeant, elle lui révéla d'entrée de jeu que son ex-mari était accusé du meurtre de sa maîtresse.

— Sans blague ? Et avec toi, il était comment ?

— Pas cool. Il a essayé de me tuer au bout de six mois. Je me suis enfuie juste à temps.

— Ah, la vache... À ta place, moi non plus je ne voudrais plus jamais sortir avec quelqu'un. Mais tu changeras peut-être, avec le temps ?

— Je suis très heureuse comme ça, répliqua Julie, sur la défensive.

Elle se détendit à l'arrivée du cheesecake.

— Est-ce que tu aimes le sport ? s'enquit-il.

— Ah non, je déteste ça. Même le regarder, ça me barbe, déclara Julie.

La bonne expérience de sa jeunesse dans les stades en compagnie de Justin avait été gâchée par les nombreux matchs auxquels elle avait assisté avec Peter. À posteriori, ils ne lui laissaient que de mauvais souvenirs.

— Et toi, tu aimes ?

— Non. Sorti de mes ordinateurs, je n'ai pas de grande passion, précisa Oliver sans malice.

Après le repas, il la raccompagna chez elle en taxi.

— Peut-être qu'on pourrait remettre ça, si tu veux bien... Il était vraiment bon, ce cheesecake.

— Oui, n'est-ce pas ? Merci pour le dîner, Oliver.

En fin de compte, cette entrevue s'était révélée moins effrayante qu'elle ne le craignait. Parce que ce n'était qu'un dîner, pas du tout un rendez-vous galant, se rassura-t-elle.

Comme ils l'avaient promis, le mariage de Justin et Richard déclina sur tous les tons le thème de la fête des amoureux. Ils portaient tous les deux un costume sombre, mais avec une chemise rose et une cravate rose. Naturellement, la pièce montée était recouverte de glaçage crémeux... et rose. En réalité, ils souhaitaient que personne ne se prenne trop au sérieux ce jour-là.

Accompagnée de Jeff, qu'elle fréquentait désormais depuis cinq mois, Izzie confia à sa mère qu'il lui plaisait de plus en plus. C'était un homme sérieux et responsable, qui s'occupait merveilleusement bien du petit Tommy. Ils envisageaient d'emménager ensemble d'ici peu.

À la dernière minute, Julie avait invité Oliver. Et s'il se sentait comme un éléphant dans un magasin de porcelaine avec sa flûte de champagne à la main, tout le monde remarqua qu'il dévorait Julie des yeux. Justin déclara que c'était le plus bel homme qu'il ait jamais vu, mais que c'était un vrai geek ! Et en effet, Oliver avait toutes les peines du monde à soutenir une conversation, hormis avec Julie. Ils se sentaient maintenant parfaitement à l'aise en compagnie l'un de l'autre.

Willie était venu avec Zoé et ses enfants, et, malgré leur démenti à peine deux mois plus tôt, Kate avait l'impression qu'ils songeaient sérieusement à se marier à leur tour. Cette idée la terrifiait, mais les deux dernières années lui avaient appris à accepter son impuissance face aux choix de ses chers petits...

Alana fit le voyage depuis l'Angleterre : elle n'aurait voulu manquer l'événement pour rien au monde. De même que Shirley et Jack, très touchés d'avoir été invités avec leurs enfants.

Louise tenait salon et parlait à qui voulait l'entendre de son prochain voyage à Bangkok. Quant à Liam, il se tint près de Kate pendant la cérémonie et ne la quitta pas du regard pendant la réception. Enfin, alors que la fête battait son plein, elle trouva le temps de s'asseoir près de lui.

— J'aime bien le nouveau copain de ma fille... Izzie, je veux dire. Évidemment, elle dit qu'elle ne voudra jamais se remarier. Tu peux m'expliquer, Liam, pourquoi ils épousent des gens avec qui ça ne peut pas marcher, mais ne veulent pas entendre parler de mariage quand ils tombent sur quelqu'un de bien ?

— Allons, ne sois pas si amère, ma chère ! Reconnais au moins qu'ils ont tous fait un choix plus judicieux la deuxième fois. Ils ont eu droit à une seconde chance, et ils apprennent. N'est-ce pas l'essentiel ? Jeff est parfait pour Izzie, et Oliver est très touchant dans sa façon de se comporter avec Julie. Je ne sais pas lequel des deux se sent le plus inadapté au milieu de la foule, mais ensemble ils sont vraiment mignons. Sous son air candide, ce type cache de sacrées compétences intellectuelles. Et puis, je suis persuadé qu'il ne ferait pas de mal à une mouche.

— Oui, Julie en pince pour lui, même si elle s'en défend. Il paraît qu'ils sont seulement amis... mais ils sortent au restaurant environ quatre soirs par semaine. « On mange ensemble, c'est tout... » Tu parles ! C'est juste qu'elle est encore traumatisée par Peter. Patience et longueur de temps...

Kate soupira, avant de reprendre aussitôt, sur un ton plus vif :

— Par contre, j'ai l'impression que Willie avance à marche forcée vers la case mariage. Cette Zoé est beaucoup trop vieille pour lui, ça ne marchera jamais !

— Allons, Kate, où sont passées tes bonnes résolutions ? Willie est un garçon très sensé, je pense qu'il sait ce qu'il fait.

— Tu as dit le mot : c'est un garçon, et elle, c'est une *femme*.

— C'est un garçon qui va grandir. Comme tout le monde. Moi aussi, j'ai pris un sacré coup de vieux, ces derniers temps. Quand je pense que ça fait déjà cinq mois que Maureen m'a quitté...

Liam s'interrompit, hésitant, puis reprit finalement, porté peut-être à la confession qui allait suivre par le champagne qu'il avait bu :

— Tu sais, Kate, il y a quelque chose que je ne t'ai jamais dit... Si j'avais pu, je t'aurais demandée en mariage à la mort de Tom. En fait, j'en rêve depuis toujours, mais tu t'es mariée avec lui avant que je saute le pas. Nous étions si jeunes... Et quand il est mort, j'étais déjà fiancé à Maureen. Je ne trouvais pas correct de rompre avec elle, pas plus que de te faire la cour alors que tu étais en deuil. Je me suis donc marié avec elle, et je ne l'ai jamais regretté. Mais je n'aurais jamais pensé que tu resterais seule pendant toutes ces années... Je me disais qu'une femme comme toi n'aurait que l'embarras du choix pour refaire sa vie.

— Oh, waouh, Liam... Je ne m'en étais jamais doutée... Je ne sais pas quoi dire.

— Si jamais je te le proposais, tu accepterais de m'épouser ?

Elle se mit à rire, complètement désarmée.

— Euh, tu es sûr ? Je crois que je serais très touchée, mais tu as vu le monde dans lequel nous vivons ? La relation la plus stable de ma famille est incarnée par mon fils homo... Le mariage tel que nous l'avons connu, comme une véritable institution, c'est fini !

En prononçant ces mots, elle se remémora Bernard et son « arrangement » avec sa femme.

— Pour nous, le mariage, ça veut encore dire

quelque chose, avança Liam d'une voix douce. S'il y a bien deux personnes qui croient à la valeur de l'engagement, c'est nous. Nous savons tous les deux que ça ne tombe pas du ciel. Les gens croient au coup de foudre, mais ils ne font rien pour que ça dure. Maureen et moi sommes restés ensemble pendant un quart de siècle. C'était ma meilleure amie. Notre vie n'avait rien de super excitant, mais notre relation était solide et c'est ce que nous voulions : nous pouvions compter l'un sur l'autre en toutes circonstances. Et je sais que tu serais encore avec Tom s'il avait vécu.

— Mieux que ça : je serais encore folle amoureuse de lui, lâcha Kate avec un sourire mélancolique.

— Quoi qu'il en soit, je crois que nous aussi, nous avons droit à une seconde chance. D'ailleurs, nous n'avons plus rien à prouver professionnellement. Il ne nous reste plus qu'à profiter de la vie... ensemble.

— Tu serais prêt à parier combien sur nous deux ? s'enquit-elle en le regardant droit dans les yeux.

— Beaucoup. Pas toi ?

— Écoute, je... Tu es mon meilleur ami, pourquoi prendre le risque de tout gâcher ?

— Parce que ce serait encore plus chouette de partager plus que de l'amitié.

À l'intensité de son regard, elle comprit qu'il était sérieux.

— Alors, c'est une demande officielle ? demanda-t-elle avec un grand sourire.

— Pas encore... Juste une étude de marché, plaisanta-t-il.

— Ne te lance pas trop vite dans une OPA, mon cher. Tu n'es veuf que depuis cinq mois. Par respect pour les filles, tu dois attendre au moins un an.

— Donc c'est un « oui » pour dans sept mois ?

— C'est un « peut-être ».

— Franchement, Kate, je pense que toutes les chances sont de notre côté. Et puisque nos gamins font ce qui leur chante, pourquoi pas nous ?

Kate rit à nouveau, avant de se ressaisir.

— Mon Dieu, c'est vrai... Que vont-ils penser ?

— Je suis sûr qu'ils seront très heureux pour nous.

— Et surpris...

Au même moment, Justin et Richard coupaient le gâteau sous les objectifs des téléphones portables. Kate devait reconnaître qu'elle n'avait jamais vu plus belle pièce montée que ce moelleux au chocolat recouvert de petites fleurs en sucre rose et de deux figurines de mariés en costume et chapeau haut de forme.

Et alors qu'elle dégustait sa part aux côtés de son meilleur ami, elle contempla sa famille : tous semblaient heureux et épanouis en ce jour de fête. Liam avait raison. Chacun d'entre eux avait commis des erreurs, mais ils y avaient survécu et avaient pu rectifier le tir. Peut-être qu'il fallait en passer par là. Peut-être que la probabilité de réussite augmentait la deuxième fois. Elle le leur souhaitait de tout cœur.

— Et sinon... Ton « peut-être » de tout à l'heure, il était ferme et définitif, n'est-ce pas ? demanda Liam en se tournant vers elle.

— Repose-moi la question en septembre, tu verras bien !

À ces mots, Kate se leva et lui adressa un clin d'œil, avant de se mêler à ses invités. Elle n'était sans doute pas au bout de ses surprises avec les enfants... Mais n'avait-elle pas gagné le droit de leur en ménager quelques-unes, elle aussi ? Son tour était venu.

## ŒUVRES DE DANIELLE STEEL
## AUX PRESSES DE LA CITE *(Suite)*

En héritage
Disparu
Joyeux Anniversaire
Hôtel Vendôme
Trahie
Zoya
Des amis proches
Le Pardon
Jusqu'à la fin des temps
Un pur bonheur
Victoire
Coup de foudre
Ambition
Une vie parfaite
Bravoure
Le Fils prodigue
Un parfait inconnu
Musique
Cadeaux inestimables
Agent secret
L'Enfant aux yeux bleus
Collection privée
Magique
La Médaille
Prisonnière
Mise en scène
Plus que parfait
La Duchesse
Jeux dangereux

Vous avez aimé ce livre ?
Vous souhaitez en savoir plus sur Danielle STEEL ?
Devenez, gratuitement et sans engagement, membre du
**CLUB DES AMIS DE DANIELLE STEEL**
et recevez une photo en couleurs.

Retrouvez Danielle Steel sur le site :
**www.danielle-steel.fr**

---

La liste de tous les romans de Danielle Steel publiés
aux Presses de la Cité se trouve au début de cet ouvrage.
Si un ou plusieurs titres vous manquent, commandez-les
à votre libraire. Au cas où celui-ci ne pourrait obtenir le
ou les livres que vous désirez, si vous résidez en France
métropolitaine, écrivez-nous à l'adresse suivante :

Éditions Presses de la Cité
92, avenue de France
75013 Paris

*Composition et mise en pages*
*Nord Compo à Villeneuve-d'Ascq*

**MARQUIS**

Québec, Canada

Imprimé au Canada